El cronómetro

Manual de preparación del DELE

Nivel Intermedio

Edi
numen

El cronómetro

Manual de preparación del DELE

Nivel Intermedio

Teresa García Muruais
Pilar Montaner Gutiérrez
Sergio Leonel Prymak
Nicolás Sánchez González
Iñaki Tarrés Chamorro

© Editorial Edinumen

© Autores de este manual: Teresa García Muruais, Pilar Montaner Gutiérrez, Sergio Leonel Prymak, Nicolás Sánchez González e Iñaki Tarrés Chamorro.
 Coordinadores: Iñaki Tarrés Chamorro y Sergio Leonel Prymak.

© De las fotografías: Iñaki Tarrés Chamorro.

ISBN: 978-84-95986-67-2
Depósito Legal: M-28330-2008
Impreso en España
Printed in Spain

Agradecimientos: A todos los profesores y estudiantes que han contribuido con sus comentarios a mejorar este manual, a los candidatos que han cedido sus textos y a José Carlos Ortega por su participación en las Sesiones 14 y 15.

Ilustraciones:
 Miguel Alcón

Diseño cubierta y maquetación:
 Juanjo López

Impresión:
 Gráficas Glodami. Coslada (Madrid)

Editorial Edinumen
José Celestino Mutis, 4. 28028 - Madrid
Teléfono: 91 308 51 42
Fax: 91 319 93 09
e-mail: edinumen@edinumen.es
www.edinumen.es

Introducción
para candidatos

■ Este libro ha sido escrito para preparar a aquellas personas interesadas en obtener el Diploma de Español como Lengua Extranjera (Nivel Intermedio), acercándolo al modelo de examen.

■ Aprobar un examen exige, más que el conocimiento explícito de unos contenidos, poner en práctica ciertas habilidades. Las cuatro destrezas que se evalúan son leer, escuchar, escribir y hablar, pero para superar la prueba el candidato necesitará también otras habilidades como relacionar partes de textos, entender palabras concretas de una audición, etc. Este manual propone actividades para ejercitar todas esas habilidades.

■ Consideramos que para realizar un examen de este tipo es muy importante estar bien informado. Por ello, buena parte del manual se ocupa de cuestiones como las tareas que se deberán realizar, las instrucciones de los ejercicios, el tiempo disponible para cada prueba, etc. Toda esta información aparece distribuida de la siguiente manera: una primera sesión de trabajo (Sesión 0) con información general; cinco introducciones, una por cada una de las pruebas del examen; y pequeños comentarios en las distintas sesiones.

■ En relación con lo anterior, buena parte de la ayuda que este manual puede prestar arranca de la idea de que el candidato necesita conocer el modelo de examen al que se enfrenta y haberlo "ensayado". Por eso, se ha hecho un análisis exhaustivo del modelo de examen, y sobre ese análisis se han elaborado ejercicios que reproducen las características de los del DELE (Nivel Intermedio), así como otros que trabajan estrategias de aprendizaje, de preparación y de análisis.

■ El examen se hace dentro de unos límites de tiempo, por eso el candidato debe tener una orientación realista del tiempo establecido para cada prueba, y del que él necesita para realizarlas. Habituarse a controlar este factor resulta de importancia crucial.

■ El examen es una actividad individual, y creemos que su preparación también puede serlo. De ahí que se haya estructurado este manual de manera que el candidato pueda utilizarlo de forma autónoma. Eso no descarta las ayudas personalizadas que el candidato pueda conseguir ni el uso del manual en grupos de preparación. Es más, el profesor puede encontrar las herramientas necesarias para preparar a sus alumnos, adaptando las propuestas del libro a su realidad didáctica.

■ Este manual se organiza en forma de sesiones de trabajo. La duración de cada sesión depende de cada candidato. En ellas se proponen ejercicios agrupados en tareas. No hay que realizarlas todas, sólo las que el candidato crea que pueden aportar algo a su preparación.

■ Cada sesión de trabajo incluye, al final, un apartado de *Claves*, en el que el candidato encontrará las soluciones a las actividades de las sesiones y comentarios para poder interpretar esas soluciones, además de consejos útiles para la preparación del examen.

■ El tiempo estimado de lo que puede durar la preparación del DELE (Nivel Intermedio) con este manual varía de uno a tres o cuatro meses, dependiendo del ritmo de trabajo de cada candidato. Calculando que se hace una sesión cada dos días y que se trabaja de forma regular, se puede completar en unos 2 meses. Recomendamos en este sentido a los candidatos que sean constantes.

■ Antes de empezar: es importante tener a mano un reloj o un cronómetro, será necesario en muchas actividades.

La estructura del manual

La preparación se organiza en tres fases. En la primera y segunda, que hemos llamado *"Vueltas"*, el candidato va a conocer todas las pruebas en detalle, y va a recibir muchos consejos para realizarlas. La tercera fase consiste en un examen completo, sin ningún tipo de ayuda. En las sesiones 19, 21, 25 y 30 y en los apéndices el candidato encontrará más recursos para continuar la preparación por su cuenta.

Índice

La primera prueba: **Comprensión de lectura**	La segunda prueba: **Expresión escrita**	La tercera prueba: **Comprensión auditiva**	La cuarta prueba: **Gramática y vocabulario**	La quinta prueba: **Expresión oral**

Las claves aparecen siempre al final de cada sesión

Sesión de trabajo 0:
Los diplomas de español (DELE) Nivel Intermedio

Los Diplomas de Español como Lengua Extranjera (DELE) son títulos oficiales del Ministerio de Educación de España que sirven para demostrar que posees un determinado nivel de español. Para obtenerlos tienes que realizar una serie de pruebas.

Antes de leer el texto, te proponemos una breve reflexión. Estas son algunas preguntas que han planteado algunos candidatos. Escribe tu opinión y luego busca en el texto la información que contesta a las preguntas.

Nota: El texto que te ofrecemos no responde claramente a algunas preguntas. Consulta las Claves de esta Sesión.

Según tú / Según el texto

1. ¿Tendré que explicar reglas de gramática? ...... N
2. Hablo español de México, ¿es malo para el examen? ...... N
3. Si no estoy de acuerdo con el resultado, ¿podré reclamar? C
4. ¿Tengo que aprobar antes el nivel Inicial para hacer el Intermedio? ...... N
5. ¿Tengo que hablar como un nativo para aprobar el examen? ...... N
6. ¿Tengo que conocer muchas fórmulas de cortesía para aprobar? ...... N
7. ¿Existe una lista concreta y cerrada de temas de conversación? ...... N
8. Para aprobar el examen, ¿tengo que aprobar todas las partes? ...... S
9. Si no conozco alguna palabra o no entiendo completamente un texto, ¿podré aprobar el examen? ...... S
10. ¿Tengo que saber muchas cosas sobre la sociedad, la cultura, la historia del mundo hispánico? ...... N
11. ¿Tendré que hablar necesariamente con nativos? ...... S
12. [Escribe tu pregunta].
....
....
....

¿Qué me puede interesar saber sobre los DELE en general?
- El título certifica que tienes un nivel determinado de español. El título no caduca, no tienes que renovarlo.
- Para que te den el certificado tienes que demostrar, mediante un examen, que tienes ese nivel.
- El nivel de conocimiento y de capacidad de comunicación en español se define dentro del llamado *Marco de referencia europeo para el aprendizaje, la enseñanza y la evaluación de lenguas*, un documento del Consejo de Europa que trata los distintos niveles de lengua posibles de los distintos idiomas que se hablan en Europa. Puedes obtener más información especializada en: http://cvc.cervantes.es/obref/marco/. El *Diploma de Español (Nivel Intermedio)* corresponde al nivel B2 de dicho documento. Más adelante se hacen algunas precisiones sobre este nivel.
- Para aprobar el examen, no es necesario que tengas conocimientos teóricos, sino conocimientos prácticos del idioma, es decir, determinadas **habilidades**. Éstas son: leer (Comprensión de lectura); escribir (Expresión escrita); escuchar (Comprensión auditiva); hablar (Expresión oral). Además, realizarás una quinta prueba en la que indirectamente tendrás que demostrar tu conocimiento de la gramática y el vocabulario (volveremos a ello después al hablar sobre la estructura del examen, en la introducción a la prueba de Gramática y vocabulario).

- Para aprobar este examen, no importa si hablas español de México, de Argentina o de España. Todas las formas cultas de lengua de todos los países y comunidades hispanohablantes son válidas. Lo importante es no mezclar, por ejemplo, acentos, estructuras y vocabulario, de distintos países.

- Las pruebas son de dos tipos: pruebas objetivas (Comprensión de lectura, Comprensión auditiva y la prueba de Gramática y vocabulario), y pruebas subjetivas (Expresión escrita y Expresión oral). Los resultados de las pruebas se envían a España para su calificación, excepto la prueba de Expresión Oral, que se califica en el mismo Centro examinador. Ésta última la realizas ante un tribunal compuesto por dos personas, que son profesores expertos en la enseñanza de español como lengua extranjera.

- Los resultados los da el Instituto Cervantes, a través de los Centros examinadores, en un plazo de 90 días a partir de la fecha del examen. La calificación que te da derecho a recibir el Diploma es **APTO**. Si no estás de acuerdo con el resultado que hayas obtenido, tienes un procedimiento para reclamar. Para este tema y para todo lo relacionado con el examen, puedes informarte en la página del Instituto Cervantes: http://diplomas.cervantes.es

- Para poder realizar este examen, tienes que cumplir dos condiciones:
  - a. ser ciudadano de un país donde el español no sea lengua oficial;
  - b. haber efectuado los trámites de inscripción (incluido el pago de los derechos de examen).

- Para presentarte a un nivel, no tienes que haber aprobado el o los niveles anteriores.

- Todas las pruebas se realizan un mismo día, excepto la prueba oral, que puede realizarse un día diferente. El horario y la duración de cada parte es el mismo en todos los Centros de examen del mundo, excepto en el caso de la prueba oral.

- Durante el examen tendrás que mostrar un documento de identidad válido.

- Se exige absoluta puntualidad.

- Los candidatos están obligados a cumplir las normas que dicten sus correspondientes tribunales.

- Durante la realización de las pruebas, y hasta que obtengas el título, para referirse a ti y a las otras personas que se examinan, se utiliza la palabra *candidato*. Seguramente, aparecerá en las instrucciones y en textos informativos como los de esta Sesión 0, y los miembros del tribunal y el personal de apoyo la utilizarán.

¿Qué me puede interesar saber sobre el DELE (Nivel Intermedio) en particular?

- El candidato tiene que demostrar que sabe desenvolverse en situaciones básicas de comunicación oral y escrita en cualquiera de las normas cultas de la lengua española.

- El nivel de referencia de la lengua corresponde al de una persona que visita un país de habla hispana, como turista o visitante más o menos habitual, o el que se necesita para comunicarse con un hablante nativo de español fuera de un país de habla hispana.

- El candidato tiene que poder comunicarse en situaciones formales como las que se dan entre dos personas que no se conocen, en situaciones semiformales como las que establecen los adultos que se conocen pero no pertenecen al mismo círculo social, y en situaciones informales, familiares o entre amigos.

¿Qué temas pueden aparecer en las distintas pruebas?

La siguiente lista es orientativa de los temas que pueden aparecer en las distintas pruebas.

- **Escenarios que pueden aparecer:** casa y alojamiento; ciudad; país; lugar de vacaciones; transportes; restaurantes; cafeterías y bares; tiendas, mercados y grandes almacenes; edificios públicos; lugares de ocio y diversión; lugares de interés turístico; lugares de estudio y de trabajo; centros de salud.

- **Temas que pueden aparecer:** identificación personal; casa y alojamiento; trabajo, estudios, ocupación; tiempo libre; viajes y transporte; relaciones sociales; salud y estado físico; compras; comidas y bebidas; lugares de servicios públicos; tiempo y clima; problemas de comunicación.

(La lista completa que ofrece el Instituto Cervantes en su página web, la hemos incluido al final de esta sesión, en las claves)

Comprueba ahora las anotaciones que hiciste en la tabla del principio de esta Sesión y corrige lo que sea necesario. En las Claves encontrarás comentarios explicativos que pueden serte útiles.

Cinco preguntas

Antes de continuar con esta parte del texto, te proponemos una segunda reflexión. Las siguientes preguntas básicas las hicieron unos estudiantes de español que querían hacer el examen para obtener el *Diploma de español (Nivel Intermedio)*. ¿Puedes responderlas?

1. ¿Cuántas pruebas tiene el examen?, ¿duran todas el mismo tiempo?, ¿cuál es la primera?, ¿hay pausas entre las pruebas?

   ....

2. ¿Cuántos textos tengo que leer?, ¿cuántos tengo que escuchar?, ¿cuántos tengo que escribir?

   ....

3. ¿Hay algún tipo de texto establecido para la prueba de lectura?

   ....

4. ¿Cuántas partes tiene la entrevista?, ¿voy a tener que hablar con un examinador, o con otro candidato?

   ....

5. ¿Cuántas preguntas tiene la parte de gramática y vocabulario?, ¿cómo son?

   ....

6. [Añade tu pregunta] ¿..

   ....?

Si no sabes las respuestas, busca la información en el siguiente texto.

¿Qué estructura tiene el examen?

Pruebas 1 y 2	Comprensión de lectura y Expresión escrita	120 min. [de 9:00 a 11:00]*	Se hacen el mismo día en el mismo sitio, con una pausa de 30 minutos entre las 11:00 y las 11:30.
Prueba 3	Comprensión auditiva	30 min. [de 11:30 a 12:00]*	
Prueba 4	Gramática y vocabulario	60 min. [de 12:00 a 13:00]*	
Prueba 5	Expresión oral	De 10 a 15 min. más 15 min. de preparación	La prueba de Expresión oral podrá realizarse antes o después de las pruebas escritas, según disponga el Centro de Examen. Puede ser un día diferente y en un sitio diferente**.

*Estos horarios son los que marca el Instituto Cervantes en sus indicaciones a los Centros de Examen.
**La hora de la prueba es diferente para cada candidato, y la notifica el Centro examinador correspondiente.

PRUEBA 1: Comprensión de lectura

- **Texto 1:** Texto directivo o informativo de contenido no periodístico (instrucciones de uso, anuncios, folletos de información, impresos oficiales, etc.).
- **Texto 2:** Texto periodístico de carácter informativo.
- **Texto 3:** Texto periodístico de opinión.
- **Texto 4:** Texto narrativo o descriptivo de estructura no compleja.

  Hay 12 preguntas sobre los 4 textos (normalmente, 3 preguntas por texto) de dos tipos: de verdadero / falso, o con tres opciones para elegir la respuesta correcta según el texto. Éstas últimas son las más frecuentes. Nunca se combinan los dos tipos de preguntas en un mismo texto.

PRUEBA 2: Expresión escrita

- Tendrás que escribir 2 textos, cada uno de entre 150 y 200 palabras. En ambos casos, hay unas instrucciones previas que deberás seguir, y dos opciones para elegir la situación o el tema que más te convenga.
- Texto 1: Una carta personal.
- Texto 2: Una composición de tono narrativo, descriptivo o discursivo.

PRUEBA 3: Comprensión auditiva

- Tendrás que demostrar que entiendes 4 textos respondiendo a las 12 preguntas que se te harán. Las preguntas son de dos tipos, y predominan las de opción múltiple (3 opciones) frente a las de *verdadero / falso*.
- Los textos serán fundamentalmente avisos o noticias, uno podrá ser una conversación o una entrevista de tono no coloquial entre dos personas.

PRUEBA 4: Gramática y vocabulario

Tendrás que realizar tres ejercicios agrupados en dos secciones.
- Sección 1. Hay un texto incompleto y tienes que completarlo eligiendo en cada caso entre unas opciones que se te dan. Hay 20 huecos con tres opciones por hueco. El contenido será de vocabulario y gramatical.
- Sección 2. Son diálogos breves que pueden tener tres tipos de mecánica:
    Ejercicio 1: 10 diálogos con una palabra o expresión destacada para la que hay que elegir una opción entre tres (Ejercicio de vocabulario).
    Ejercicio 2: 10 diálogos incompletos con 2 opciones, donde sólo una es la correcta (Ejercicio de gramática), más 20 diálogos incompletos con 4 opciones, donde sólo una es la correcta (Ejercicio de gramática).

PRUEBA 5: Expresión oral

- Esta prueba consiste en una conversación entre el candidato y una persona del tribunal (compuesto por dos personas). La conversación tratará tanto de temas relacionados con el candidato (gustos, aficiones, costumbres, preferencias, opiniones, experiencias, etc.), como de temas más generales. Tiene tres partes. En la primera, se te ofrecen dos series de dibujos en forma de historia. Tendrás que elegir una de ellas y luego describirla y contarla. Al final se representa (hay que improvisarlo) la última viñeta de esa historia. En la segunda parte tienes que presentar un tema que previamente habrás preparado. Para ello, se te ofrecerán tres temas de los que deberás elegir uno. Dispondrás de 15 minutos, previos a la entrevista, para preparar la presentación. La tercera parte consiste en una conversación con el entrevistador a propósito del tema que hayas presentado.

¿Cómo se califican las pruebas y el examen?

El Instituto Cervantes es el responsable de la convocatoria y administración del examen, pero es la Universidad de Salamanca la que lo elabora y la que evalúa el trabajo de los candidatos.

Los Tribunales están formados por profesores expertos en la enseñanza de español como segunda lengua, y son responsables de la administración de las pruebas escritas y de la calificación de la prueba de Expresión oral.

La puntuación máxima que puedes alcanzar es de 100 puntos. Las cinco pruebas se agrupan según el siguiente cuadro:

Grupo 1.º	Comprensión de lectura (20 puntos) y expresión escrita (15 puntos)	35 puntos
Grupo 2.º	Gramática y vocabulario (20 puntos)	20 puntos
Grupo 3.º	Comprensión auditiva (15 puntos) y expresión oral (30 puntos)	45 puntos

• • • • • ⓘ ¡Atención! Necesitas al menos el 70% de la máxima puntuación posible de cada uno de los grupos indicados:
- Grupo 1.º: 24,5 puntos.
- Grupo 2.º: 14 puntos.
- Grupo 3.º: 31,5 puntos.

Si no consigues una calificación de APTO en todos los grupos, deberás repetir todo el examen.

gationSesión 0

Para más información, visita esta dirección: http://diplomas.cervantes.es. Busca en esa página, en la zona llamada "Recursos para la preparación" el siguiente documento: *Guía para la obtención de los Diplomas de español, Nivel Intermedio* (que ha sido la fuente utilizada para la redacción de este texto).

Después de leer todo el texto, plantéate esta pregunta doble:

¿En qué consiste hacer un examen?
¿En qué consiste prepararse para un examen?

1. ....
....
2. ....
....

Nuestra respuesta:

1. Un examen es una manera formalizada de demostrar algo, un conocimiento o una habilidad. Para aprobar éste son tan importantes tus habilidades lingüísticas como una serie de factores emocionales y circunstanciales. De éstos últimos, el más importante quizá sea el tiempo: hay que realizar las tareas dentro del tiempo establecido. Y entre los primeros, el hecho de que se realiza de forma individual: el candidato está solo delante del papel, y de alguna manera también delante del entrevistador durante la prueba oral.

2. Prepararse para un examen consiste en dos cosas. Primero, saber muy bien qué tipo de tareas y ejercicios vas a tener que resolver, cuáles son sus características, y dentro de qué parámetros tendrás que resolverlas. En segundo lugar, practicar esas tareas, reproduciendo lo más fielmente posible las circunstancias del examen: el factor soledad y el factor tiempo. De igual manera, ser consciente de para qué necesitas el título que quieres obtener te permitirá calcular qué esfuerzo quieres invertir en la preparación del mismo. Este manual sigue este planteamiento: prepararte para realizar algo que tendrás que hacer en soledad y presionado por el tiempo. Las actividades han sido diseñadas pensando en una preparación individual para una actividad individual, y aunque puedes realizarlas tú solo porque se te ofrece todo el material necesario para ello (actividades, claves, comentarios, consejos, referencias bibliográficas, etc.) nunca está de más contar con la ayuda de un profesor. Te recordamos que en la página del Instituto Cervantes señalada antes, puedes consultar las fechas, lugares y precios de las convocatorias de los exámenes en los países donde se convocan, una guía de preparación, modelos de examen, y otros recursos.

En cualquier caso,

te deseamos toda la suerte del mundo.

Claves

1- No; 2- No ; 3- Sí; 4- No; 5- No [Si te fijas en el nivel de lengua que necesitas para aprobar el examen, pone que corresponde al de un turista habitual en un país de habla hispana o de una persona que habla regularmente bien el español, pero no como un nativo. Es decir, no se espera que conozcas todas las palabras, que no cometas ningún error, o que tengas una pronunciación perfecta. Al contrario, los errores posibles, por influencia de tu idioma, por desconocimiento o por otras razones, están contemplados, así como que uses recursos para resolver esos problemas. Por ejemplo, durante la entrevista oral, se acepta (y valora) que uses una explicación de una palabra que no conoces en vez de interrumpir la comunicación]; 6- No [El nivel de referencia de lengua no obliga al conocimiento de muchas formas de cortesía, pero sí es necesario que sepas usar correcta y adecuadamente las formas tú y usted en diferentes situaciones]; 7- No [Al final de estas claves tienes la lista orientativa de temas que presenta la *Guía para la obtención de los Diplomas de Español*, que aparece en la página web del Instituto Cervantes]; 8- No [Observa bien el cuadro de reparto de calificaciones. Según la información del Instituto Cervantes en su página de Internet, no tienes que aprobar todas las pruebas del examen, sino las pruebas agrupadas, y para ello tienes que conseguir el 70% de las dos pruebas juntas (en el caso del grupo 1 y del 3) y de la prueba de Gramática y vocabulario. Suspender una de las pruebas no significa suspender el examen, si el resultado de esa prueba lo compensa el de la otra prueba del mismo grupo]; 9- Sí [En la introducción a la primera prueba encontrarás un comentario más detallado sobre este tema. Pág. 14]; 10- No [Dado que el nivel de lengua para este examen corresponde al de un turista más o menos habitual, no se exige que conozcas en detalle, la historia, la cultura, las costumbres, etc. del mundo hispánico]; 11- No [Los miembros de los tribunales tienen que ser profesionales de la enseñanza del español como lengua extranjera, pero eso no significa que tengan que ser nativos. Es probable que hables con un nativo durante la entrevista oral, pero no tiene que ser necesariamente así].

gationEl cronómetro

Claves

Cinco preguntas:

1- El examen tiene 5 pruebas. No duran todas el mismo tiempo, de hecho, la duración de la 1 y la 2 la establece el candidato, que recibe todo el material y dispone de 2 horas para realizarlas. Hay un descanso de 30 minutos entre las pruebas 1 / 2 y las pruebas 3 / 4; 2- Tienes que leer 4 textos, y tienes que escuchar otros 4 textos. Tienes que escribir dos textos, una carta y un texto descriptivo o narrativo; 3- Sí, hay cuatro tipos de textos, y aparecen siempre en el mismo orden. Un texto informativo no periodístico, un texto informativo periodístico, un texto de opinión, y un texto narrativo o descriptivo (previsiblemente, literario); 4- Tiene tres partes. Tienes que hablar con un examinador, que puede ser nativo o no; 5- Tiene en total 60 preguntas (20+10+30). Son preguntas de selección múltiple, en ningún caso tienes que explicar o completar con palabras tuyas, sino a partir de las opciones que se te ofrecen.

Lista ilustrativa de los escenarios y temas en que puede producirse la comunicación en las pruebas de nivel Intermedio.

- **Escenarios:** Casa y alojamiento; ciudad; país; lugar de vacaciones; transportes; restaurantes; cafeterías y bares; tiendas, mercados y grandes almacenes; edificios públicos; lugares de ocio y diversión; lugares de interés turístico; lugares de estudio y de trabajo; centros de salud.

- **Temas:**

  A. Identificación personal. Nombre y apellidos; dirección; número de teléfono; sexo; estado civil; fecha y lugar de nacimiento; documentación legal; idioma; nacionalidad; profesión u ocupación; aspecto físico; carácter y estado de ánimo.

  B. Casa y alojamiento. Tipo, situación y dimensión de la vivienda; tipo de habitaciones; muebles y ropa de casa; instalaciones y útiles de hogar; reparaciones; alquiler; alojamiento en hotel, campismo, el barrio, la ciudad.

  C. Trabajo, estudios, ocupación. Características, horario, actividad diaria y vacaciones; salario; cualificación profesional; perspectivas de futuro; tipos de enseñanza.

  D. Tiempo libre. Aficiones; intereses personales; deporte; prensa; radio; televisión; actividades intelectuales y artísticas (cine, teatro, conciertos, museos, exposiciones).

  E. Viajes y transporte. Transporte público y privado (garaje, estaciones de servicio, talleres); billetes y precios; vacaciones; aduanas; documentos de viaje; equipaje.

  F. Relaciones personales. Parentesco; amistad; presentaciones; fórmulas sociales (invitaciones, citas, saludos, despedidas, etc.); correspondencia.

  G. Salud y estado físico. Partes del cuerpo, higiene, percepciones sensoriales; estados de salud; enfermedades; accidentes; medicinas; servicios médicos.

  H. Compras. Tiendas; grandes almacenes; precios; moneda; pesos y medidas; alimentación; ropa; artículos del hogar.

  I. Comidas y bebidas. Gastronomía; locales de comidas y bebidas; recetas (preparación, ingredientes...).

  J. Edificios de servicios públicos. Correos; teléfonos; bancos; policía; oficinas de información turística.

  K. Tiempo y clima.

  L. Problemas de comunicación. Comprensión; corrección; aclaración; repetición; rectificaciones.

En los apéndices encontrarás un listado de palabras (Vocabulario 1) que sigue una distribución basada en estos temas. Te recomendamos echarle un vistazo antes de empezar las sesiones de trabajo.

Primera vuelta

La primera prueba: Comprensión de lectura

¿Cómo crees que es la parte de **Comprensión de lectura**? Anota en la primera columna Sí o No según tu opinión. Verifica luego tus anotaciones leyendo el texto.

	Según tú	Según el texto
1. Aunque no entienda alguna palabra del texto, podré resolver las tareas.	☐	☐
2. Si leo despacio, no podré resolver la tarea en el tiempo establecido.	☐	☐
3. Los temas de los textos son los que normalmente se leen en periódicos y revistas.	☐	☐
4. Podré encontrar también textos literarios.	☐	☐
5. Habrá por lo menos un texto con un vocabulario muy técnico y especializado.	☐	☐
6. Tengo que saber muchas cosas de España y Latinoamérica para entenderlos.	☐	☐
7. Va a haber una pausa entre la prueba 1 y la 2.	☐	☐
8. [Escribe tu pregunta].	☐	☐

....

....

- Los textos del examen son textos de estructura sencilla, en general adaptados de artículos aparecidos en periódicos españoles o hispanoamericanos, en revistas o folletos informativos. Tratan temas generales, rara vez especializados, y si lo son, tienen una intención divulgativa. La función principal de esos textos es comunicar informaciones de la realidad cotidiana.

- El objetivo es demostrar que entiendes la globalidad del texto y buena parte de la información, aunque necesites una segunda lectura o no entiendas alguna palabra. En general, tu ritmo de lectura no tendrá que ser demasiado rápido.

- Los siguientes textos y habilidades están por encima del nivel del examen: textos especializados o con mucha retórica; titulares de periódicos y lenguaje publicitario; comprensión de todas las palabras de todos los textos; tener conocimientos culturales específicos, ajenos al texto, el cual deberá contener todo lo necesario para resolver las tareas que se proponen.

- El título acredita que la persona que lo posee puede leer textos cotidianos que no exijan mucho conocimiento lingüístico o extralingüístico. Textos como cartas rutinarias en una oficina, significado general de cartas no rutinarias; informes y artículos breves sobre temas previsibles; instrucciones y descripciones de productos.

- Duración: Prueba 1 (Comprensión de lectura) y Prueba 2 (Expresión escrita), 120 min.

Instrucciones que aparecen en el examen

Aquí tienes las instrucciones que encontrarás en el examen:

A continuación encontrará usted cuatro textos y una serie de preguntas relativas a cada uno de ellos. Hay dos modalidades de preguntas.

Primer tipo:
   a) Verdadero.
   b) Falso.

Segundo tipo. Selección de una respuesta entre tres opciones:

    a) ...

    b) ...

    c) ...

Fuente: http://diplomas.cervantes.es

● ● ● ● ● ❗ Algunos consejos

- Para preparar la Comprensión de lectura, no es mala idea habituarse a leer cosas variadas en español, mejor si están adaptadas a tu nivel, por ejemplo, los textos que aparecen en manuales de español de nivel Avanzado / B2 (según el Marco de referencia europeo). Naturalmente, leer textos originales procedentes de revistas, periódicos y de Internet no es tampoco mala idea.

- Confecciona tu propio dossier de lecturas, anota en ellas lo que se te ocurra sobre tu manera de leer y tus necesidades: impresiones, vocabulario, tiempo de lectura. Todo puede serte útil: cuanto mejor sepas cómo lees en español, menos nervioso te pondrás delante de los textos del examen.

- Un elemento importante es el vocabulario. Confeccionar tu propia lista es también una manera de ampliarlo, anotando en un lugar aparte (en un cuaderno, en fichas, etc.) las palabras que te vayan pareciendo útiles, con explicaciones, ejemplos, etc.

- Al final del segundo bloque (Sesión 19, pág. 110) encontrarás referencias útiles y más recursos para continuar la preparación de esta prueba.

Claves

1- Sí [Por un lado sí creemos que para resolver algunas tareas no necesitas saber todas las palabras, pero hay un nivel mínimo de conocimiento de vocabulario necesario. Verás que en este libro hay muchos ejercicios relacionados con este tema. Pueden servirte de pauta para saber cuál puede ser ese nivel mínimo que necesitas tener. Entre los recursos que aparecen al final del libro, encontrarás uno, en los apéndices, especialmente indicado para ello]; 2- No [Desde luego, el ritmo de lectura es importante, y en ello influyen las dificultades gramaticales y las de vocabulario. Pero eso no significa que no puedas resolver la tarea, que no es sólo leer un texto, sino especialmente responder a unas preguntas]; 3- Sí; 4- Sí; 5- No; 6- No; 7- No [Fíjate que tienes 120 minutos para realizar dos pruebas. Eso significa que tienes la posibilidad de organizarte, de distribuir el tiempo total entre las dos pruebas según tus propias necesidades para leer y para escribir en español].

Sesión 1: Comprensión de lectura

El agua doméstica

Ten en cuenta que tienes que leer cuatro textos y el tiempo para esta prueba y la siguiente es de 120 minutos. Una media de 15 minutos por texto significa una hora dedicada a la prueba de Comprensión de lectura. Si tardas menos aquí, dispondrás después de más tiempo para escribir. Por eso, te pedimos que controles en las actividades el tiempo en el que lees el texto y contestas a las preguntas. Insistimos en que todo examen es, entre otras cosas, una prueba contra el reloj.

Tarea 1

● ● ● ● ● 🕐 Pon el reloj.

La calidad del agua doméstica

Incluir agua mineral en la compra parece ser una buena idea. El agua del grifo, aunque segura, puede resultar de no muy buena calidad y repercutir en nuestra salud.

Incolora, inodora e insípida, ésta es la descripción del agua. Pero lo cierto es que ni siquiera el agua mineral cumple tales características, y mucho menos el agua doméstica.

La calidad del agua del grifo es un tema controvertido. Los ayuntamientos y demás organismos oficiales se encargan de recoger, potabilizar y abastecer de agua corriente a los habitantes de un municipio, apta para diversos usos (beber, cocinar, ducharse, regar...).

La seguridad está garantizada, o por lo menos la exigida por las normativas estatales y autonómicas establecidas, pero eso no significa que su calidad no sea, en algunos casos, deficiente.

De dónde proviene

Atrás han quedado los tiempos en los que podía beberse el agua directamente de ríos y lagos. En la actualidad, el agua doméstica proviene fundamentalmente de fuentes superficiales, cerca de un 73%; de aguas subterráneas en un 23%, y un 4% se obtiene por otros procedimientos, como la desalación.

Su calidad en el origen

La calidad del agua de origen es determinante en la del agua resultante, y éste es un problema de España ya que, por lo general, el agua que se potabiliza es de baja calidad en origen. La contaminación de ríos y capas freáticas debido a la filtración de substancias industriales, detergentes, etc., está perjudicando al débil sistema biológico que es el agua. Los expertos insisten en señalar que mejorar el estado de las aguas de origen es una de las acciones que deben llevarse a cabo para garantizar un agua doméstica saludable que, consecuentemente, deberá tratarse menos antes de suministrarse a la red pública.

Las redes de distribución

Los depósitos y tuberías por los que pasa el agua, su composición y estado, son otros factores influyentes en la calidad del agua. Las redes de distribución suelen ser complejas (sobre todo en grandes ciudades), están mejor o peor conservadas y elaboradas, con materiales muy diversos que pueden afectar a la composición del agua. Además, en estas extensas redes pueden desarrollarse ecosistemas subacuáticos en los que vivan bacterias. Para eliminar los posibles organismos que viven en ellas, las aguas son tratadas con aditivos desinfectantes como el cloro, o el ozono, pero los organismos mutan, crean resistencias, y cada vez hay que utilizar más cloro. Además, estos agentes usados para descontaminar el agua pueden atacar a las paredes de las conducciones que la transportan, reaccionando de un modo, en ocasiones aún no estudiado, ni sus consecuencias.

Sustancias desinfectantes

Otro tema que puede desanimarnos a optar por el grifo como abastecedor de agua corriente es el efecto, a largo plazo, que pueden causar las sustancias presentes en el agua, ya sea para potabilizarla o porque se encuentra ya en las aguas de origen. Estos efectos a largo plazo no han sido analizados.

Adaptado de Salud y Vida

1. **El texto dice que la calidad del agua de origen influye decisivamente en la calidad del agua corriente.**
   - ☐ a. Verdadero.
   - ☐ b. Falso.

2. **Según el texto, el agua de origen no tiene la calidad deseable porque se filtran en el agua subterránea substancias industriales.**
   - ☐ a. Verdadero.
   - ☐ b. Falso.

3. **Por lo que dice el texto, la baja calidad del agua en ningún caso puede deberse al material con que están hechas las tuberías por donde pasa el agua.**
   - ☐ a. Verdadero.
   - ☐ b. Falso.

● ● ● ● ● 🕐 ¿Cuánto tiempo has tardado? Anótalo aquí: ___

Análisis de la tarea

	Sí	No
• Con 15 minutos he tenido tiempo suficiente.	☐	☐
• El vocabulario común del texto no ha sido un obstáculo para contestar a las preguntas, sin embargo he tenido que usar el diccionario para asegurarme.	☐	☐
• Hay demasiadas palabras técnicas en el texto, he perdido la concentración.	☐	☐
• No estoy familiarizado con el estilo de texto (estructuras gramaticales, etc.), y por eso no he podido contestar a las preguntas.	☐	☐
• No he entendido las preguntas bien, por eso me he confundido.	☐	☐

• ¿Qué puedes hacer para mejorar esos resultados? Anota aquí tu comentario.

....
....
....

Tarea 2

Palabras y preguntas

• Las preguntas que has visto se centran en alguna **palabra** concreta del texto. Intenta localizar en el texto las palabras a que corresponden las preguntas. Marca toda la frase en la que éstas aparecen.

• ¿Qué entiendes por esas palabras? Explícalo a tu manera.

....
....
....
....
....

- Observa lo que pone en un diccionario monolingüe escrito para estudiantes de español:

    (ser) determinante: de **determinar: 2** Señalar, fijar o dar una información concreta o exacta: *la ley determina cómo debe ser el contrato.* **4** Producir; ser la causa de una cosa o de una acción: *tales circunstancias determinaron la decadencia del Imperio.*

    afectar: 1 Producir algún efecto o influir: *el cambio de hábitos puede afectar las relaciones con los demás.* **2** Producir daño o enfermedad en algún órgano o ser vivo: *el alcohol afecta al hígado.* **5** Producir una impresión o sensación, especialmente de tristeza: *la muerte del padre afectó profundamente a la familia.*

    (ser) debido a: Expresión que indica la causa por la que ocurre algo: *las carreteras están cortadas debido al mal tiempo.*

    (Fuente: *Diccionario para la enseñanza de la lengua española*, Universidad de Alcalá de Henares, España)

- ¿Es lo que tú imaginabas? ¿Podrías ahora elegir una **palabra** del texto y formular una pregunta de V / F?

  ....

    ☐ a. Verdadero.
    ☐ b. Falso.

Tarea 3

El valor del vocabulario

- ¿Qué importancia tiene el vocabulario en la realización de las tareas de comprensión? Puedes anotar aquí tu reflexión.

  ....
  ....

- La cuestión del **vocabulario** es doblemente importante. Por un lado, es necesario para comprender el propio texto. Por otro, hay preguntas más o menos centradas en alguna o algunas palabras concretas del texto. Así, pues, ¿qué haces cuando no entiendes una palabra?

  ....
  ....

- • • • • • ⓘ Recuerda
    Durante el examen no vas a poder usar el diccionario.

- Ten en cuenta lo siguiente: Hay dos tipos de **lectura**, la que necesita comprender todos los elementos del texto (todas las palabras), y la que se guía por su significado general e intuye el significado de las palabras difíciles por el **contexto** en el que aparecen. Las dos lecturas son igualmente válidas. Así que, ¿qué puedes hacer con el vocabulario durante la preparación del examen? Anota aquí tu comentario.

  ....
  ....

En este manual te proponemos varias formas de trabajar el vocabulario:

- La primera es hacer **grupos temáticos**, palabras que pueden aparecer en el mismo texto (porque están relacionadas con un tema común) o en la misma situación (por el tipo de situación comunicativa). Es lo que tienes en el siguiente cuadro. Todas las palabras tienen algo que ver con los productos de consumo, *menos tres.* ¿Puedes encontrarlas? Las tres son del texto que has leído.

> consumo • consumir • consumidor • lagos • producto • producir • materia prima • composición • ingredientes • fecha de caducidad • marca • filtración • fabricante • etiqueta • garantía • reclamación • asociación de consumidores • derechos de los consumidores • conservar • almacenar • pudrirse • desalación • distribución • punto de venta • comprador • dependiente • tienda • escaparate • mostrador

En la siguiente sesión de trabajo encontrarás otra manera de trabajar con estos grupos de palabras, son los llamados "Mapas de vocabulario".

- A veces se establecen en el idioma **combinaciones** de palabras que aparecen con más frecuencia que otras igualmente correctas, y que pueden llegar a ser casi obligatorias, y que no coinciden de un idioma a otro. Por ejemplo, en español se dice "cometer un error", "establecer una relación", "un tema sumamente importante". ¿Cómo las traduces a tu idioma?

....

....

Otro ejemplo: *"...nuestro comportamiento depende de la actitud que adoptamos en las relaciones, independientemente de que establezcamos vínculos sanos o no con las otras personas"*. ¿Qué otras cosas se pueden **establecer** o **establecerse**, además de vínculos? Márcalo en la lista siguiente.

☐ un principio   ☐ una norma   ☐ una relación   ☐ un acuerdo
☐ un negocio en Barcelona   ☐ un ejemplo   ☐ una ley   ☐ una discusión
☐ un objetivo   ☐ una ciudad   ☐ una casa   ☐ una costumbre

Aquí tienes algunas de esas combinaciones que aparecen en el texto, pero desordenadas. Intenta hacer parejas. En algunos casos hay más de una posibilidad. Para comprobar el resultado, vuelve a mirar el texto. Observa el ejemplo.

1. provenir •   • a. un tema controvertido
2. perjudicar •   • b. en la salud
3. una acción que debe •   • c. el agua
4. los materiales pueden afectar •   • d. recoger el agua
5. repercutir •   • e. determinadas características
6. abastecer •   • f. de agua a las ciudades
7. potabilizar •   • g. plazo
8. encargarse de •   • h. de fuentes superficiales
9. la calidad del agua es •   • i. a la calidad del agua
10. cumplir •   • j. agua a los consumidores
11. a largo / corto •   • k. llevarse a cabo
12. suministrar •   • l. al sistema biológico

Completa las siguientes frases con alguna de las expresiones de la lista anterior. Consejo: quizá puede ayudarte a retener las palabras hacer esto: tapa el cuadro anterior e intenta completar las frases de memoria.

1. El ministro ha añadido que la reforma del sistema puede ser un tema [1] ....·
2. Hemos planteado el tema en una reunión urgente y nuestro representante ha dicho que se va a [2] .... de decirle al jefe lo que queremos.
3. No podemos aceptar su propuesta porque no [3] .... las condiciones del contrato.
4. No se han puesto de acuerdo en las medidas y acciones que hay que [4] .... para resolver la situación, que a largo [5] .... puede [6] .... negativamente en las relaciones entre las dos empresas.
5. Esas ideas [7] .... de una época en que las relaciones de pareja eran diferentes; creo, Juan, que deberías cambiarlas ya, ¿no te parece?

Volveremos a tratar este tema más adelante en la prueba de vocabulario (Sesión 12, pág. 71).

- Finalmente, hay ciertos temas de vocabulario que no son específicos de un ámbito concreto, que pueden serte útiles en muchas situaciones y que pueden ayudarte a marcar la diferencia entre un **registro** informal y otro algo más formal, mediante la combinación de palabras del mismo grupo, y eligiendo las apropiadas a cada caso. Vamos a ver un ejemplo.

¿Por qué o para qué?

Las relaciones de causa y de efecto se expresan en español con distintos verbos. Siguiendo lo que dicen las frases, haz dos grupos, según aparezca la causa en primera posición, o en segunda. ¿Puedes añadir algún otro ejemplo a la lista?

causa ➜ efecto	efecto ➜ causa
....	....
....	....
....	....
....	....

1. *Romper con la pareja puede **acarrear** desde molestias gastrointestinales hasta depresión.*
2. *A veces la ruptura amorosa **causa** daños físicos y mentales, en ocasiones difíciles de superar.*
3. *Para los sociólogos, la crisis de pareja es un fenómeno **provocado por** diversos factores.*
4. *La sensación de enamoramiento **se debe a** un aumento de los niveles de dos transmisores cerebrales.*
5. *La ruptura **desencadena** un efecto dominó sobre muchas parcelas de la vida.*
6. *La sensación de fracaso **provoca** irritación, mal humor.*
7. *El sentimiento de culpa **procede** de haber abandonado a otra persona.*
8. *Muchos problemas de pareja **provienen de** la aparición de terceras personas, por ejemplo, los hijos.*

Claves

Tarea 1
1- Verdadero; 2- Verdadero; 3- Falso.

Tarea 2
Las palabras del texto son:
determinante: *La calidad del agua de origen es determinante en la del agua resultante.*
debido a: *La contaminación de ríos y capas freáticas debido a la filtración de substancias industriales.*
afectar: *Con materiales muy diversos que pueden afectar a la composición del agua.*

Tarea 3
- **Palabras de consumo:** Las tres que no son del grupo: *lagos, filtración y desalación.*
- **¿Que se puede establecer?** *Un principio, una norma, una relación, un negocio en Barcelona (establecerse), un objetivo, una costumbre.*
  Combinaciones: 1- h; 2- l/c/i; 3- k; 4- i; 5- b; 6- f/c; 7- c; 8- d; 9- a; 10- e; 11- g; 12- j/l/i.
  Frases incompletas: 1- controvertido; 2- encargar; 3- cumple; 4- llevar a cabo; 5- plazo; 6- repercutir; 7- provienen.
- Causa ➜ efecto: *acarrear, causa, desencadena, provoca.*
  Efecto ➜ causa: *provocado por, se debe a, procede de, provienen de.*
  Otras forma de expresar la relación causa / efecto: *porque, como, ya que, por lo cual, a causa de, como consecuencia.*

Sesión 2: Comprensión de lectura

Museos y algo más

En esta Sesión vas a trabajar un texto de una manera diferente a la anterior. Lee el texto y responde a las preguntas.

●●●●● 🕐 Pon el reloj.

Un recorrido por los museos porteños menos conocidos

Un museo sobre la historia impositiva en un edificio que, a principios del siglo XX, era el hotel más caro de Buenos Aires. Otro construido según la geometría de la obra de Xul Solar, el artista al que está dedicado. Una escuela con 300 obras de arte que ofrece visitas guiadas por sus propios alumnos. Y hasta un museo de urología.

Éstas son sólo algunas de las curiosidades que pueden descubrirse en los 129 museos porteños. Se trata de propuestas ajenas al circuito tradicional, que se destacan porque exhiben colecciones raras, por su valor histórico o por su arquitectura.

Como el Museo Histórico de la Administración Federal de Ingresos Públicos (AFIP), consagrado a la historia de los impuestos. Nacido de la fusión de los museos de la DGI y de la Aduana, expone desde alambiques para fabricar alcohol ilegal incautados en operativos hasta un baúl que se usaba para recaudar impuestos en el siglo XIX. "Hay sólo otros tres museos como éste en Tokio, Bruselas y Jerusalén. No es un museo aburrido porque muestra que detrás de los impuestos hay personas", sostiene su director, Gabriel Miremont.

Para conocer más sobre la vida económica del país, muy pronto se podrá visitar otro museo clave: el de la deuda externa. Estará en la Facultad de Ciencias Económicas (UBA) y tendrá salas dedicadas a la historia de la deuda y a los intentos truncos para investigar su origen. Ya funciona allí un centro de documentación.

Los interesados en la historia y la política disfrutarán de la casa de Alfredo Palacios, que invita a conocer la austera intimidad del líder socialista. El ex legislador jamás fue propietario de esa casona de la calle Charcas, donde vivió desde 1894 hasta su muerte, en 1965. Siempre la alquiló: poseerla hubiera ido en contra de sus principios. "Incluso se negó cuando el dibujante y director del cuerpo de taquígrafos del Senado, Ramón Columba, quiso organizar una colecta pública para comprársela", cuenta Mario Salomone, presidente de la Fundación Alfredo Palacios, que adquirió la vivienda en 1967 para convertirla en museo.

Un escultor cuya casa-taller se convirtió en museo es Luis Perlotti (1890-1969). Está en Caballito y reúne 900 piezas del artista, la mayoría de inspiración precolombina. Por algo Ricardo Rojas (1882-1957) lo llamaba "el escultor de Eurindia", un neologismo inventado por el escritor que cruza los términos Europa e Indias. La casa de Rojas, levantada en 1930 en estilo "euríndico" y muy parecida a un palacio altoperuano, también es un museo.

A la vuelta de la casa de Rojas está la de Xul Solar (1887-1963). Allí el artista favorito de Borges vivió desde 1928 hasta que murió. A fines de los 80, el edificio –en realidad tres casas pegadas– fue remodelado como museo por el arquitecto Pablo Beitía. La obra se inauguró en 1993 y sorprendió con entrepisos suspendidos en el aire, rampas y escaleras. Su extraña geometría parece salida de un cuadro del propio Xul.

Otra propuesta original es la Escuela Museo General Urquiza. Abierta en 1818 y en el mismo edificio desde 1895, tiene 300 pinturas y esculturas figurativas donadas por artistas como Raúl Soldi y Guillermo Roux. El primero en ceder un cuadro, "Hora azul en La Boca", fue Quinquela Martín, según cuenta el ex director de la escuela. A pedido, los alumnos de 7.º grado ofrecen visitas guiadas. La medalla a la colección más insólita se la merece el Museo de Urología. Fundado hace 15 años por el urólogo Ricardo Medel, ahora es continuado por su hijo, también especialista. A través de 200 instrumentos y 300 libros, se resume la historia de la urología. No es extraño que sólo sea visitado por médicos: causa impresión imaginar por dónde se introducían esos intrincados uretroscopios y separadores de orina.

Adaptado de Clarín

Serie de preguntas n.º 1
Marca con una X la respuesta correcta.

1. **En los museos de Buenos Aires:**
   - ☐ a. hay 129 salas dedicadas a diversas curiosidades.
   - ☐ b. se encuentran muchos curiosos buscando cosas raras.
   - ☐ c. hay rarezas poco habituales en los museos.

2. **Por lo que dice el texto el museo de la deuda externa:**
   - ☐ a. cuenta con un centro de documentación.
   - ☐ b. tiene una deuda con la Facultad de Ciencias Económicas.
   - ☐ c. ofrece mucha más información histórica que la casa de Alfredo de Palacios.

3. **En la Escuela Museo General Urquiza:**
   - ☐ a. los alumnos piden poder hacer de guías turísticos.
   - ☐ b. los alumnos suelen hacer de guías.
   - ☐ c. los alumnos piden que apoyen su oferta turística.

● ● ● ● ● 🕐 ¿Cuánto tiempo has tardado? Anótalo aquí: ___

¿Has tenido problemas con el tiempo de la tarea? ¿O con el vocabulario? Intenta contestar a estas preguntas y después de analizar las respuestas piensa qué te puede ayudar a solucionar esos problemas. Debajo hay una serie de sugerencias que te pueden ser útiles.

Análisis de la tarea

	Sí	No
• Con 15 minutos he tenido suficiente.	☐	☐
• El vocabulario común del texto no ha sido un obstáculo para contestar a las preguntas, pero he tenido que usar el diccionario en más de una ocasión.	☐	☐
• No he entendido bien los pasados, no los controlo mucho y por eso no he podido contestar a las preguntas.	☐	☐
• Hay demasiados nombres en el texto, de museos y personas, he perdido la concentración.	☐	☐
• No he entendido las preguntas bien, por eso me he confundido.	☐	☐

• Si crees que estos no han sido tus problemas, escríbelos debajo. Esto te ayudará a comprender mejor qué es lo que tienes que hacer en el futuro.

....
....
....

● ● ● ● ● ❗ Comentario

A lo mejor has tenido problemas con el tiempo de lectura, pero eso no significa que leas lentamente. Por ejemplo, muchas veces perdemos la concentración cuando leemos un texto porque pensamos en otra cosa, o algo nos distrae. Es bueno leer con cierta frecuencia en español (por ejemplo, varios artículos de este tipo de la prensa por semana).

Tarea 2

Después del análisis de la tarea 1, vuelve a leer el texto y contesta a estas dos series de preguntas. Seguramente ahora te resultará más fácil y lo harás más rápido.

Serie de preguntas n.º 2
Una de las tres opciones de cada pregunta es la correcta. Marca con una X tu respuesta.

1. **Según el texto, lo característico de los museos propuestos, entre otras cosas, es:**
   ☐ a. que están fuera del circuito oficial.
   ☐ b. el lugar en el que se encuentran.
   ☐ c. que los han fundado personas geniales.

2. **Respecto a la casa de Alfredo Palacios, el texto dice que:**
   ☐ a. el inquilino invita personalmente a entrar.
   ☐ b. fue la sede socialista hasta la muerte del líder.
   ☐ c. el personaje histórico era sólo un inquilino de la casa.

3. **El texto hace referencia también a:**
   ☐ a. un viejo conocido del escritor Jorge Luis Borges.
   ☐ b. que uno de los museos se construyó en la década de los treinta.
   ☐ c. un médico especialista en la sangre que tiene su propio museo.

Serie de preguntas n.º 3
Una de las tres opciones de cada pregunta es la correcta. Marca con una X tu respuesta.

1. **Por lo que dice el texto:**
   ☐ a. en el edificio dedicado a los impuestos vivió Alfredo Palacios desde 1894 hasta su muerte.
   ☐ b. hay dos museos diseñados por los artistas a los que están dedicados.
   ☐ c. uno de los museos tiene 300 libros de un tema muy especializado.

2. **Según el texto:**
   ☐ a. uno de los museos está ubicado en un edificio que fue reformado.
   ☐ b. el museo Xul Solar era el preferido de Borges.
   ☐ c. uno de los museos se diseñó basándose en un cuadro.

3. **De acuerdo con el texto, la particularidad de uno de los museos consiste en que:**
   ☐ a. consigue dar la cara humana de un tema muy impersonal.
   ☐ b. tiene 300 cuadros regalados por dos artistas.
   ☐ c. está en uno de los edificios más caros de Buenos Aires.

Tarea 3

A continuación hay una serie de palabras relacionadas con los museos, algunas son del texto y otras no. Intenta completar el mapa de vocabulario de la página siguiente con estas palabras.

❖ salas
❖ visita guiada
❖ exposición
❖ de ciencias naturales
❖ clave
❖ impresionante
❖ visitar

❖ original
❖ pinturas, cuadros
❖ entrada
❖ de antropología
❖ raro
❖ visitante
❖ de arquitectura

❖ recuerdos
❖ escultura
❖ aburrido
❖ pintores
❖ sorprendente
❖ escultores
❖ peculiar

❖ de arte
❖ extraño
❖ de historia
❖ guía
❖ entretenido
❖ exponer

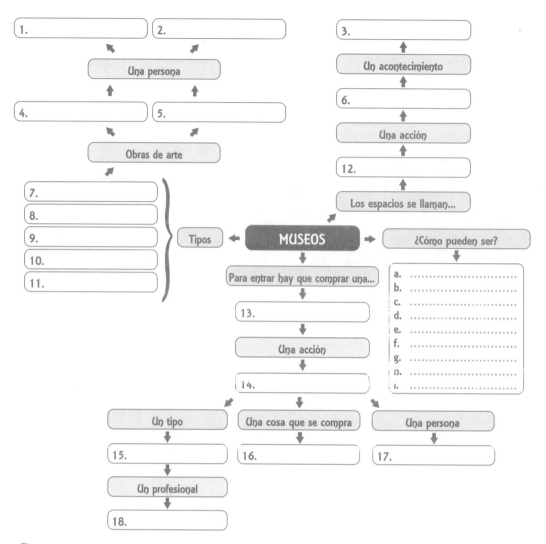

Un consejo

Este tipo de actividad te puede ayudar a organizar el vocabulario de cada tema. Haz mapas de vocabulario como éste después de cada texto que leas, después de cada lectura, de los temas que te parezcan interesantes, de los temas de previsible aparición que has visto en la Sesión 0. Este ejercicio es sólo un modelo de lo que puedes hacer. Ahora vuelve a la Sesión de trabajo 1 y haz un mapa de vocabulario con las palabras relacionadas con el tema "consumo" (tarea 3, pág. 18) siguiendo, por ejemplo, este hilo: cuáles son los pasos que sigue un producto, desde que se proyecta hasta que llega a manos del consumidor.

Claves

Tarea 1: Serie de preguntas n.º 1: 1- c; 2- a; 3- b.

Tarea 2: Serie de preguntas n.º 2: 1- a; 2- c; 3- b; **Serie de preguntas n.º 3:** 1- c; 2- a; 3- a.

Tarea 3: Mapa de vocabulario: 1/2- escultores / pintores; 3- exposición; 4/5- escultura / pinturas, cuadros; 6- exponer; 7- de arte; **de** 8 **a** 11- de ciencias naturales, de antropología, de arquitectura, de historia; **desde a) hasta i)** original, sorprendente, extraño, clave, entretenido, aburrido, raro, impresionante, peculiar; 13- entrada; 14- visitar; 15- visita guiada; 16- recuerdos; 17- visitante; 18- guía (turístico).

Sesión 3: Comprensión de lectura

Coincidencias

La tarea prevista en el examen consta de dos partes: leer un texto y responder a unas preguntas. El texto suele ir primero y las preguntas debajo, recuerda que hay 4 textos. Plantéate esta pregunta: ¿Qué es mejor, empezar por el texto, o por las preguntas? En esta Sesión hemos cambiado el orden y vas a comparar cuánto tiempo necesitas si empiezas por las preguntas.

Tarea 1

Antes de empezar a leer

- Observa primero el título, la autora y el origen del texto. ¿Qué te sugieren?, ¿qué te puede decir sobre el texto? Subraya lo que creas oportuno entre las siguientes ideas.
  - **Tema del texto:** de actualidad, social, histórico, experiencias personales, biografías.
  - **Estilo del texto:** informativo, de opinión, literario, de divulgación científica.
  - **Tono del texto:** descriptivo, narrativo, con instrucciones, con consejos, con quejas, con avisos.

El País Semanal es el suplemento del periódico madrileño El País, y sale todos los domingos. Incluye pequeños artículos, reportajes, diversas secciones fijas de opinión, etc.

● ● ● ● ● 🕐 Pon el reloj.

1. **En el artículo, su autora, Rosa Montero:**
   - ☐ a. habla de un total de cinco muertes.
   - ☐ b. trata un tema sobre el que todos hemos especulado.
   - ☐ c. relata algo que le pasó en un teatro.

2. **Según el texto, Paul Kammerer:**
   - ☐ a. Kammerer se mató por una coincidencia sin sentido.
   - ☐ b. había tres cosas que le apasionaban especialmente.
   - ☐ c. apoyó sus tesis en artículos de científicos como Einstein y Jung.

3. **En opinión de la autora:**
   - ☐ a. Kammerer podía estar equivocado, pero las coincidencias tienen un significado oculto.
   - ☐ b. las casualidades tienen sólo el sentido que le queramos dar.
   - ☐ c. parece que la ciencia ha encontrado sentido a las coincidencias.

El cazador de coincidencias

Rosa Montero

El pasado mes de julio EL PAÍS publicó, en el mismo día y en la misma página, dos trágicos sucesos ocurridos en Madrid. Un joven que cruzaba por un semáforo fue golpeado por un coche que no respetó la luz roja; cuando el herido intentaba levantarse, resultó atropellado y muerto por un taxi. El otro caso es aún más desesperante: un policía municipal paró a un conductor que había cometido una infracción en la autopista M-30, y mientras estaban rellenando los papeles, otro coche se precipitó accidentalmente contra ellos y los mató.

A menudo suceden inquietantes hechos de este tipo: extrañas coincidencias que parecen hechas a propósito. Recuerdo que, hace pocos años, un hombre murió fulminado por un rayo. Aquel día, el cielo estaba totalmente despejado, y aquel rayo fue el único que cayó en toda la Comunidad de Madrid en toda la jornada.

Todos hemos experimentado alguna vez algún tipo de coincidencia, una encadenación o repetición de hechos que parecen estar por encima de la casualidad. Estas coincidencias no tienen por qué tener un carácter siniestro o fatal: pueden ser sucesos favorables, o cosas sin importancia. Por ejemplo, una mañana piensas en alguien a quien no has visto ni recordado en muchos años, por ejemplo, y que recibes inmediatamente una llamada suya. O tal vez vayas al teatro el día que tu hijo cumple seis años y te dan la butaca número seis y la ficha seis del guardarropa. Todo esto carece de significado, pero aparenta tenerlo; de hecho, muchos de los individuos considerados como locos se agarran a estas casualidades como señales de ocultos poderes.

El más fascinante de estos cazadores de coincidencias es, para mi gusto, Paul Kammerer, un biólogo vienés muy famoso y polémico. El pobre Paul tuvo muy mala suerte: fue un científico heterodoxo, empeñado en demostrar las tesis de Lamarck contra las de Darwin. Hoy la ciencia parece haber demostrado que Kammerer estaba equivocado. Sin embargo, fue un biólogo formidable, especializado en anfibios y lagartos.

Paul tuvo otras dos pasiones: las mujeres y las coincidencias. Escribió un libro, *La ley de las series*, en el que sostiene que las coincidencias no son el resultado del azar, sino de una ley científica aún no descubierta, pero comparable a cualquier ley de la física. Según él, la realidad se ordena en series de sucesos y hechos recurrentes, la mayoría tan banales que ni les prestamos atención. Para demostrar todo esto, recogió en su libro 100 coincidencias –cosas menudas del tipo: butaca número seis y ficha del guardarropa número seis– y, como buen científico, las clasificó en órdenes distintos, según el número de elementos repetidos y demás detalles.

Sus teorías atrajeron y entusiasmaron a científicos como Einstein o Jung, que lo citó mucho en un artículo sobre la sincronicidad, pero el pobre Paul no se enteró de ello porque sucedió muchos años después de que se metiera una bala en la cabeza.

Adaptado de *El País Semanal*

● ● ● ● ● 🕐 ¿Cuánto tiempo has tardado? Anótalo aquí: ___

- Compara el tiempo que has necesitado esta vez con el de las anteriores lecturas. ¿Has ganado o has perdido?, ¿de qué factores depende?, ¿qué procedimiento prefieres? Puedes añadir tu reflexión aquí.

....

....

....

- Vuelve al principio de la tarea y confirma las suposiciones que hiciste a partir del título, la autora y el origen del texto. ¿Te puede ayudar el título en la lectura del texto? Si crees que sí, sigue este procedimiento en lo sucesivo.

Análisis de la tarea

	Sí	No
• He tenido problemas con el tiempo, he tardado más que en la lectura de los textos anteriores.	□	□
• Empezar por las preguntas me ha servido para leer más rápido y he tardado menos que antes.	□	□
• El vocabulario del texto me ha desconcentrado.	□	□
• El tema del texto me ha desconcertado y me ha costado entender qué quería decir la autora.	□	□
• No he entendido bien el estilo del texto (estructuras gramaticales, organización de las ideas, argumentos, etc.), y por eso no he podido contestar a las preguntas.	□	□
• No he entendido las preguntas bien, por eso me he confundido.	□	□

- No suelo empezar por las preguntas pues esa manera: □ a. me causa inseguridad o miedo; □ b. me desconcentra; □ c. me desconcierta; □ d. [otras]: ....

- Empezar por las preguntas me ha ayudado porque:

....

....

●●●●● **❶** Comentario

- Si el objetivo de la tarea propuesta en el examen es responder a las preguntas, y no leer el texto, quizá puede ayudarte empezar por las preguntas, aunque estén después del texto. Las preguntas son la clave para hacer bien esta prueba del examen. Muchas veces hay que empezar por leer primero las preguntas y luego leer el texto. Es importante también marcar en qué parte del texto está la respuesta. Piensa que en la formulación de las preguntas se usan sinónimos de palabras que están en los textos.

Te proponemos, ahora que has leído el texto, esta nueva tanda de preguntas.

1. **Una de las coincidencias relatadas por la autora:**
   - ☐ a. se refiere a algo que le pasó a ella en un teatro.
   - ☐ b. está relacionada con el hecho de que en ambos casos hiciera mucho sol.
   - ☐ c. consiste en que dos sucesos tuvieron lugar en el mismo tipo de escenario.

2. **Para la autora, este tipo de situaciones:**
   - ☐ a. le puede suceder a cualquiera, pero sólo los locos lo perciben.
   - ☐ b. aunque creamos que se pueden explicar, no tienen ningún sentido.
   - ☐ c. le pasaban muy frecuentemente a Paul Kammerer.

3. **Para la autora, la genialidad del biólogo vienés:**
   - ☐ a. está en haber analizado los sucesos extraños desde una perspectiva femenina.
   - ☐ b. consiste en su conocimiento de leyes matemáticas.
   - ☐ c. tiene que ver con su manera de clasificarlo y explicarlo todo.

Tarea 2

Trabajando el vocabulario

- Las preguntas planteadas las puedes responder si conoces el significado de palabras como *carecer de, jornada,* o *fulminado*. Ya hemos hablado del valor del vocabulario. Ahora vas a trabajar uno de los temas claves que anotábamos en la Sesión 0 **vocabulario de sucesos**.
- Antes de seguir, subraya en el texto las palabras relacionadas con este tema.
- Las encontrarás en la siguiente lista, pero ojo, las letras están desordenadas. ¿Puedes reconocer las palabras? Ordena las letras.

❖ ueocss	❖ rrrcoui	❖ hirdoe	❖ allopterar	❖ minfulado	❖ seutre
❖ mortue	❖ saco	❖ enteaccid	❖ tarma	❖ arza	❖ najorda
❖ cesuder	❖ choshe	❖ ciascidencoin	❖ detisno	❖ fravolabe	❖ rirmo
❖ cuasadilad					

- Organiza y amplía el vocabulario que tienes sobre este tema. Aquí tienes una nueva lista de palabras. Intenta agruparlas, éstas y las anteriores, según los criterios de la siguiente tabla. Observa los ejemplos.

Verbos	Sinónimos de suceso	Sucesos negativos	Sucesos positivos	Explicaciones de los sucesos	Sucesos que acompañan
suceder	*hechos*	*robo*	*nacimiento*	*azar*	*fecha*

❖ acción	❖ acontecimiento	❖ principio	❖ acto	❖ asunto	❖ crimen
❖ aventura	❖ causa	❖ circunstancia	❖ asesinato	❖ predestinación	❖ robo
❖ aconteder	❖ delito	❖ fecha	❖ fenómeno	❖ secuestro	❖ pasar
❖ juicio	❖ nacimiento	❖ muerte	❖ pausa	❖ peligro	❖ ocasión
❖ problema	❖ sacrificio	❖ misterio	❖ espectáculo	❖ oportunidad	❖ premio

- Completa las siguientes frases con palabras de la lista que acabas de hacer. Atención: para algunas frases puede haber más de una palabra.

1. Uno de los .... más extraños de mi vida fue encontrarme a un amigo de la Universidad a miles de kilómetros de distancia, en Nueva York. Yo iba a trabajar a una empresa y resulta que él estaba allí de jefe.

2. Sí, es una .... bastante curiosa, los tres hermanos hemos nacido más o menos el mismo día del año, entre el 25 y el 28 de febrero. Es divertido, ¿no?

3. Mi viaje por el Amazonas fue una .... que acabó bien, y eso que para una extranjera es mucho más difícil.

4. Se trata de un periódico que publica todo tipo de .... policíacos, desde asesinatos hasta robos y secuestros. Sí, es muy sensacionalista.

5. La única .... que tuve de hablar con alguien famoso fue en París, en una fiesta en la que me colé.

6. Si vas para Argentina, tienes que visitar los glaciares del Sur, es un .... realmente increíble ver cómo se rompen, impresionante, merecen la pena, créeme.

7. Sí, el tiempo fue una .... bastante negativa en el viaje, no se puede decir que nos acompañara, en absoluto: estuvo todo el tiempo lloviendo.

8. Estuve esperando todo el día a que saliera, y cuando por fin salió, me miró directamente y me dijo "Hola", pero yo, no sé qué me pasó, me quedé de piedra y no dije nada, pero nada de nada, ¿sabes? Era la mejor .... de mi vida de verlo, de hablarle, y la perdí por falta de reflejos, de reacción.

9. [Escribe tú mismo una frase]

   ....

   ....

   ....

Claves

Primera tanda de preguntas: 1- a; 2- b; 3- b.

Segunda tanda de preguntas: 1- c; 2- b; 3- c.

Trabajando el vocabulario: suceso, ocurrir, herido, atropellar, fulminado, suerte, muerto, caso, acciente, matar, azar, jornada, suceder, hechos, coincidencias, destino, favorable, morir, casualidad.

Verbos	Sinónimos de suceso	Sucesos negativos	Sucesos positivos	Explicaciones de los sucesos	Sucesos que acompañan
suceder	hecho		nacimiento	azar	fecha
ocurrir	acción	robo	premio	coincidencias	causa
atropellar	acontecimiento	herido	espectáculo	casualidad	circunstancia
matar	acto	muerto	aventura	favorable	pausa
morir	asunto	caso		suerte	peligro
pasar	fenómeno	fulminado		destino	jornada
acontecer	sucesos	accidente		problema	predestinación
		crimen		misterio	
		asesinato		oportunidad	
		delito		ocasión	
		secuestro		predestinación	
		juicio			
		muerte			
		sacrificio			

Frases incompletas: 1- acontecimientos / sucesos, 2- coincidencia / casualidad, 3- aventura, 4- casos, 5- ocasión, 6- espectáculo, 7- circunstancia, 8- oportunidad / ocasión.

Sesión 4: Comprensión de lectura

Vicente va a París

En esta Sesión de trabajo vas a leer un texto narrativo de carácter literario. Plantéate estas preguntas antes de empezar.

1. ¿Qué diferencia hay entre leer este tipo de textos y los que has leído hasta ahora?
   ....
   ....

2. ¿Qué tipo de preguntas crees que te van a hacer? Marca la respuesta que creas conveniente.
   ☐ a. Preguntas que necesitan un análisis literario del texto.
   ☐ b. Preguntas sobre la intención oculta o indirecta del autor.
   ☐ c. Preguntas para las que es necesario entender elementos como la ironía o el doble sentido.
   ☐ d. Preguntas sobre el significado de imágenes, metáforas y otros recursos literarios.
   ☐ e. Preguntas para las que necesitas entender usos literarios de palabras normales.
   ☐ f. Preguntas sobre literatura española o hispanoamericana.

Después de hacer la tarea 1, vuelve sobre tus respuestas para confirmar o corregir tus hipótesis.

• • • • • 🕐 Pon el reloj.

Vicente va a París

Vicente Holgado tuvo que aplazar su luna de miel por culpa de los negocios. La misma tarde de la boda, su jefe le comunicó que tendría que viajar al día siguiente a París para cerrar un acuerdo importante en el que él mismo había trabajado durante los últimos meses. En otras circunstancias se habría negado, pero la empresa atravesaba una situación difícil y no le pareció prudente, a pesar de la oposición de la mujer, escatimar su colaboración en esos momentos. Serían dos días, tres como mucho, y luego podrían hacer las cosas tal y como habían previsto.

La discusión con su mujer le provocó un desasosiego del que todavía no había podido liberarse cuando llegó a París. Además, en el avión había estado imaginando una serie de desastres que acababan con su existencia conyugal, apenas comenzada. Se fue directamente al hotel y antes de quitarse la chaqueta habló por teléfono con ella, que se mostró distante y fría. Holgado tuvo la impresión de que no le perdonaría nunca ese incidente y esa idea ensombreció aún más su ánimo. Deshizo la maleta con el gesto de quien realiza una autopsia y guardó la ropa interior y las camisas en los cajones del armario dejando uno vacío, según su costumbre. Después se sentó en el borde de la cama e intentó repasar la estrategia adecuada para la reunión con los colegas franceses.

Pero en lugar de pensar se puso a contar los cajones del armario, cuya puerta había quedado abierta. Los contó en todas las direcciones posibles, de dos en dos, de tres en tres, llegando siempre a resultados idénticos. Sabía que esta manía de contar era un mecanismo obsesivo que se disparaba en él cuando se encontraba bajo el peso de una premonición, pero tal conocimiento no le servía para enfrentarse a la angustia de otro modo. Faltaban dos horas para la reunión y pensó que si se entretenía aún diez o quince minutos realizando esas absurdas operaciones aritméticas se tranquilizaría lo suficiente para poder preparar su intervención.

En esto, al contar por enésima vez los cajones de abajo hacia arriba, le salió un cajón de menos [...]

Adaptado de Juan José Millás, *Ella imagina*, Ed. Alfaguara

1. **Según el texto, Vicente fue a París**
   - ☐ a. porque no quería quedar mal con su mujer.
   - ☐ b. para que su empresa le tuviera en buena consideración.
   - ☐ c. a pesar de que no era un buen momento.

2. **Por lo que dice el texto, la reacción de la mujer de Vicente:**
   - ☐ a. dejó a Vicente muy preocupado.
   - ☐ b. fue acompañarlo a París para mejorar la relación conyugal.
   - ☐ c. fue que dejó de hablarle por teléfono.

3. **El texto cuenta que Vicente tenía la costumbre de contar cajones:**
   - ☐ a. lo hacía siempre que viajaba y justo después de deshacer la maleta.
   - ☐ b. era una manera de entretenerse.
   - ☐ c. era una reacción inconsciente que él conocía bien.

● ● ● ● ● 🕐 **¿Cuánto tiempo has tardado? Anótalo aquí: ___**

Subraya las partes del texto que te hayan ayudado a responder a las preguntas.

Análisis de la tarea

	Sí	No
• Con 15 minutos, he tenido tiempo suficiente.	☐	☐
• El hecho de que el texto sea literario no me ha dejado contestar a las preguntas correctamente.	☐	☐
• Hay palabras que no entendía y eso me ha hecho perder la concentración.	☐	☐
• No estoy familiarizado con el estilo del texto (estructuras gramaticales, etc.), y por eso no he podido contestar a las preguntas.	☐	☐
• No he entendido las preguntas bien, por eso me he confundido.	☐	☐

• ¿Qué puedes hacer para no tener esos problemas la próxima vez? Anota aquí tu comentario

....

....

• ¿Coinciden las características del texto y de las preguntas con lo que habías anotado al principio de la tarea?

Tarea 2

Posibles dificultades con las preguntas (no con el texto)

- El examen no es propiamente una actividad de comunicación sino un mecanismo con el que se evalúa tu competencia lingüística, en este caso tu capacidad para comprender textos, y sigue unos criterios establecidos previamente por el órgano examinador. El mecanismo consiste en unos textos y unas preguntas adaptadas al nivel.

- La cuestión es que a veces ese mecanismo no nos parece, a sus usuarios, del todo claro. A veces comprendemos el texto pero no sabemos cuál de las respuestas es la adecuada. Cuando aparecen estas situaciones conviene que sepas reaccionar. Lo vamos a ver a continuación. En esta tarea intentamos que tomes conciencia de ello. Una de esas situaciones puede referirse al vocabulario usado en las preguntas, otra al sentido de las mismas.

- El Instituto Cervantes establece que el objetivo de esta prueba es demostrar que entiendes la globalidad del texto y buena parte de la información. Sin embargo, en esta prueba hay preguntas de dos tipos: las que inciden más en el sentido general del texto o de algún párrafo, y las que precisan un conocimiento puntual de alguna o algunas palabras para ser respondidas. Estas últimas son las de menor frecuencia, pero casi siempre hay alguna. Ya las has trabajado un poco en las Sesiones 2 y 3. Con ellas, lo único que vale es reconocer en el texto las palabras correspondientes, y lógicamente saber su significado. Si no lo sabes, siempre, o casi siempre, puedes fijarte en la frase o en el párrafo en el que está para intuir la respuesta. Lo ideal sería que pudieras reconocer qué necesitas entender para responder a las preguntas, y no iniciar caminos equivocados en busca de palabras cuando lo que debes encontrar son ideas o viceversa (recuerda, una vez más, que tienes un tiempo limitado para la tarea).

- En las opciones de respuesta se desvirtúa el valor de verdad de una idea del texto mediante cambios que afectan al vocabulario, o por el contrario se mantiene el valor de verdad con un sinónimo escondido. Veamos un ejemplo de esto último. ¿Puedes reconocer a qué palabra del texto se refiere la siguiente pregunta? Subraya en el texto toda la frase en la que aparece esa palabra.

4. **Según el texto, Vicente decidió aplazar su viaje con su mujer porque:**
   - ☐ a. le pareció conveniente colaborar con su empresa.
   - ☐ b. no quería desperdiciar su tiempo colaborando con su empresa.
   - ☐ c. no creyó buena idea regatear con su empresa.

La parte del texto a que se refiere la pregunta es: "*no le pareció prudente, a pesar de la oposición de la mujer, escatimar su colaboración en esos momentos*". La palabra clave es *escatimar*. ¿Sabes qué significa? ¿Podrías deducirlo por las palabras que le acompañan? Puedes empezar con una pregunta, ¿qué se puede hacer con la colaboración? Sin usar el diccionario, señala las opciones:

☐ a. ofrecer	☐ b. pedir	☐ c. organizar	☐ d. reservarse
☐ e. restar	☐ f. impedir	☐ g. regatear	☐ h. desperdiciar

En la situación de Vicente, ¿cuál de esos verbos crees que se acerca a escatimar? ¿Por qué? Si quieres, anota aquí tu reflexión.

....

....

Nuestro comentario

- Vicente está de viaje de novios y en ese momento la empresa lo necesita. No está obligado a ir a París, pero va, así que parece que tiene una actitud más o menos colaborativa con su empresa, de hecho, ésa es la palabra que usa el texto, "colaboración". Es decir, Vicente está dispuesto a ofrecer su colaboración, es más, a "*no escatimar su colaboración*" (fíjate en que, en el texto, la negación aparece en la expresión de opinión: "*no le pareció prudente*"). En este sentido, se diría que la respuesta correcta es la opción *a*. Pero, ¿qué pasa con las otras opciones? Fíjate que entre los ocho verbos de antes hemos incluido los que aparecen en las opciones *b* y *c*. ¿Sabes qué significan? Saberlo es fundamental para identificar la respuesta correcta. Pueden suceder dos cosas.
  - a. Que lo sepas. Identificas automáticamente la respuesta correcta.
  - b. Que no lo sepas. En este caso, la solución es difícil porque las frases que se ofrecen en las dos opciones no dan suficiente información sobre el significado de esos verbos.

Observa lo que dice el diccionario sobre esas tres palabras:

escatimar: No querer dar todo lo que se debe dar: *Cuando alguien te necesita de verdad, no debes escatimarle tu ayuda.*
regatear: Discutir el precio de una mercancía: *Estuve regateando el precio con el comerciante y conseguí las telas por poco dinero.* **2** (familiar, figurado) Hacer o dar lo menos posible: *No regateó esfuerzos para sacar adelante a su familia.*
desperdiciar: Emplear mal o no aprovechar debidamente: *Estás desperdiciando el dinero; has desperdiciado la única oportunidad que tenías.*

(Fuente: *Diccionario para la enseñanza de la lengua española,* Universidad de Alcalá de Henares, Madrid, España)

Es decir, *escatimar* tiene algo que ver con *ahorrar*, con *no querer ofrecer algo que alguien necesita*. Vicente no quería escatimar su colaboración, no se quería ahorrar la colaboración es decir, realmente quería colaborar. Respecto a las otras opciones, la *b* no puede ser porque significa lo contrario, *desperdiciar* es usar mal, y usar mal el tiempo dedicado a la empresa supone una actitud negativa por parte de Vicente que ya hemos comentado que no tiene. *Regatear* se refiere a precios, y tiene un sentido de discutir, y en el texto en ningún momento se habla de discusiones con la empresa sobre si ir a París o no, así que tampoco corresponde a lo que dice el texto. Definitivamente la opción correcta sólo puede ser la *a*.

De esta manera, como comentábamos más arriba, la pregunta distrae la atención de la respuesta correcta, proponiendo dos opciones incorrectas, pero cuya falta de correspondencia con el texto se descubre sólo si se conoce el significado de esos verbos clave. No es un procedimiento habitual, lo normal es que sea necesario conocer el vocabulario del texto (en este caso, el verbo *escatimar*), y no el de las preguntas, pero no deja de ser un mecanismo de evaluación posible, ya que de lo que se trata es de evaluar la comprensión de lectura.

- ¿Te atreves ahora a escribir una pregunta de opción múltiple en relación con una palabra del texto del escritor español Juan José Millás?

  1. ....

     ☐ a. ....
     ☐ b. ....
     ☐ c. ....

La ambigüedad de la pregunta

- Hay otro tipo de preguntas que no inciden en cuestiones de vocabulario. A veces resultan muy difíciles y hasta los nativos tienen dudas. Están redactadas de tal manera que cuesta mucho saber cuál de las tres opciones corresponde al texto. Es lo que pasa en una de las preguntas del texto de esta sesión:

1. **Según el texto, Vicente fue a París:**
   ☐ a. porque no quería quedar mal con su mujer.
   ☐ b. para que su empresa le tuviera en buena consideración.
   ☐ c. a pesar de que no era un buen momento.

- ¿Cuál es la respuesta correcta? Aparentemente la c, pero párate un momento a pensar, ¿por qué?, ¿para quién no era un buen momento?, ¿para Vicente, o para su empresa? El sentido común parece apoyar la respuesta de que para Vicente no era un buen momento, pero el sentido común no siempre sirve para resolver la tarea. Desde luego, estaría mucho más claro si la opción dijera algo así como, *a pesar de que personalmente no era un buen momento*, pero el hecho es que no lo dice.

- Vamos a verlo también en esta tanda de preguntas. Identifica la pregunta ambigua y busca en el texto el fragmento al que corresponde (las preguntas no son de opción múltiple, pero creemos que para el caso que nos ocupa, no es tan importante).

2. **Según el texto, Vicente, recién casado, decidió no hacer en absoluto el viaje de novios.**
   ☐ a. Verdadero.
   ☐ b. Falso.

3. **Según el texto, durante la conversación telefónica entre Vicente y su mujer, ésta le sorprendió con el comentario de que, gracias al incidente, no podría olvidarlo nunca.**
   ☐ a. Verdadero.
   ☐ b. Falso.

4. **Según el texto, Vicente contó muchas veces los cajones hasta que por fin le faltó uno por contar.**
   ☐ a. Verdadero.
   ☐ b. Falso.

¿Cuál es la frase del texto a la que corresponde la pregunta ambigua? ¿Cuál es la solución? Anota tus comentarios.

....

● ● ● ● ● ❗ Comentario
Lo mejor es intentar deducir del texto la respuesta acertada, haciendo uso de todos tus conocimientos y habilidades de lengua. Cuando no sea posible, porque la pregunta es muy ambigua, o le falta información, una de las cosas que se puede hacer es comparar la falsedad o veracidad relativa de las tres, y localizar las dos más alejadas del sentido original del texto, con lo cual la que quedase sería la respuesta correcta.

Tarea 3

Algo de vocabulario

- Como has visto, el texto describe a un personaje llamado Vicente, recién casado, que a mitad de la luna de miel decide dejar a su mujer por el trabajo. ¿Qué adjetivo o adjetivos elegirías, del siguiente grupo, a partir de lo que sabes de él, para describir su forma de ser?

☐ formal ☐ maniático ☐ ordenado ☐ tradicional ☐ sensato
☐ equilibrado ☐ meticuloso ☐ desconfiado ☐ atormentado ☐ pusilánime

¿Puedes explicar tu elección?

....

● Para la explicación probablemente te has referido a las costumbres de Vicente. Vamos a ver un poco de vocabulario útil para describir la personalidad. En la siguiente tabla encontrarás esos adjetivos, y dos descripciones, una con lo que haría una persona con ese carácter, y otra con lo que no haría en ningún caso. Tienes un ejemplo, intenta completar las otras casillas.

Rasgo de carácter	Lo que haría	Lo que no haría
1. generoso	Si tuviera que elegir entre comprarse una corbata o prestarle el dinero a un amigo, se lo prestaría.	En ningún caso se enfadaría con alguien por comprar o no comprar algo.
2. impulsivo		
3. sensible		
4. sensato		
5. chismoso		
6. caprichoso		
7. susceptible		
8. ambicioso		
9. pusilánime		
10. cariñoso		
11. [añade uno]		
12. [añade uno]		

● ¿Qué adjetivos tienen un valor positivo y cuáles un valor negativo? Márcalo junto a cada palabra.

Claves

Dos preguntas antes de empezar. 2.ª: De estas preguntas, ninguna. Las preguntas son siempre como las de los textos 2 y 3, y nunca se hacen sobre sus valores literarios.

Tarea 1: Primera tanda de preguntas: 1- c; 2- a; 3- c.

Tarea 2: Segunda tanda de preguntas: 2- falso; 3- es la ambigua; 4- falso.
La pregunta ambigua es la segunda porque no está claro quién no podría olvidarlo nunca, si la mujer, o Vicente, y qué cosa no olvidaría. El texto al que se refiere la pregunta es *"habló por teléfono con ella, que se mostró distante y fría. Holgado tuvo la impresión de que no le perdonaría nunca ese incidente"*. En la pregunta, se sustituye "perdonaría" por un equivalente más o menos lejano, "olvidarlo". Probablemente la frase sería correcta si pusiera algo así como "el comentario de que no podría olvidar nunca el incidente". La cuestión es que en el texto no se habla de algo dicho por la mujer, sino de la impresión que le causó a Vicente la conversación. Y por eso la frase sería falsa.

Tarea 3:
Adjetivos con valor positivo: generoso, sensible, sensato, cariñoso.
Adjetivos con valor negativo: impulsivo, chismoso, caprichoso, susceptible, ambicioso, pusilánime.
Intenta comparar esas diferencias con los significados que tienen esas palabras en tu lengua, ya que pueden variar.

La segunda prueba: Expresión escrita

¿Cómo crees que es esta prueba? ¿Qué sabes ya de ella? Antes de leer el texto de abajo, aquí tienes una lista de preguntas previas a la que puedes añadir la tuya.

Anota en la primera columna Sí o No según tu opinión. Verifica luego tus anotaciones leyendo el texto.

	Según tú	Según el texto
1. ¿Puedo aprobar aunque cometa algunos errores de gramática o de vocabulario?	☐	☐
2. La presentación gráfica (disposición en la hoja, tachones, etc.) es importante para aprobar esta prueba?	☐	☐
3. ¿Tendré que escribir textos especializados?	☐	☐
4. ¿La redacción debe ser de estilo formal?	☐	☐
5. Si uso más palabras de las que se permite, ¿suspenderé esta prueba?	☐	☐
6. ¿Se puede usar diccionario?	☐	☐
7. ¿Voy a tener que hacer la prueba en un tiempo máximo?	☐	☐
8. [Escribe tu pregunta].	☐	☐

....

....

- Tendrás que escribir textos sobre temas de la vida cotidiana y aspectos no especializados del ámbito público. Los textos tendrán que ser claros y coherentes. Los errores gramaticales o de vocabulario no son tan relevantes siempre y cuando no afecten a la comprensión del texto. El texto deberá tener un orden claro de ideas y una presentación gráfica clara. Podrá estar formado por frases y párrafos breves, y deberán estar bien articulados aunque uses un número reducido de conectores (palabras del tipo *aunque, por eso, sin embargo, siempre que*, etc.).

- El mensaje deberá ser comprensible, aunque se pierdan algunos detalles, y deberás seguir todas las instrucciones que se te indiquen (situación comunicativa, destinatario, objetivo). El texto que escribas deberá estar dentro de los modelos de texto correspondientes más habituales en español.

- Por encima del nivel esperado están, entre otros, estos aspectos lingüísticos: estructuras sintácticas complejas; riqueza léxica y absoluta adecuación en el uso del vocabulario; variedad estilística; absoluta corrección gramatical; textos especializados.

- Duración: Prueba 1 (Comprensión de lectura) y Prueba 2 (Expresión escrita), 120 min.

Fuente: http://diplomas.cervantes.es

Hasta aquí la información que ofrece el Instituto Cervantes en su página web. Vamos a detenernos un momento en esta prueba antes de empezar a trabajar en las sesiones. Aquí tienes algunas preguntas para reflexionar. Escribe tus respuestas y luego compáralas con nuestros comentarios.

1. ¿Qué diferencia hay entre escribir y las demás habilidades, leer, hablar y escuchar?

....

....

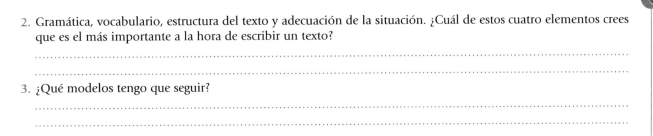

2. Gramática, vocabulario, estructura del texto y adecuación de la situación. ¿Cuál de estos cuatro elementos crees que es el más importante a la hora de escribir un texto?

....

....

3. ¿Qué modelos tengo que seguir?

....

....

Claves

1- Sí [Como ya hemos visto, y aparece en este texto, está por encima del nivel del DELE Intermedio no cometer absoluta-mente ningún error. Lo importante es que los textos sean claros y coherentes, que los errores posibles no dificulten la com-prensión del texto]; 2- Sí [No es que tengas que tener una letra clara y elegante. Se refiere sobre todo a escribir en su sitio elementos como la fecha, el saludo, etc. Y desde luego nada de tachones en el texto definitivo]; 3- No; 4- [El texto no lo dice expresamente, pero las cartas serán con mucha probabilidad cartas a hipotéticos amigos o conocidos. Eso no signifi-ca que no puedan plantearse situaciones de mayor formalidad, por ejemplo, una carta de reclamación]; 5- No [Pero fíjate que hay que seguir todas las instrucciones, y una de ellas es el número de palabras. Ten en cuenta, además, una cosa: cuan-tas más palabras uses, más errores podrías cometer, o más confuso podría ser el texto. Un consejo: escribe con claridad, sencillez, siguiendo todas las instrucciones]; 6- No; 7- Sí [Recuerda que tienes 120 minutos para realizar dos pruebas, la anterior y ésta. Y no olvides que tienes la posibilidad de organizarte. Piensa finalmente que muchas veces escribir requie-re más tiempo que leer, aunque eso depende de cada candidato].

1. ¿Qué diferencia hay entre escribir y las demás habilidades, leer, hablar y escuchar?
Sobre todo, es una habilidad creativa. Tienes que crear un texto a partir de unas instrucciones en las que se te plantea una situación que puede ser ajena a tu experiencia de vida. Tienes que ser capaz de imaginar esa situación, y de imaginar cómo resolverla por escrito. Además, estás solo para todo eso, no tienes más contexto ni más personas que tú mismo.
2. Gramática, vocabulario, estructura del texto y adecuación de la situación. ¿Cuál de estos cuatro elementos crees que es el más importante a la hora de escribir un texto?
Los cuatro tienen la misma importancia. Algunos candidatos dan excesiva importancia a la gramática, descuidando los otros elementos. Sin embargo, en la evaluación del texto se toman en cuenta los cuatro aspectos.
3. ¿Qué modelos tengo que seguir?
Es difícil establecer modelos concretos: cartas a amigos y conocidos, pero en situaciones de cierta formalidad, textos que exponen ideas y experiencias personales. No hay modelos claramente establecidos. En cualquier caso, son las instruccio-nes las que realmente te dirán cómo tiene que ser el texto, qué partes tiene que llevar, y qué intención debe expresar. También por eso es tan importante seguir las instrucciones.

Sesión 5: Expresión escrita

Escribir una carta que invita a un viaje

En esta actividad no vas a trabajar aspectos generales de la redacción de textos como la corrección de errores, la confección de esquemas de ideas, la redacción de un borrador y el texto definitivo, etc. Puedes encontrar más adelante referencias a libros que tratan esos temas. En esta Sesión te presentamos el primero de los textos que tienes que escribir en esta prueba: una carta. Para ello en el examen se te ofrecen dos opciones (dos situaciones con sus instrucciones) de las que tendrás que elegir una, y a partir de ella escribir un texto. Vas a ver una situación posible y las cartas de dos hipotéticas candidatas.

● ● ● ● ● ● ¡Advertencia!

Los textos de candidatos que vas a leer en estas sesiones de Expresión escrita contienen errores. Siempre que es posible, puedes encontrar una corrección en las claves de cada sesión.

Lee las instrucciones que aparecen a continuación para escribir una carta.

- Redacte una carta de 150-200 palabras (15-20 líneas).
- Comience y termine la carta como si fuera real.
- Usted tiene unos días libres en su trabajo y decide irse de vacaciones con su mejor amigo/a. Escríbale una carta invitándolo/la a ir con usted. En la carta deberá:
    – Explicarle el porqué del viaje.
    – Indicarle las características del viaje: fechas, alojamiento, duración...
    – Convencerle para que le acompañe.
    – Pedirle una respuesta rápida.

Antes de leer la carta de Natalia, intenta hacer una lista de palabras relacionadas con el tema.

1. Los viajes:
....

2. Convencer a alguien de algo:
....

3. Pedir cosas o favores:
....

4. ¿Qué puede ocasionar, motivar un viaje?:
....

● ● ● ● ● ● ¡Ojo! Contiene errores.

Querida Ana:

Muchas gracias por tu última carta. Perdona mi largo silencio pero últimamente he tenido mucho trabajo. Te escribo con el motivo de invitarte a que vayas conmigo de viaje. Como tengo unos cuantos días libres en mi trabajo quería ir de vacaciones y sería estupendo si pudieras ir conmigo. Me gusta muchísimo pasar el tiempo contigo, siempre nos divertimos, contamos chistes, etc.

La fecha del viaje todavía no está definida pero la excursión durará más o menos 5 días. Y es probable que empiece al principios de diciembre. El alojamiento tendrá lugar en un hotel lujoso con el aire acondicionado, jardín grande, la calefacción y la piscina. El hotel está situado cerca de un jardín del mar en un pueblo de Valencia. El precio del viaje no es muy alto. Sería una oportunidad estupenda para divertirnos, relajarnos y sobre todo para olvidar los problemas cotidianos.

Espero que aceptes y como hay que arreglar las cosas relacionadas con el viaje durante el próximo fin de semana, te pido una respuesta rápida.

Besos
Natalia

5. ¿Ha aparecido en la carta alguna palabra de la lista que has hecho antes? Márcalas en el texto.

Análisis de la tarea

- Analiza el texto siguiendo las preguntas de este cuadro, y teniendo en cuenta que la carta tiene errores.

	Sí	No
1. ¿La carta ha seguido las instrucciones que se indican (incluyendo el número de palabras)?	☐	☐
2. ¿Has entendido el sentido general de la carta?	☐	☐
3. ¿Crees que la carta corresponde a lo que se entiende, en español, por una carta a un amigo para invitarlo a hacer un viaje?	☐	☐
4. ¿Te parece que el orden y la relación de las ideas son lógicos y, sobre todo, claros?	☐	☐
5. El texto tiene errores gramaticales, de vocabulario y en el uso de los signos de puntuación, ¿crees que a causa de ellos no se entiende lo que se quiere decir?	☐	☐
6. ¿Crees que hay palabras y expresiones que no son adecuadas al tipo de texto?	☐	☐
7. ¿Crees que los errores de gramática y vocabulario corresponden a un nivel de español inferior, es decir, que no se deberían cometer en este nivel?	☐	☐

- Fíjate en las preguntas anteriores. Corresponden a los cuatro aspectos básicos que tienes que tener en cuenta, y que hemos comentado ya en la introducción a esta prueba. Por ello, puede servirte para analizar tus propios textos. En esta sesión vas a trabajar sobre todo dos de esos aspectos: la estructura y la adecuación.

Tarea 2

- Como has visto, la situación planteada en las instrucciones es la que determina la estructura de la carta y su "tono", más formal o más informal. En este caso, la carta va dirigida a un conocido, por lo que la relación con la persona es informal, pero la situación requiere de cierto grado de formalidad porque se trata de pedir algo. ¿Cómo pueden expresarse esas dos características? Completa el siguiente cuadro. Fíjate en el ejemplo.

Relación informal con el destinatario de la carta	Situación de cierta formalidad (por ejemplo, una invitación)
Uso del tuteo.	Uso de fórmulas de saludo y despedida.

- Al final de la sesión tienes el mismo cuadro resuelto. Allí podrás ver que uno de los elementos importantes son las fórmulas de cortesía. Aquí tienes una lista de fórmulas de saludos y despedidas que se utilizan en una carta. Pero no todas se usan para una carta de este tipo. Primero, haz dos grupos, uno con saludos y otro con despedidas.

☐ Muy señor mío   ☐ Te quiero mucho   ☐ Querida Sonia   ☐ Hasta pronto
☐ Atentamente   ☐ Hola, José   ☐ Amor de mi vida   ☐ A la espera de tu respuesta...
☐ Besos y abrazos   ☐ Distinguido/a...   ☐ Muchos besos   ☐ Te echo de menos...
☐ Estimado/a...   ☐ Se despide...   ☐ Muchos saludos   ☐ Esperando su respuesta
☐ Mi amor   ☐ A la espera de noticias   ☐ Cuídate mucho   ☐ Esperando una respuesta...
☐ Querido Manuel   ☐ Siempre tuyo   ☐ Excelentísimo señor...   ☐ Me gustaría verte pronto

- Ahora marca con una X las que se usarían en la situación planteada en la carta anterior.

- Cuando escribimos tenemos que expresar nuestras ideas más ordenadamente que cuando hablamos, ya que no hay posibilidad de que la otra persona nos haga preguntas para comprobar si ha entendido, conteste mientras estamos escribiendo o haga comentarios. Por eso, todo lo que pongamos por escrito tiene que estar más claro: tiene que estar claro por sí mismo. Los conectores de discurso (palabras como *entonces, por eso, porque*, etc.), que unen unas frases con otras, nos ayudan a conseguir orden y claridad.

- Elige, de la carta que tienes a continuación, uno de los tres conectores en cada caso. Luego, ordénala.

A Querida mía:

  [1] **Bien / bueno/ me parece**, yo sé que tú también tienes mucho trabajo, [2] **sin embargo / así / aunque** creo que tendrás tiempo para acompañarme. El descanso es una cosa muy importante y [3] **por eso / porque / ya que** deberías ir conmigo para descansar un poco. He planificado el viaje para la semana que viene, [4] **porque / por lo que / como** espero tu respuesta lo antes posible.

B Me gustaría pasar la semana que va del 24 al 30 de junio en Inglaterra. [5] **Por / según / de acuerdo** el alojamiento no te preocupes porque en Londres tengo un amigo de toda la vida que me dijo que podíamos quedarnos en su casa.

C Lo que me gustaría visitar en Londres es el famoso Big Ben sobre el cual he oído tantas cosas. [6] **Pero / comúnmente / además**, me interesa el Palacio Real y toda la ciudad que está llena de monumentos. [7] **También / por otro lado / si** podríamos visitar otros lugares como Denver o Brigton y los que quieras ver tú.

D Por fin tengo un rato libre para escribirte y contarte que la próxima semana no tengo que trabajar porque en el edificio de mi empresa están de obras. He pensado que en esos días podía realizar uno de mis sueños, que como sabes, es conocer Inglaterra. [8] **Pero / ya que / por lo tanto** no quiero ir sola y sería muy feliz si vinieras conmigo.

Paula

Ahora ordena los cuatro párrafos de la carta.

  1. ☐ ; 2. ☐ ; 3. ☐ ; 4. ☐

¡Atención! A esta carta le faltan tres elementos. ¿Cuáles son?

....

Vas a escribir una carta siguiendo unas instrucciones. Antes de ponerte a redactar el texto, contesta a las preguntas que tienes a continuación.

	Sí	No
1. Una carta de estas características tiene que llevar el lugar desde donde se escribe y la fecha.	☐	☐
2. El estilo de la carta tiene que ser muy formal para poder convencer a mi amigo/a.	☐	☐
3. Lo fundamental es que se entienda el motivo de la carta.	☐	☐
4. Tengo que usar palabras poco frecuentes o difíciles para causar buena impresión.	☐	☐
5. Si no recuerdo o no conozco una palabra muy importante que necesito, puedo explicar lo mismo con otras palabras, y eso también tiene su valor.	☐	☐

● ● ● ● ● ⚠ Algunos consejos

☐ Prepara una lista de ideas siguiendo el orden de las instrucciones. Selecciona las ideas y ordénalas.

☐ Escribe un borrador y un texto definitivo, pero siempre teniendo en cuenta que el tiempo pasa.

☐ En el examen vas a tener una hoja de borrador. Puedes hacer dos cosas en ella: escribir una lista de ideas, un esquema que te organice el texto, o una primera redacción del texto definitivo. Lo aconsejable es, desde luego, hacer las tres cosas: un esquema, un texto provisional y uno definitivo. Pero normalmente no hay tiempo.

☐ Piensa bien en los pasos para no perder mucho tiempo antes del texto definitivo. Conviene que cuando llegue el día del examen hayas ensayado, suficientemente las dos posibilidades y hayas decidido cuál de las dos es la más apropiada para ti, así podrás aplicarla con seguridad.

- Si has escrito un borrador muy próximo ya al texto definitivo, no aumentes excesivamente el texto al pasarlo a limpio, y sobre todo no añadas ideas y párrafos nuevos. Puedes liarte, cometer errores, ponerte nervioso/a, y como consecuencia, perder tiempo.
- Intenta visualizar a la persona a la que quieres escribir, dale nombre, rostro, carácter. Por ejemplo, si tienes que escribir a un amigo, piensa en un amigo concreto que tengas, e imagina sus reacciones a tu carta.
- No te olvides del saludo y la despedida, la fecha y la firma.

● ● ● ● ● 🕐 Pon el reloj.

Ahora, vas a escribir tú una carta con las mismas instrucciones de la tarea 1.

- Redacte una carta de 150-200 palabras (15-20 líneas).
- Comience y termine la carta como si fuera real.
- Usted tiene unos días libres en su trabajo y decide irse de vacaciones con su mejor amigo/a. Escríbale una carta invitándolo/la a ir con usted. En la carta deberá:
    – Explicarle el porqué del viaje.
    – Indicarle las características del viaje: fechas, alojamiento, duración...
    – Convencerle para que le acompañe.
    – Pedirle una respuesta rápida.

● ● ● ● ● 🕐 ¿Cuánto tiempo has tardado? Anótalo aquí: ___

Aplica a tu carta las preguntas de la tarea 1. ¿Qué tipo de problemas has tenido para redactar la carta? ¿Has tardado demasiado tiempo? ¿Qué actividades de esta sesión te han ayudado? Anota aquí tus comentarios.

....
....
....

Claves

Tarea 1: 1- Sí; 3- Sí; 4- Sí; 5- No; 6- No; 7- No.

Tarea 2:
- Relación informal con el destinatario de la carta: Uso del tuteo; Se permiten expresiones subjetivas del tipo *Qué bien, Qué pena, Qué lástima*, etc.; Se permiten expresiones de gusto, preferencia, deseo, interés, etc., directamente relacionadas con el tema: *Me encanta que vayas a venir a verme, Espero que me escribas pronto*; Se permiten preguntas directas al interlocutor: *¿Has recibido mi carta anterior?*; Hay referencias a la relación que existe con la otra persona: *Como somos amigos, me gustaría...*; El grado de confianza permite hacer críticas y expresar declaraciones personales: *No me ha gustado tu forma de reaccionar, Siempre he querido ir allí contigo*.
- Situación de cierta formalidad (p. ej., una invitación): Uso de fórmulas de saludo y despedida; Uso de la cortesía (disculpas y excusas) para situaciones de posible conflicto como críticas: *Perdona que te lo diga, pero eso no ha estado bien*; Cierto cuidado en la elección de las palabras: no aparecerán tacos ni palabras muy coloquiales del tipo (para España): *Paso de llamarte, Joder qué rollo*, (para Argentina): *¿Qué haces boludo?, Chau forro*, (para México): *Qué hubo, Güey, Qué onda*, etc.; Se evitan ataques, críticas directas o recriminaciones que pueden molestar: *Como nunca has querido invitarme a tu casa...*; Se evita el exceso de confianza que puede llevar a hacer solicitudes demasiado personales o arriesgadas sin usar fórmulas de cortesía: *Necesito dinero y he pensado en ti*.

Saludos y despedidas:
- Saludos: Muy señor mío; Estimado/a; Mi amor; Querido Manuel; Hola, José; Distinguido/a; Querida Sonia; Excelentísimo señor.
- Despedidas: Atentamente; Besos y abrazos; Te quiero mucho; Se despide...; A la espera de noticias; Siempre tuyo; Amor de mi vida; Muchos besos; Muchos saludos; Cuídate mucho; Hasta pronto; A la espera de tu respuesta...; Te echo de menos; Esperando su respuesta; Esperando una respuesta; Me gustaría verte pronto.

- **Saludos válidos:** Querida Sonia; Hola, José; Querido Manuel.
- **Despedidas validas:** Hasta pronto; A la espera de tu respuesta...; Cuídate mucho; Muchos besos; Besos y abrazos; Muchos saludos; Me gustaría verte pronto.

Tarea 3:

Conectores: 1- bueno; 2- sin embargo; 3- por eso; 4- por lo que; 5- por; 6- además; 7- también; 8- pero.
[1- D; 2- A; **3**- C; 4- B].
Los tres elementos que faltan son: a) la fecha; b) una frase final, p. ej., "Escríbeme pronto y dame una respuesta"; c) la despedida, p. ej. "Muchos besos".

Tarea 4:

1- Sí; 2- No [Como hemos visto la relación es informal, y por eso los conectores no tienen que ser muy formales. Basta con tener un estilo correcto. Por otra parte, no abuses tampoco de los coloquialismos.]; 3- No [Recuerda que estás en un examen, comunicar tu idea no es suficiente. Hay que seguir las instrucciones, mantenerse en la situación que te plantean, y tener una estructura clara y coherente]; 4- No; 5- Sí.

Corrección de la carta:

Texto original con los errores marcados

~~tuvo~~ = la palabra no es correcta; _____ = falta una palabra; <u>norte</u> = la ortografía no es correcta

_____

Querida Ana:

Muchas gracias por tu última carta. Perdona mi largo silencio pero últimamente he tenido mucho trabajo. Te escribo ~~con el motivo de~~ invitarte a que ~~vayas~~ conmigo de viaje. Como tengo unos cuantos días libres en mi trabajo quería ir de vacaciones y sería estupendo si pudieras ~~ir~~ conmigo. Me gusta muchísimo pasar el tiempo contigo, siempre nos divertimos, contamos chistes, etc.

La fecha del viaje todavía no está ~~definida~~ pero la excursión durará más o menos 5 días. Y es probable que empiece ~~al~~ principios de diciembre. El alojamiento ~~tendrá lugar~~ en un hotel lujoso con ~~el~~ aire acondicionado, _____ jardín grande, ~~la~~ calefacción y ~~la~~ piscina. El hotel está situado cerca de un jardín ~~del~~ mar en un pueblo de Valencia. El precio del viaje no es muy alto. Sería una oportunidad estupenda para divertirnos, relajarnos y sobre todo para olvidar los problemas cotidianos.

Espero que aceptes y como hay que arreglar las cosas relacionadas con el viaje durante el próximo fin de semana, te pido una respuesta rápida.

Besos
Natalia

Propuesta de corrección del texto (no es la única corrección posible)

Fecha

Querida Ana:

Muchas gracias por tu última carta. Perdona mi largo silencio pero últimamente he tenido mucho trabajo. Te escribo para invitarte a que vengas conmigo de viaje. Como tengo unos cuantos días libres en mi trabajo quería ir de vacaciones y sería estupendo si pudieras venir conmigo. Me gusta muchísimo pasar el tiempo contigo, siempre nos divertimos, contamos chistes, etc.

La fecha del viaje todavía no está decidida / no es definitiva / pero la excursión durará más o menos 5 días. Y es probable que empiece a principios de diciembre. El alojamiento será en un hotel lujoso con aire acondicionado, un jardín grande, calefacción y piscina. El hotel está situado cerca de un jardín junto al mar en un pueblo de Valencia. El precio del viaje no es muy alto. Sería una oportunidad estupenda para divertirnos, relajarnos y sobre todo para olvidar los problemas cotidianos.

Espero que aceptes y como hay que arreglar las cosas relacionadas con el viaje durante el próximo fin de semana, te pido una respuesta rápida.

Besos
Natalia

Sesión 6: Expresión escrita

Escribir un texto que cuenta una experiencia

En esta Sesión vas a trabajar la redacción de un texto que cuenta una experiencia. Antes de empezar, te planteamos la siguiente pregunta:

¿Qué diferencia hay entre escribir una carta y escribir una redacción (y por tanto, qué dificultades puedes tener)?

....

....

....

Tarea 1

- A continuación te presentamos un ejercicio de examen resuelto por un hipotético candidato. Lee atentamente las instrucciones que ha seguido ese candidato.

- Escriba una redacción de 150 - 200 palabras (15 - 20 líneas).
- A todos nos ha sucedido que en alguna ocasión hemos tenido miedo. Escriba un texto en el que cuente:
    - Por qué pasó miedo.
      Dónde y cuándo ocurrió.
    - Cómo reaccionó.
    - Qué aprendió de esa experiencia.

• • • • • ¡Ojo! Contiene errores.

Hace cuatro años [1] **tuvo** la oportunidad saltar en paracaídas y al principio no sabía que hacer porque la altura es algo de que tengo miedo.

Al final decidí no perder la experiencia y [2] **fue** con unos compañeros de clase un dia de junio, 2003 a un centro cerca del mar del Norte para hacer el curso intensivo que es obligatorio antes de saltar.

Durante el curso, [3] **entrenamos** en un edificio en que había una aula y tambien un pequeño avión. Por las mañanas [4] **estudiamos** siempre la teoría por ejemplo, como manejar el paracaída el efecto del viento y como aterrizar.

[5] **Las tarde** [6] **practicamos** la salta del pequeño avión. [7] **Algún día** tuvimos que adoptar una posición y cuando el hombre gritó, pues [8] **saltuvimos** uno a uno.

[9] **El dia siguiente** el cielo estaba despejado y nuestro entrenador nos dijo que las condiciones estaban perfectas para la salta. Entonces, montamos en el avión, muy nervioso, y cuando estabamos a la altura adequada saltamos. Tenía mucho mucho miedo al principio pero [10] **despues** de lo paracaida [11] **se abrió** fue una experiencias maravillosas.

Lo que [12] **aprendo** de esta experiencia es no evitar hacer cosas porque te dan miedo porque te perderás unas experiencias muy buenas.

Análisis de la redacción

	Sí	No
1. ¿La redacción tiene entre 150 y 200 palabras?	☐	☐
2. ¿El texto se centra en contar una experiencia en la que el autor pasó miedo?	☐	☐
3. ¿El texto sigue todas las instrucciones y en el mismo orden?	☐	☐
4. ¿Has perdido el hilo en algún momento por culpa de los errores?	☐	☐
5. ¿Te parece que las ideas están organizadas de una manera clara?	☐	☐
6. ¿Hay alguna palabra o alguna expresión que no vaya bien en un texto de este tipo?	☐	☐

- En el texto hay una serie de palabras destacadas. Son algunos de los errores cometidos por el candidato. Intenta corregir esos errores.

1. tuvo: ....
2. fue: ....
3. entrenamos: ....
4. estudiamos: ....

5. las tarde: ....
6. practicamos: ....
7. Algún día: ....
8. saltuvimos: ....

9. El día siguiente: ....
10. despues de: ....
11. se abrió: ....
12. aprendo: ....

● ● ● ● ● ⚠ El texto contiene más errores de los que se han marcado, ¿Reconoces tú mismo/a, algún error más?

Tarea 2

- El texto anterior presenta algunos errores que tienen que ver con palabras y expresiones que sirven para relacionar acciones y momentos del pasado. Vamos a ver algunas de esas palabras y expresiones. Aquí tienes algunas frases de otro texto sobre el mismo tema. Sustituye las expresiones **resaltadas en negrita** por una de las tres propuestas en cada caso. Cambia la forma de los verbos si es necesario.

1. **Cuando** ella llegó a casa, en seguida recogimos todo y nos fuimos a toda prisa.
   ☐ a. En cuanto   ☐ b. Antes de que   ☐ c. Después de

2. Empezamos a subir la montaña el martes. **Antes** un guía nos dio unos consejos muy buenos sobre la ruta.
   ☐ a. después de   ☐ b. después de que   ☐ c. tan pronto como

3. Como no nos sobraba el tiempo, **al mismo tiempo que** yo recogía la tienda, ella hacía la mochila.
   ☐ a. mientras   ☐ b. durante   ☐ c. al cabo de

4. **Entonces** fue cuando resbalé en una piedra y empecé a caer por el precipicio. ¡Fue horrible!
   ☐ a. En un momento   ☐ b. Por eso   ☐ c. En aquel momento

5. **Tres días** después vinieron a recogernos con un helicóptero: estábamos muertos de hambre y de sed.
   ☐ a. En los tres días   ☐ b. A los tres días   ☐ c. Los tres días

6. Me llevaron a una sala de un hospital. Yo estaba allí, aburrido, y **mientras**, ella se lo pasaba estupendamente en el hotel, porque no tenía nada que hacer. Bueno, al menos ella podía pasárselo bien.
   ☐ a. durante el tiempo   ☐ b. mientras tanto   ☐ c. al tiempo

7. ¿Y **cómo terminó todo**? El 1 de abril regresamos a casa con muchas cosas que contar.
   ☐ a. Al final   ☐ b. Entonces   ☐ c. Por el fin

8. Lo mejor de la experiencia fue que nos conocimos un poco mejor. ¡Ah!, y las fotos que hicimos colgados a 100 metros de altura, a punto de caer, **esperando** a que nos rescataran. Son increíbles, tienes que verlas.
   ☐ a. mientras esperábamos   ☐ b. pues esperábamos   ☐ c. cuando esperamos

- Para trabajar más este tema, aquí tienes algunas referencias de títulos de la Editorial Edinumen:
  - *Prisma Progresa (B1):* Unidad 9 (marcadores temporales con Indicativo y con Subjuntivo), Unidad 10 (marcadores discursivos).
  - *Prisma Avanza (B2):* Unidad 5 (conectores de la argumentación).
  - *Procesos y recursos:* Unidad 3 (conectores discursivos), Unidad 5.
  - *Construcción e intrepretación de discursos y enunciados* (son dos libros pequeños que resumen el tema, con explicaciones de uso y ejercicios con claves).

Tarea 3

- A continuación tienes una segunda redacción escrita por un candidato, y que responde a la misma instrucción de antes. En este caso, el texto está roto en fragmentos. Tienes que ordenarlos. Verás que, como en el texto anterior, hay errores de distintos tipos.

● ● ● ● ● ⚠ ¡Ojo! Contiene errores.

A   También no había ningún ruido en toda la casa y eso quería decir que mis padres y mi otro hermana no estaban despertados.

B A menudo, solía ir al cuarto de baño para que despertiera mi padre. Hoy en día, sé que era muy egoista, pero para mí el miedo era lo peor sentimiento en el mundo, fatal.

C No era tan fuerte que al cerrar los ojos podía verla pero todavía brillaba con bastante fuerte que sabía que no estaba algo extraño en mi dormitorio. Dejé también de ver la hora de vez en cuando, porque cuánto más la veía, más me preocupaba.

D Cuando era niña, no podía dormir por la noche. Tenía miedo de la oscuridad, de monstruos que no existían pero sobre todo del sentimiento de sentir solita; porque sabía que en mi dormitorio mi hermana estaba durmiendo.

E Hoy, tengo 19 años y no tengo ningunas problemas por la noche. La mayoría del tiempo, ¡estoy demasiado cansada para preocuparme! Pero he aprendido que la mente tiene mucho poder sobre la persona pero se puede ganar la lucha contra el miedo.

F Un año recibí un regalo especial para mi cumpleaños, fue una luz de noche.

1. ☐ ; 2. ☐ ; 3. ☐ ; 4. ☐ ; 5. ☐ ; 6. ☐

Análisis de la redacción

- Aprovecha la tabla de preguntas de la página 37 para analizar este texto.
- Descubre ahora los errores del texto y márcalos

Tarea 4

¿Cómo puede ser una aventura?

Una posible dificultad relacionada con este tipo de textos se refiere a la elección de los adjetivos. Vamos a trabajar brevemente este tema. Para ello, vas a ver una serie de combinaciones de sustantivos y adjetivos. Haz dos cosas. Marca primero las que consideres correctas, y luego transforma éstas siguiendo el modelo. ¡Atención!, algunas combinaciones no se pueden transformar de esa manera. Por ejemplo, se suele decir "Fue una experiencia única", pero no *¡Qué experiencia tan única!

Fue una experiencia aconsejable. ➡ *¡Qué experiencia tan aconsejable!* ....

1. Fue una experiencia inolvidable. ➡ ....
2. Tuve un accidente muy aparatoso. ➡ ....
3. Ha sido un problema leve. ➡ ....
4. Se produjo un accidente muy agitado. ➡ ....
5. Fue un accidente mortal. ➡ ....
6. Ha sido una oportunidad desaprovechada. ➡ ....
7. Tuvo un accidente perdido. ➡ ....
8. Fue una ocasión perdida. ➡ ....
9. Tuvo un problema inmejorable. ➡ ....
10. Disfrutó de una ocasión única. ➡ ....

Tarea 5

Ahora te toca a ti escribir un texto siguiendo unas instrucciones.

● ● ● ● ● **Algunos consejos**

- ☐ Ordena tus ideas: prepara un guión sencillo sobre el que vas a escribir.
- ☐ Haz una breve lista de vocabulario. En la Sesión 3 has visto algunas palabras relacionadas con **Sucesos** que pueden serte útiles.
- ☐ No formules frases demasiado largas. La tarea no consiste en ser especialmente creativo/a, no se trata de sorprender con tu genialidad, sino de aprobar un examen. Usa palabras que realmente conozcas, de las que no tengas dudas de cómo se usan y qué significan.
- ☐ Fíjate muy bien en las instrucciones y no olvides seguirlas todas.

● ● ● ● ● ❗ Recuerda

Dispones de **120 minutos** para las dos primeras pruebas, ¿cuánto puedes necesitar para cada uno de los textos que tienes que escribir? Acostúmbrate a calcular el tiempo que necesitas para escribir, así no tendrás problemas después.

● ● ● ● ● 🕐 Pon el reloj.

> **Instrucciones**
> - Escriba una redacción de 150 - 200 palabras (15 - 20 líneas).
> - A todos nos ha sucedido en alguna ocasión que nos hemos llevado una sorpresa, nos ha pasado algo inesperado. Escriba un texto en el que cuente:
>   - Dónde, cuándo y qué pasó.
>   - En qué consistió la sorpresa o lo inesperado del suceso.
>   - Cómo reaccionó.
>   - Qué aprendió de esa experiencia.

● ● ● ● ● 🕐 ¿Cuánto tiempo has tardado? Anótalo aquí: ___

Aplícale a tu texto este otro cuadro de preguntas.

		Sí	No
1.	¿La redacción tiene entre 150 y 200 palabras?	☐	☐
2.	¿El texto se centra realmente en contar un suceso inesperado?	☐	☐
3.	¿Has tenido problemas para seguir todas las instrucciones y al mismo tiempo desarrollar el hilo?	☐	☐
4.	¿Has tenido problemas para encontrar el vocabulario necesario?	☐	☐
5.	Probablemente has redactado un borrador y el texto definitivo. ¿Has introducido muchos cambios al pasar de un texto a otro?	☐	☐
6.	¿Has tenido problemas con el tiempo?	☐	☐
7.	¿Has localizado errores en una segunda lectura del texto definitivo?	☐	☐

Piensa en cómo puedes hacer para mejorar tus resultados la próxima vez. Anota aquí tu reflexión.

....

....

Claves

¿Qué diferencia hay entre escribir una carta y escribir una redacción (y por tanto, qué dificultades puedes tener)?
- En la redacción no hay un destinatario, no hay una situación comunicativa como en la carta, y por eso no se puede hacer referencia a otra persona, a nada anterior. Las instrucciones de la tarea no establecen quién es el lector al que va dirigido el texto, aunque es bueno que tú te imagines un destinatario concreto.
- Para resolver esto, se pueden buscar "trucos" en los que uno se inventa un destinatario. Por ejemplo, un amigo, el profesor de español, otro compañero de clase, o el mismo evaluador, siguiendo la instrucción "cuéntenos...".
- En una redacción el estilo es más general, se presentan ideas generales junto a opiniones y experiencias personales.

Tarea 1:
Análisis de la primera redacción: 1- Sí; 2- Sí; 3- Sí; 5- No; 6- No.
Corrección posible de los errores marcados en el texto: 1- tuve; 2- fui; 3- entrenábamos; 4- estudiábamos; 5- Por la tarde / Por las tardes / Las tardes las pasábamos practicando; 6- practicábamos; 7- Un día; 8- saltamos; 9- Al día siguiente; 10- *después de que; 11- se abriera; 12- he aprendido.
(*Esta frase resulta un poco confusa. No está clara la relación entre los tres elementos: tener miedo / abrirse el paracaídas / ser una experiencia maravillosa).

Tarea 2:
1- a; 2- b (nos diera); 3- a; 4- c; 5- b; 6- b; 7- a; 8- a.

Claves

Tarea 3:

1- D; 2- B; 3- A; 4- F; 5- C; 6- E.

Análisis de la segunda redacción: 1- Sí; 2- Sí; 3- Sí; 5- No; 6- No.

Propuesta de corrección de los textos (no es la única corrección posible)

• **Primera redacción**

Hace cuatro años tuve la oportunidad de saltar en paracaídas y al principio no sabía qué hacer porque la altura es algo a lo que le tengo miedo.

Al final decidí no perderme la experiencia y fui con unos compañeros de clase un día de junio del 2003, a un centro de paracaidismo cerca del mar del Norte para hacer el curso intensivo que es obligatorio antes de saltar.

Durante el curso, entrenábamos en un edificio en el que había un aula y también un pequeño avión. Por las mañanas estudiábamos siempre la teoría, por ejemplo, cómo manejar el paracaídas, el efecto del viento y cómo aterrizar.

Por las tardes practicábamos el salto desde el pequeño avión. Un día tuvimos que hacer un ejercicio que consistía en que adoptábamos una posición y cuando el instructor gritaba, saltábamos de uno en uno.

Al día siguiente el cielo estaba despejado y nuestro entrenador nos dijo que las condiciones eran perfectas para saltar. Entonces, subimos al avión, muy nerviosos, y cuando estuvimos a la altura adecuada, saltamos. Al principio tenía mucho mucho miedo, pero después de que se abriera el paracaídas, todo cambió, y se convirtió en una experiencia maravillosa.

Lo que he aprendido de esta experiencia es que no hay que evitar hacer cosas sólo porque te dan miedo porque te perderás experiencias muy buenas.

• **Segunda redacción**

Cuando era niña, no podía dormir por la noche. Tenía miedo de la oscuridad, de monstruos que no existían pero sobre todo del sentimiento de sentirme solita; aunque sabía que en mi dormitorio mi hermana estaba durmiendo.

A menudo, solía ir al cuarto de baño para despertar a mi padre. Hoy en día sé que era muy egoísta, pero para mí el miedo era el peor sentimiento del mundo, algo horrible.

Además, si no había ningún ruido en toda la casa eso quería decir que mis padres y mi otra hermana no estaban despiertos. Un año me hicieron un regalo especial por mi cumpleaños, era una lámpara para la mesilla de noche. No era tan fuerte como para que al cerrar los ojos pudiera verla pero brillaba con bastante fuerza como para saber que no había nada extraño en mi dormitorio. Dejé también de ver la hora de vez en cuando, porque cuanto más la veía, más me preocupaba.

Hoy tengo 19 años y no tengo ningún problema por la noche. La mayor parte del tiempo, estoy demasiado cansada como para preocuparme por nada. Pero he aprendido que la mente tiene mucho poder sobre la persona y que se puede ganar la lucha contra el miedo.

Tarea 4:

Frases válidas: 1, 2, 3, 5, 6, 8, 10.

Frases que admiten este tipo de transformación: 1- ¡Qué experiencia tan inolvidable!; 2- ¡Qué accidente tan aparatoso tuve!; 6- ¡Qué oportunidad tan desaprovechada!

Tarea 5:

1- [Naturalmente no debes pasar ese límite]; 2- [Tienes que mantener todo el tiempo la atención en el tema principal. Eso puede ayudarte a darle sentido y coherencia a todo el texto. Además, es parte de la instrucción de la prueba, que debes seguir escrupulosamente. Es muy importante que seas consciente de lo que tienes que hacer en el ejercicio, de lo que debe contener el texto, así que una vez escrito, tienes que comprobar que has cumplido el objetivo marcado en la consigna]; 3- [Las instrucciones pueden servirte como esquema para armar tu texto. En cualquier caso, tienes que seguirlas]; 4- [Ya lo hemos dicho antes: usa palabras que conoces, no busques palabras que te provoquen dudas, que no conozcas bien. No tienes que impresionar con tus conocimientos]; 5- [Ya hemos tocado este tema. Lo ideal es hacer un esquema, escribir un borrador y pasarlo a limpio (escribir el texto definitivo), pero estás muy limitado por el tiempo, y debes calcular bien cuánto necesitas para cada paso del proceso de escritura. Esas dudas pueden provocar errores. Por ello, quizá es mejor en algunos casos ser fiel a la primera redacción]; 6- [Quizá te conviene empezar por la prueba 2 (Expresión escrita) y luego pasar a la de Comprensión de lectura (la primera en el examen). Sea como sea, no olvides tener el reloj delante]; 7- [Es importante ser capaz de leer con distancia crítica para localizar errores, y hacerlo dentro del tiempo disponible].

La tercera prueba: Comprensión auditiva

¿Cómo crees que es esta prueba? ¿Qué sabes ya de ella? Antes de leer el texto, aquí tienes unas preguntas previas.

Anota en la primera columna Sí o No según tu opinión. Verifica luego tus anotaciones leyendo el texto.

	Según tú	Según el texto
1. ¿Voy a escuchar textos reales?	☐	☐
2. ¿Voy a escuchar acentos dialectales?	☐	☐
3. ¿Todos los textos tienen la misma duración?	☐	☐
4. ¿Voy a escuchar cada texto una sola vez?	☐	☐
5. ¿Cuánto tiempo tengo entre cada texto?	☐	☐
6. ¿Hay alguna entrevista?	☐	☐
7. ¿Pueden ser grabaciones de la radio?	☐	☐
8. ¿Pueden ser grabaciones de la televisión?	☐	☐
9. ¿Pueden ser textos especializados?	☐	☐
10. ¿Necesito información sobre la cultura y la sociedad de los países donde se habla español?	☐	☐
11. [Escribe tu pregunta].	☐	☐

- La duración de la prueba 3 es de 30 minutos.
- Nivel de exigencia. En una situación normal de conversación en lengua estándar no coloquial con un hablante nativo, el candidato podrá:
    - a. entender mensajes orales sobre temas cotidianos e información relacionada con hechos conocidos;
    - b. entender descripciones y explicaciones de hechos pasados, presentes o futuros;
    - c. entender los puntos básicos de una conversación aunque no intervenga en ella.
- Podrá tener dificultades para entender a alguien que no esté delante o en casos en que sea necesario un gran conocimiento sociocultural de lo español, pero logra una comprensión global.
- Por encima de su nivel: mensajes especializados, mensajes muy marcados estilísticamente, coloquialismos, regionalismos, vulgarismos; mensajes con fuertes interferencias y ruidos; mensajes con súbitos cambios de tema.
- Tipos de textos que podrá comprender: conversaciones sobre temas como experiencias personales, trabajo, noticias de actualidad; consejos; la mayor parte de un programa de televisión gracias al soporte gráfico; en una visita guiada puede comprender y hacer preguntas; en el ámbito laboral, puede seguir una presentación o demostración objetiva, especialmente sobre objetos físicos y tangibles; en contextos académicos, puede comprender el sentido general de una clase siempre que el tema sea previsible.

Instrucciones que aparecen en el examen

Aquí tienes las instrucciones que encontrarás en el examen de esta prueba:

> Usted va a oír cuatro textos. Oirá cada uno de ellos dos veces. Al final de la segunda audición de cada uno de los textos, dispondrá de tiempo para contestar a las preguntas que se le formulen.
> Hay dos modalidades de preguntas:
> Primer tipo:
> *a) Verdadero.*
> *b) Falso.*
> Segundo tipo. Selección de una respuesta entre tres opciones:
> *a)* ...
> *b)* ...
> *c)* ...

Fuente: http://diplomas.cervantes.es

- Ya sabes que son cuatro audiciones, que hay tres preguntas en cada audición, que son de dos tipos, y que vas a oír cada texto dos veces. El procedimiento consiste en que se pone en funcionamiento una cinta de casete donde están grabados los textos con las instrucciones y los silencios correspondientes (dos minutos entre texto y texto). Durante ese tiempo, nadie puede salir ni entrar en la sala. No se puede detener el equipo de sonido en ningún momento. Cuando termina el último texto y los dos minutos correspondientes, se oye este mensaje: *"La prueba ha terminado".*

- Los textos no son muy diferentes de los de la prueba de Comprensión del lectura. Están adaptados al hecho de que van a ser leídos. Las fuentes de donde proceden suelen ser auditivas (en general, programas de radio o televisión). En cualquier caso, suelen ser textos leídos por un locutor, de manera que la voz no corresponde al original. El acento de esos locutores corresponde a la forma de hablar estándar peninsular, si bien puede escucharse ocasionalmente alguna voz latinoamericana. La velocidad es prácticamente la de un locutor de radio, en la entrevista quizá un poco más lento, y en este caso, sin algunos de los elementos típicos de una conversación real (nunca hablan los dos a la vez, siempre acaban la frase, no se interrumpen, etc.).

Claves

1- No; 2- No, pero sí que pueden aparecer acentos de países latinoamericanos; 3- Sí [Cada texto dura unos 2 minutos y medio]; 4- No [Vas a escuchar cada texto dos veces, con apenas unos segundos entre las dos]; 5- 2 minutos; 6- Sí; 7- Sí; 8- Sí [Los textos proceden normalmente de la radio o la televisión, medios que pueden ser también una fuente de audiciones para ti. Siempre están adaptados al nivel]; 9- No; 10- No [Para resolver las preguntas no lo necesitas, aunque a veces sea útil para entender completamente el texto, pero piensa que no es exactamente lo mismo entender un texto y responder a una preguntas sobre ese texto].

Sesión 7: Comprensión auditiva

Una página web

En esta Sesión vas a familiarizarte con la prueba de Comprensión auditiva, con sus características y sus dificultades. Plantéate la siguiente pregunta.

¿Qué dificultad principal crees que tiene esta prueba? Anota aquí tu comentario.

....

....

....

Tarea 1

El factor tiempo en esta prueba es aún más determinante que en las anteriores. Tienes muy poco tiempo antes de que empiece cada grabación, pero en ese minuto escaso, puedes, por ejemplo:
- Leer el título del texto e imaginarte el tema, incluso prever algo el vocabulario.
- Leer bien las preguntas para saber qué tienes que contestar.
- Marcar en las preguntas la parte de las frases que te están preguntando.
- [añade tú una idea para ese momento antes de empezar la audición, algo que te ayude a centrar la atención]

....

....

Prever antes de escuchar

En esta sesión vas a escuchar el mismo texto en dos versiones. Vas a trabajar en detalle la primera versión, para escuchar la segunda sin ayudas. Aquí tienes el título y el subtítulo de la audición. En **60 segundos**, haz una lista de las palabras que se te ocurran.

Una página web
A continuación escuchará una descripción de una página web sobre la infancia.
(Adaptado de *RNE Radio1*)

....

En el examen quizá no vas a poder hacerlo con el bolígrafo, pero sí mentalmente. Vamos a practicar un poco. Aquí tienes otros títulos posibles con sus subtítulos. Recuerda, tienes sólo 60 segundos.

● ● ● ● ● ● ❗ Un consejo
En los títulos de las audiciones pueden aparecer palabras que no conozcas. Intenta no usar el diccionario, recuerda que en el examen no vas a poder usarlo.

Una nueva reserva de cigüeñas
A continuación escuchará un texto sobre una medida de protección de las cigüeñas.

....

El último disco de Shakira
A continuación escuchará una entrevista con la joven cantante colombiana.

....

Vacaciones en la montaña
A continuación escuchará un anuncio de un nuevo hotel de montaña.

....

Profesores y estudiantes
A continuación escuchará un comentario sobre un estudio de las relaciones entre profesores y estudiantes.

....

Juegos de suerte
A continuación escuchará un texto sobre tres juegos de azar.

....

Entrevista con Rosa Montero
A continuación escuchará una entrevista con la conocida periodista Rosa Montero.

....

Noticia de la calle. Este fin de semana
A continuación oirá una noticia sobre cambios en las calles del centro de una ciudad.

....

Compras por Internet
A continuación escuchará una audición sobre una nueva tienda por Internet.

....

El sabor del vino
A continuación escuchará una noticia que trata del sabor del vino.

....

Las chinampas
A continuación escuchará una entrevista sobre este tema.

....

● ● ● ● ● 🛈 Comentario
Como ves, en el último caso, si no conoces la palabra *chinampas*, no hay ninguna indicación clara sobre lo que vas a escuchar. En esta situación, lo mejor puede ser centrarse directamente en las preguntas.

Ahora vas a escuchar la primera versión del texto. Recuerda las instrucciones de esta prueba que aparecen en la introducción a esta parte del examen (págs. 46 y 47). Pon tu equipo de sonido y ¡adelante!

Escucha dos veces la pista n.°1
1 Una página web
A continuación escuchará una descripción de una página web sobre la infancia.
(Adaptado de *RNE Radio1*)

Preguntas

1. **Según la información, esta página trata de distintos aspectos de la infancia de hace 40 años.**
   ☐ a. Verdadero.
   ☐ b. Falso.

2. **Según la audición, falta una colección de cromos que mezclaba ciencias naturales y razas.**
   ☐ a. Verdadero.
   ☐ b. Falso.

3. **La grabación habla de unos cuadernos para aprender a escribir que aún se siguen vendiendo.**
   ☐ a. Verdadero.
   ☐ b. Falso.

Análisis de la tarea

	Sí	No
• No he entendido bien el texto porque tenía demasiada información y no me lo esperaba.	☐	☐
• He perdido la concentración porque la grabación iba demasiado rápida.	☐	☐
• Me he bloqueado en un punto de la audición y luego ya no entendía nada.	☐	☐
• No he podido escuchar la audición y leer las preguntas al mismo tiempo.	☐	☐
• El texto de la audición ha sido demasiado largo y al final he perdido la concentración.	☐	☐

- • ¿Qué puedes hacer para no tener esos problemas la próxima vez? Anota aquí tu comentario.
  ....
  ....

- • ¿Has oído alguna palabra de las que habías anotado antes de escuchar la audición? ¿Te ha servido de algo hacer esa lista? Anota aquí tus comentarios.
  ....
  ....

Tarea 2

- • Fíjate bien en las preguntas: ¿dónde pueden estar las dificultades? Escribe aquí tu comentario.
  ....
  ....
  ....

- • Las dificultad de la tarea puede consistir en:
  - • la relación entre las preguntas y la audición (la veracidad o falsedad de la frase).
  - • un dato concreto del texto (por ejemplo, los años 40).
  - • el sentido general del texto (por ejemplo, de qué trata el texto exactamente).
  - • una palabra concreta de la audición (por ejemplo, la palabra *cromos*, o la palabra *caligrafía*).
  - • el orden en que se hacen las preguntas y el punto de la grabación en el que se encuentran las respuestas pueden ser los mismos o diferentes; y también puede que tengas que relacionar varios elementos de distintos momentos para encontrar la respuesta correcta.

- • Además, la dificultad puede estar en comprender bien las preguntas. Por ejemplo, en la pregunta 2, la palabra *faltar* no aparece en el texto, sólo en la pregunta. Ahora vamos a ver cómo detectar la respuesta correcta. Vuelve a oír el texto y para la audición en el momento exacto de cada pregunta. Si puedes, anota aquí la frase del texto que corresponde a cada pregunta.

Escucha la pista n.°1
1
Pregunta 1: ....
Pregunta 2: ....
Pregunta 3: ....

Detectar palabras

- • Vas a ver ahora la importancia de detectar palabras concretas de la audición. A continuación tienes otras dos preguntas de dos momentos distintos de la grabación. La respuesta de ambas depende de que detectes dos palabras. Haz lo siguiente:

  1. Lee las preguntas sin buscar la respuesta.

  2. Pon en funcionamiento la grabación y al mismo tiempo ve leyendo la lista de palabras.

  3. Marca las palabras de la lista que oigas.

  4. Marca las respuestas correctas a las dos preguntas.

💿 Escucha una vez la pista n.°1
1

☐ recuadro	☐ cromos	☐ carteles	☐ hacer
☐ décadas	☐ correcciones	☐ memoria	☐ intercambios
☐ curiosa	☐ famosa	☐ sector	☐ vender
☐ bosques	☐ ciencias naturales	☐ disco	☐ donaciones
☐ caprichos	☐ compilación	☐ aparato	☐ preparación
☐ dedicados	☐ éxito	☐ ventana	☐ próxima
☐ infancia	☐ didáctica	☐ acontecimientos	☐ nostalgias
☐ prácticas	☐ juegos	☐ nostálgico	☐ aportaciones
☐ series	☐ caligrafía	☐ tablón de anuncios	☐ colaborar
☐ cabarés	☐ vigencia		

1. **Según la grabación, la colección de cromos que nombran se compraba y se coleccionaba mucho en esa época.**
    ☐ a. Verdadero.
    ☐ b. Falso.

2. **Según la información, a través del tablón de anuncios la página ha recibido muchas donaciones de objetos de esas décadas.**
    ☐ a. Verdadero.
    ☐ b. Falso.

¿Cuáles son las palabras que tenías que detectar para responder a las preguntas? Están en la lista. ¿Te ha servido de algo trabajar con la lista de palabras? Anota aquí tus comentarios.
....
....
....

Tarea 3

La grabación número 2 es el mismo texto pero con muchas modificaciones. Aquí tienes otras tres preguntas. Practica todo lo que hemos visto hasta ahora.

💿 Escucha dos veces la pista n.° 2
2   Una página web
    A continuación escuchará una descripción de una página web sobre la infancia.
    (Adaptado de *RNE Radio1*)

Preguntas

1. **El comentarista dice que recomienda esta página porque se ha pasado muchas horas mirándola.**
    ☐ a. Verdadero.
    ☐ b. Falso.

2. **Para el comentarista, lo malo del apartado sobre el cine es que no tiene fragmentos de películas.**
    ☐ a. Verdadero.
    ☐ b. Falso.

3. **Según la grabación, los visitantes de esta página van a poder contar recuerdos y anécdotas de esas décadas.**
    ☐ a. Verdadero.
    ☐ b. Falso.

Análisis del ejercicio

	Sí	No
• He podido mantener la concentración porque el texto tenía información que esperaba.	☐	☐
• He podido localizar las palabras clave para responder las preguntas.	☐	☐
• No me he bloqueado y he seguido cómodamente el hilo.	☐	☐
• He podido escuchar la audición y leer las preguntas al mismo tiempo.	☐	☐
• Conocer la prueba me ha ayudado a escuchar con más tranquilidad.	☐	☐

● ● ● ● ● 🛈 **Un consejo**

Vuelve a escuchar la audición, y párala (❚❚) cuando llegues a la parte del texto que corresponde a la pregunta. Copia junto a cada pregunta el texto que hayas escuchado o haz una breve anotación.

Tarea 4

Final

● Después de haber hecho esta sesión, plantéate de nuevo la pregunta del principio:

¿Qué dificultad principal crees que tiene, para ti, esta prueba? Anota aquí tus comentarios.

....
....
....

● Compáralo con el que habías escrito al principio de la sesión.

Claves

Tarea 1: 1- Falso; 2- Falso; 3- Verdadero.
Tarea 2:
- Pregunta 1: "Trata los años comprendidos entre 1940 y 1989. Son recuerdos de lo que era la vida de los niños de aquellas cuatro décadas".
- Pregunta 2: "Hay muchas colecciones, por ejemplo, una que parece que fue muy famosa *Vida y color*". El tema de esta colección son las ciencias naturales y las razas".
- Pregunta 3: "Es interesante que estos cuadernos Rubio siguen con la misma vigencia y siguen vendiéndose igual".
Lista de palabras: Décadas, curiosa, dedicados, infancia, series, cromos, ciencias naturales, famosa, éxito, didáctica, juegos, caligrafía, vigencia, carteles, memoria, disco, acontecimientos, nostálgico, tablón de anuncios, intercambios, hacer, donaciones, preparación, próxima, aportaciones.
1- Verdadero; 2- Falso.
Palabras clave de la pregunta 1: Famosa y ciencias naturales.
Palabras clave de la pregunta 2: Próxima y preparación.

Tarea 3:
1- Falso; 2- Verdadero; 3- Verdadero.
- Pregunta 1: "Es una página para pasarse horas y horas".
- Pregunta 2: "Es una pena que no tenga imágenes en movimiento o vídeos".
- Pregunta 3: "Está abierta a las aportaciones de cualquier persona que quiera colaborar con ellos y contar sus experiencias".

Sesión 8: Comprensión auditiva

Una guía que estará pronto a la venta

En esta Sesión vas a trabajar dos aspectos de la prueba. Por un lado, vas a ver en qué puede ayudar el hecho de que se oyen los textos dos veces. Además, vas a trabajar la dificultad de la pregunta.

Tarea 1

- Para empezar, haz una lista de palabras a partir del título y el subtítulo del texto. Tienes **60 segundos**.

  Una guía que estará pronto a la venta

  A continuación escuchará una nota sobre un libro de alimentación.

  Adaptado de *El Mundo*

....

- En esta primera audición, vas a identificar ideas. Lee primero estas tres frases, que corresponden a tres ideas del texto, y luego ordénalas escuchando una vez el texto.
  - a. En la nueva pirámide alimentaria hay bebidas alcohólicas con poco alcohol.
  - b. El libro explica qué debemos comer cada día.
  - c. Los autores nos explican que es mejor comer poco pero varias veces al día.

Escucha una vez la pista n.° 3
3

- Ahora añade estas tres ideas junto a cada una de las tres anteriores.
  - d. Los autores dicen que es bueno también realizar regularmente alguna actividad física.
  - e. Se nos explica que estas bebidas se han de consumir con cuidado.
  - f. El libro explica qué cosas debemos comer sólo de vez en cuando y en cantidades no muy grandes.

- Comprueba la combinación de ideas escuchando de nuevo el texto (una sola vez).

Escucha otra vez la pista n.° 3
3

- Aquí tienes tres preguntas. Relaciona cada pregunta con una idea de la lista anterior. Subraya en la pregunta y en las tres respuestas la palabra o palabras que corresponden a cada idea.

1. **Según la grabación, los autores del libro recomiendan comer pescado:**
   - ☐ a. casi todas las semanas.
   - ☐ b. un día sí y otro no.
   - ☐ c. esporádicamente.

2. **Según lo que se dice en la grabación, los autores del libro recomiendan:**
   - ☐ a. hacer deporte diariamente.
   - ☐ b. hacer ejercicio físico en relación con las calorías que tomamos.
   - ☐ c. hacer todo el ejercicio físico que creamos conveniente.

3. **Según la grabación, además de recomendar moderación con las bebidas incluidas en la pirámide alimentaria:**
   - ☐ a. aconsejan consumirlas siempre acompañando a las comidas.
   - ☐ b. explican quién puede tomarlas todos los días y quién sólo de vez en cuando.
   - ☐ c. añaden que las sustancias beneficiosas proceden de las frutas con que se producen.

Busca ahora la respuesta correcta.

● ● ● ● ● ❗ Comentario

La opción c) de la pregunta 3 no corresponde exactamente a la idea principal del párrafo, sino a una idea secundaria. Observa cómo lo expresa el texto original: *[Estas bebidas alcohólicas de baja graduación] contienen algunas vitaminas y elementos procedentes de los cereales y frutas con las que se producen, que son beneficiosos para la salud.*

Efectivamente, en algunos casos poco frecuentes, la pregunta no se centra en el "primer plano" de la información (lo que aparece en las frases principales) sino en el "segundo plano" (en lo que aparece en las frases relativas, las que empiezan por *que, cual, lo cual,* la entonación, etc.). Por eso, es importante atender no sólo a las palabras aisladas, sino también a las relaciones entre las palabras del texto.

Tarea 2

Detectando palabras

- Vas a escuchar un segundo texto que trata el mismo tema pero es ligeramente diferente al anterior. Vas a repetir el procedimiento de la Sesión 7.

💿 Escucha la audición n.°4 una vez y al mismo tiempo marca en la lista las palabras que oigas.
4

☐ novedades	☐ terminadas	☐ moderación	☐ risas
☐ alimentación	☐ destinados	☐ campamento	☐ costumbres
☐ incluye	☐ acabadas	☐ recuperar	☐ exige
☐ vendidas	☐ procedentes de	☐ recibas	☐ planificación
☐ gradación	☐ elaboran	☐ hacer un esfuerzo	☐ merece la pena
☐ cualidades beneficiosas	☐ ventajosos	☐ aconsejados	☐ en breve
☐ con sumo cuidado	☐ salud	☐ menús	☐ a la venta
☐ dejar claro	☐ recolecciones	☐ frenético	☐ entre tanto
☐ moderado	☐ sana	☐ elaboración	☐ acceder
☐ excluye	☐ variedad	☐ en compañía	

- En las preguntas pueden aparecer sinónimos de las palabras del texto. Si las has podido detectar durante la audición, y reconoces el sinónimo en la pregunta, eso puede ayudarte a encontrar la respuesta correcta. Por eso, es muy importante que leas bien la pregunta y las tres opciones. En la siguiente lista tienes algunos sinónimos y expresiones equivalentes a algunos de la lista anterior. Relaciona las palabras y expresiones de las dos listas.

☐ controlado	☐ producen	☐ nutrición
☐ preparación	☐ provenientes de	☐ características
☐ volver a practicar	☐ esforzarse	☐ benéficas
☐ establecer claramente	☐ tipos distintos de productos	☐ mientras

- Escribe tú una pregunta en la que aparezcan algunos de esos sinónimos.

1. ....

    ☐ a. ....

    ☐ b. ....

    ☐ c. ....

Tarea 3

A continuación tienes las preguntas de esta grabación. Intenta aplicar lo que hemos trabajado en la Sesión: sumar información entre la primera y la segunda audición, detectar palabras.

Escucha dos veces la pista n.° 4

4

1. **Según la grabación, la sidra es una bebida cuyo consumo frecuente y moderado se puede recomendar:**
   ☐ a. a todo tipo de personas.
   ☐ b. siempre que no se consuma sola.
   ☐ c. por sus efectos sobre el organismo.

2. **Según la grabación, en el libro los autores sostienen que:**
   ☐ a. el vino equilibra la dieta mediterránea.
   ☐ b. hay que consumir muchos productos distintos.
   ☐ c. la solución a muchos problemas pasa por volver a practicar la cocina mediterránea.

3. **En la información se dice, respecto a la alimentación de los niños:**
   ☐ a. que los adultos deben esforzarse en no comer con estrés.
   ☐ b. que merece la pena que los niños ayuden en la preparación de la comida.
   ☐ c. que los padres deben planificarla a largo plazo.

Análisis del ejercicio

	Sí	No
• He podido mantener la concentración entre las dos audiciones.	☐	☐
• La segunda vez que he escuchado la grabación he podido completar la información que no he entendido la primera vez.	☐	☐
• He podido localizar las palabras clave para responder las preguntas.	☐	☐
• He seguido bien el hilo de la explicación.	☐	☐
• Me ha ayudado haber leído primero las preguntas y escuchar luego la grabación.	☐	☐

• ¿Qué puedes hacer para mejorar los resultados? Anota aquí tus comentarios.

....

....

Vocabulario de alimentación

El tema de la alimentación es muy frecuente tanto en esta prueba como en las demás (en la Comprensión de lectura y en la Expresión oral especialmente). ¿Por qué no haces una lista de palabras relacionadas con el tema que hayan salido en esta sesión, o que conozcas tú? Fíjate en los ejemplos.

❖ *alimentarse*	❖ *alimentos*	❖	❖ ....
❖	❖	❖	❖ ....
❖	❖	❖	❖ ....
❖	❖	❖	❖ ....
❖	❖	❖	❖ ....

Claves

Tarea 1:

Relacionar ideas: a- e; b- f; c- d.

1- b; 2- b; 3- c.

- Pregunta 1: "... cuáles han de alternarse durante la semana (pescado)".
- Pregunta 2: "... alguna actividad física habitual acorde a las calorías que tomamos".
- Pregunta 3: "... contienen algunas vitaminas y elementos procedentes de los cereales y frutas con las que se producen, que son beneficiosos para la salud".

Tarea 2:

Lista de palabras: Novedades, alimentación, incluye, cualidades beneficiosas, dejar claro, moderado, excluye, precedentes de, elaboran, salud, sana, variedad, moderación, recuperar, esfuerzo, menús, frenético, elaboración, en compañía, costumbres, exige, planificación, merece la pena, en breve, a la venta, entre tanto, acceder.

Sinónimos: controlado / moderado; preparación / elaboración; volver a practicar / recuperar; establecer claramente / dejar claro; producen / elaboran; provenientes de / procedentes de; esforzarse / hacer un esfuerzo; tipos distintos de productos / variedad; nutrición / alimentación; características / cualidades; benéficas / beneficiosas; mientras / entre tanto.

Tarea 3:

1- c; 2- b; 3- b.

- Pregunta 1: "... por sus cualidades beneficiosas".
- Pregunta 2: "... hay que regirse por la variedad y la moderación".
- Pregunta 3: "También los más pequeños de la casa deben participar en las tareas de compra e, incluso, en la elaboración de los alimentos".

Vocabulario de alimentación: te recomendamos consultar el Apéndice 1 en el que encontrarás palabras de este tema.

Sesión 9: Comprensión auditiva

La gripe

Tarea 1

La gripe

A continuación escuchará una noticia sobre la gripe.

(adaptado de *El País Semanal*)

Tienes 60 segundos para hacer una lista de palabras relacionadas con la gripe.

....

Escucha dos veces la pista n.° 5
5

1. **De acuerdo con la grabación:**
   - ☐ a. desde hace 35 años los estudios demuestran que la vacuna cada vez es menos eficaz.
   - ☐ b. en un adulto sano lo habitual es que la gripe dure entre tres y siete días.
   - ☐ c. los expertos recomiendan a los afectados por enfermedades crónicas que se vacunen.

2. **De acuerdo con la audición, la Asociación Española de Especialistas de Medicina del Trabajo:**
   - ☐ a. tiene una plantilla de más de 3000 trabajadores.
   - ☐ b. aconseja a los jóvenes mayores de 18 años que trabajan que se vacunen contra la gripe.
   - ☐ c. ofrece a las empresas de forma gratuita y voluntaria la vacuna contra la gripe.

3. **Según la grabación, en el estudio sobre procesos infecciosos en la población laboral:**
   - ☐ a. los participantes de los grupos 2 y 3 fueron vacunados.
   - ☐ b. en el grupo 3 los sujetos padecieron algunos catarros, pero no la gripe.
   - ☐ c. el grupo de control y los otros dos fueron comparados en tres ocasiones.

Análisis del ejercicio

	Sí	No
• No he entendido bien el texto porque tenía demasiada información y no me lo esperaba.	☐	☐
• He perdido la concentración porque el texto iba demasiado rápido.	☐	☐
• Me he bloqueado en un punto de la audición y luego ya no entendía nada.	☐	☐
• No he podido escuchar la audición y leer las preguntas al mismo tiempo.	☐	☐
• El texto de la audición ha sido demasiado largo y al final he perdido la concentración.	☐	☐

• ¿Qué puedes hacer para no tener esos problemas la próxima vez? Anota aquí tu comentario.

....

....

• Una de las cuestiones que te pueden dificultar la tarea de comprensión auditiva es el hecho de que las palabras que se emplean en las opciones que tienes delante, en papel, y las que oyes, no son las mismas. Por ejemplo, en la audición has escuchado; *"En una persona adulta sin otras patología de base, el proceso gripal suele durar de tres días a una semana"*, mientras que en la opción correcta, la formulación era la siguiente: *"en un adulto sano lo habitual es que la gripe dure entre tres y siete días"*.

Es decir, se forman las siguientes parejas que en este contexto son sinónimas:

    En una persona adulta. ➔ *En un adulto.*
    Sin otras patologías de base. ➔ *Sano.*
    El proceso gripal. ➔ *La gripe.*
    Suele durar. ➔ *Lo habitual es que dure.*
    De tres días a una semana. ➔ *Entre tres y siete días.*

Por eso, una habilidad importante para realizar con éxito la tarea consiste en reconocer formulaciones sinónimas que significan lo mismo, aunque estén expresadas con otras palabras.

- ¿Y qué ocurre con las opciones incorrectas? En este caso, es importante detectar por qué una opción no es correcta aunque las palabras sean parecidas.

Por ejemplo, en la segunda pregunta una de las opciones dice:

    (De acuerdo con la audición, la Asociación Española de Especialistas de Medicina del Trabajo:) ofrece a las empresas de forma gratuita y voluntaria la vacuna contra la gripe.

En la audición escuchamos palabras parecidas:

    "Esta asociación aconseja la vacunación contra la gripe en la población laboral mayor de 18 años e insta a las empresas a que la ofrezcan gratuita y voluntariamente".

Es decir, se repiten las palabras *asociación, empresas, ofrecer, gratuita* y *voluntaria* PERO el significado no es el mismo; en la audición son las empresas las que deberían ofrecer de forma voluntaria y sin coste alguno la vacuna, mientras que en la opción sería la asociación la que ofrecería gratuitamente dicha forma de inmunización. Por eso la opción es incorrecta.

●　●　●　●　●　❗ Recuerda

    ☐ Es muy probable que en la audición y en las opciones, tanto en la correcta como en las incorrectas encuentres expresiones parecidas, sinónimas.
    ☐ Tienes que detectar si lo que se dice en la audición y en la opción es realmente lo mismo.

Tarea 2

Ahora nos concentraremos en la primera indicación: detectar palabras o expresiones que significan lo mismo.

Palabras y expresiones sinónimas

Pon la pista **número 5** otra vez y anota palabras o expresiones sinónimas (aparecen en este orden). El número entre paréntesis indica la cantidad de palabras que debes detectar.

🔊 Escucha una vez la pista n.° 5

⁵
1. Padecer la gripe ....
2. Los españoles que trabajan ....
3. La no asistencia al trabajo ....
4. Demostrar, evidenciar ....
5. Ser cada vez menos eficaz ....
6. Enfermedades (4) ....

7. De los treinta años en adelante ....
8. Sugerir (2) ....
9. Sin coste alguno ....
10. Miembros de un grupo ....
11. X meses después ....

Claves

Tarea 1: 1- b; 2- b; 3- a.
- Pregunta 1: "En una persona adulta sin otras patologías de base, el proceso gripal puede durar de tres días a una semana".
- Pregunta 2: "Esta asociación aconseja la vacunación contra la gripe en la población laboral mayor de 18 años".
- Pregunta 3: "...en el segundo, todos los integrantes fueron vacunados, y en el tercero, además de administrarse la vacuna..."

Tarea 2:

Palabras y expresiones sinónimas: Padecer la gripe / *sufrir la gripe;* los españoles que trabajan / *la población activa española;* la no asistencia al trabajo / *el absentismo laboral;* demostrar, evidenciar / *constatar;* ser cada vez menos eficaz / *perder eficacia;* enfermedades / *patologías, dolencias, problemas, alteraciones;* de los treinta años en adelante / *a partir de la treintena;* sugerir / *aconsejar, recomendar;* sin coste alguno / *gratuitamente;* miembros de un grupo / *integrantes;* X meses después / *al cabo de X meses.*

Sesión 10: Comprensión auditiva

Entrevista sobre el deporte

Antes de empezar, plantéate esta pregunta: ¿Qué diferencia puede haber entre escuchar una noticia o un texto informativo o de opinión, y escuchar una entrevista? Anota aquí tu comentario.

....

....

Tarea 1

Activa tus conocimientos

- Haz una lista de palabras y expresiones relacionadas con la violencia y con el deporte.

● ● ● ● ● ● 🕐 Pon el reloj. Tienes 1 minuto.

....

....

....

● ● ● ● ● ● ❗ Nota

Durante el examen no tendrás tiempo para hacer una lista de este tipo (en cambio, sí tendrás tiempo para leer las preguntas). De todos modos, los mapas de vocabulario que te recomendamos en la parte de Comprensión de lectura (Sesión 2), te resultarán muy útiles para preparar el examen.

Ahora piensa: ¿Cómo puedes aprovechar ese tiempo antes de cada audición?

- ☐ Me relajo y me concentro.
- ☐ Leo las preguntas.
- ☐ Subrayo las palabras clave de las diferentes respuestas.
- ☐ ....
- ☐ ....

- Ya sabes que escucharás cada texto dos veces seguidas, con una pausa de 3 segundos, y de 2 minutos al final antes del siguiente texto (pero esos minutos al final seguramente te harán falta para prepararte para la siguiente audición). ¿Cómo puedes aprovechar ese tiempo?

  a. Si la respuesta es clara, puedes marcar directamente la respuesta, aunque nunca está de más prestar atención en la segunda audición, por si acaso.

  b. Si tienes dudas, puedes hacer varias cosas. Esto es lo que nos han contado algunos candidatos:
  - Algunos marcan la opción que les parece más probable y ponen un interrogante para comprobar si la respuesta es correcta en la segunda audición.
  - Otros toman notas de la información que oyen y que se refiere a las preguntas, y después lo confrontan.
  - Si se trata ya de la segunda audición, algunos candidatos que tienen problemas relacionados con el desconocimiento de alguna palabra, recurren a un truco que consiste en lo siguiente: un candidato no está seguro de si la respuesta correcta es *a*, porque hay alguna palabra que no entiende, pero le parece casi con toda seguridad que *b* y *c* son incorrectas. Lo que hace es marcar *a*, aunque no esté seguro de si es la correcta. Hay que advertir, sin embargo, que este procedimiento no es seguro y puede conducir a marcar una respuesta errónea. Todo esto, naturalmente, lo tienes que hacer mucho más rápidamente que en el caso de la Comprensión de lectura.

- La pausa entre la primera y la segunda audición la puedes aprovechar para varias cosas:
  - Reflexionar sobre si la opción que has elegido es de verdad correcta.
  - Si no estás seguro/a de cuál de las tres respuestas (o de las dos, en el caso de verdadero o falso) es correcta, puedes hacer una marca para concentrarte en la segunda audición en esa pregunta.

Tarea 2

¿Preparado para la audición? Aprovecha los primeros segundos para leer con calma las preguntas.

Escucha dos veces la pista n.° 6

6 Entrevista sobre el deporte

A continuación escuchará una entrevista sobre la violencia en el deporte (primera parte).

(Adaptado de *Hispanorama*, Radio Nacional de España)

1. **Según las palabras de Francisco Alonso Fernández, la violencia en el deporte y en concreto en el fútbol:**
   - ☐ a. es un fenómeno relativamente reciente.
   - ☐ b. tiene que ver con la sociedad en que vivimos.
   - ☐ c. es un fenómeno juvenil contra el que luchan los federativos.

2. **Según la grabación, en los últimos veintitantos años, debido a la violencia de los hinchas:**
   - ☐ a. un niño resultó gravemente herido al golpearle una bengala.
   - ☐ b. entre otras muertes, destaca el asesinato de un aficionado de 60 años.
   - ☐ c. han muerto más de diez personas.

3. **Según la entrevista, para prevenir y evitar la violencia en el deporte se va a reformar el código penal. Para ello:**
   - ☐ a. se reconoce la violencia en el deporte como un delito concreto.
   - ☐ b. las penas han aumentado de 3 años de prisión a 4 años y medio.
   - ☐ c. los hinchas castigados no podrán ir al campo de fútbol durante al menos 3 años.

Análisis del ejercicio

	Sí	No
• No he entendido bien el texto porque tenía demasiada información y no me lo esperaba.	☐	☐
• He perdido la concentración porque el texto iba demasiado rápido.	☐	☐
• Me he bloqueado en un punto de la audición y luego ya no entendía nada.	☐	☐
• No he podido escuchar la audición y leer las preguntas al mismo tiempo.	☐	☐
• El texto de la audición ha sido demasiado largo y al final he perdido la concentración.	☐	☐

- ¿Qué puedes hacer para no tener esos problemas la próxima vez? Anota aquí tu comentario.

....
....

- ¿Te ha resultado difícil la audición?¿Por qué?

....
....

Comparación de las opciones y del texto auditivo

Quizá te has dado cuenta de que has oído al menos parte del texto de todas las opciones, o algo que suena muy parecido. Trata de completar el cuadro siguiente volviendo a escuchar la audición y usando la pausa de tu aparato (o leyendo la transcripción) para ser consciente de las diferencias y de las semejanzas engañosas entre lo que se dice y las tres opciones de cada pregunta. Sigue el ejemplo.

En la audición se dice:	En las respuestas **incorrectas** pone: Son incorrectas porque...
Es un fenómeno que ha existido siempre.	*Es un fenómeno relativamente reciente.* (dice lo contrario).

En la audición se dice:	En las respuestas **incorrectas** pone: Son incorrectas porque...
	Es un fenómeno juvenil contra el que luchan los federativos
	un niño resultó gravemente herido
	entre otras muertes, destaca la de un aficionado de 60 años
	las penas han aumentado de 3 años de prisión a 4 años y medio

Y ahora fíjate en las respuestas correctas. Dicen lo mismo que en el texto, pero con otras palabras. Anótalo:

En la audición se dice:	En las respuestas **correctas** pone:
	tiene mucho que ver con la sociedad en que vivimos
	han muerto más de diez personas
	se reconoce la violencia en el deporte como un delito concreto

- Como puedes ver, las palabras no son las mismas. Hay expresiones sinónimas, por ejemplo *más de una decena = más de diez personas*, y otras en las que se dice lo mismo de forma indirecta. Por ejemplo, si se cita como causa de la violencia en el deporte que *"nos encontramos en el marco de una sociedad y de una cultura muy violentas"* eso quiere decir que la violencia tiene que ver con la sociedad en que vivimos. Este tipo de diferencias entre la pregunta y el texto ya las hemos visto en la sesión anterior. Tenlo en cuenta para las siguientes audiciones.

Tarea 3

Una técnica para la comprensión auditiva: la anotación y la comparación

- Para trabajar este aspecto (comparar lo que se oye durante la grabación con lo que pone en las opciones), vas a escuchar el resto de la entrevista. Intenta no sólo decir si es verdadero o falso, sino también anotar (en la segunda audición, o si no eres capaz, en una tercera, dándole a la pausa a tu aparato de reproducción) qué dice exactamente la audición al respecto. En este caso, las preguntas son de tipo Verdadero / Falso.

Escucha dos veces la pista n.º 7

7 Entrevista sobre el deporte

A continuación escuchará una entrevista sobre la violencia en el deporte (primera parte).

(Adaptado de *Hispanorama*, Radio Nacional de España)

1. **Los hinchas raramente son gente normal, por lo general se trata de personas antisociales.**
   ☐ a. Verdadero.
   ☐ b. Falso.

   El texto dice: ....

2. **Los hinchas son muy peligrosos después de la competición deportiva, tanto si ha ganado como si ha perdido el equipo al que apoyan.**
   ☐ a. Verdadero.
   ☐ b. Falso.

   El texto dice: ....

3. Es necesario que los responsables de los equipos actúen como pedagogos y prohíban la existencia de los grupos ultradeportivos.

     ☐ a. Verdadero.

     ☐ b. Falso.

El texto dice: ....

Análisis del ejercicio

	Sí	No
• No he entendido bien el texto porque tenía demasiada información y no me lo esperaba.	☐	☐
• He perdido la concentración porque el texto iba demasiado rápido.	☐	☐
• Me he bloqueado en un punto de la audición y luego ya no entendía nada.	☐	☐
• No he podido escuchar la audición y leer las preguntas al mismo tiempo.	☐	☐
• El texto de la audición ha sido demasiado largo y al final he perdido la concentración.	☐	☐

• ¿Qué puedes hacer para no tener esos problemas la próxima vez? Anota aquí tu comentario.

....

• ¿Te ha resultado difícil la audición? ¿Por qué?

....

• ¿Te ha ayudado este método a la hora de contestar? Anota tus comentarios.

....

● ● ● ● ● ● **❗ Atención**

En el examen no tendrás tiempo de copiar el texto de la audición, sino apenas algunas palabras. Por ello te puede ser útil habituarte a repetir mentalmente frases e incluso párrafos. Aquí tienes algunos ejercicios para desarrollar la capacidad de memorizar palabras o textos:

    – hacer dictados (lógicamente necesitarás a alguien que te ayude).

    – aprender de memoria poemas (que son más fáciles de memorizar) o textos en prosa.

    – leer muchas veces textos fáciles colocados estratégicamente por tu casa.

    – aprender un papel de una obra de teatro y representar ese papel, sin leerlo, claro.

Claves

¿Qué diferencia puede haber entre escuchar una noticia o un texto informativo o de opinión, y escuchar una entrevista? En una entrevista hay más de una voz (en el examen, con mucha probabilidad, sólo dos), hay preguntas y respuestas, y tendrás que atender a ambas cosas para resolver, a su vez, tus propias preguntas. En cualquier caso se trata de un texto adaptado a tu nivel y no de una entrevista tomada directamente de la radio o de la televisión.

Tarea 2: 1- b, 2- c, 3- a.
- Las federaciones parecen alimentar ➡ *"Es un fenómeno juvenil contra el que luchan los federativos".* (la primera parte es verdadera, pero la segunda dice justamente lo contrario); Un niño que falleció por el impacto de una bengala ➡ *"un niño resultó gravemente herido".* (no resultó herido, sino muerto); Un joven de 16 años que fue apuñalado ➡ *"entre otras muertes, destaca la de un aficionado de 60 años".* (el aficionado tenía dieciséis años, no sesenta); Penas que van de los 3 a los 4 años y 6 meses ➡ *"las penas han aumentado de 3 años de prisión a 4 años y medio".* (antes las penas eran menores, y ahora oscilan entre los 3 años y los 4 años y seis meses y medio); el alejamiento de los estadios de fútbol durante un máximo de 3 años ➡ *"los hinchas no pueden ir al campo de fútbol durante al menos 3 años".*
- Nos encontramos en el marco de una cultura y una sociedad muy violentas ➡ *"Tiene que ver con la sociedad en que vivimos";* se ha producido en España más de una decena de muertes ➡ *"han muerto más de diez personas.";* se introduce como tipo penal específico, es decir, como una conducta con consecuencias penales ➡ *"se reconoce la violencia en el deporte como un delito concreto."*

Tarea 3: 1- Falso; 2- Verdadero; 3- Falso.
- Pregunta 1: *"...en general son personas bastante normales, pero que dentro del colectivo realizan acciones antisociales".*
- Pregunta 2: *"...si su equipo ha ganado, trata de destruir aún más al adversario, de aniquilarlo, y si ha perdido, pues trata de vengarse, de compensar esta frustración, y lo hace de forma violenta para descargar el descontento por haber perdido".*
- Pregunta 3: *"...hay que enseñarles a los dirigentes que no sólo son los gestores de un club, de un importante negocio, sino también de un grupo de seguidores. Por ello tienen que aprender a comportarse y manifestarse de forma clara en lo que a la violencia se refiere, tienen que tener una actitud que sirva de ejemplo, de modelo a esos seguidores, a esos grupos".*

La cuarta prueba: **Gramática y vocabulario**

¿Cómo crees que es esta prueba? ¿Qué sabes ya de ella? Antes de leer el texto, aquí tienes unas preguntas previas.

Anota en la primera columna Sí o No según tu opinión. Verifica luego tus anotaciones leyendo el texto.

	Según tú	Según el texto
1. ¿Voy a tener que responder a las preguntas redactando?	☐	☐
2. ¿Todos los ejercicios son por escrito?	☐	☐
3. ¿Voy a encontrar textos?	☐	☐
4. ¿Voy a encontrar diálogos?	☐	☐
5. ¿Se evalúa toda la gramática del español?	☐	☐
6. ¿Me puede servir el contexto para encontrar la respuesta correcta?	☐	☐
7. ¿Entre el vocabulario se incluyen frases hechas y expresiones idiomáticas?	☐	☐
8. ¿Se trabaja la lengua coloquial en esta parte?	☐	☐
9. ¿Se incluyen palabras y expresiones de distintos países del mundo hispánico?	☐	☐
10. [Escribe tu pregunta].	☐	☐

....
....

- Duración de la prueba 4: 60 minutos.

Instrucciones que aparecen en el examen

Sección 1: Texto incompleto
Complete el siguiente texto eligiendo para cada uno de los huecos una de las tres opciones que se le ofrecen.
Puede utilizar esta página como borrador si lo estima conveniente.

Sección 2:
Ejercicio 1
En cada una de las frases siguientes se ha marcado con letra **negrita** un fragmento. Elija de entre las tres opciones de respuesta, aquélla que tenga un significado equivalente al del fragmento marcado. Ejemplo:

No he hablado todavía con Fernando porque el teléfono **está comunicando**.

     a) está estropeado
     b) no da señal
     c) está ocupado

La respuesta correcta es la **c**.

Ejercicio 2
Complete las frases siguientes con un término de los dos o cuatro que se le ofrecen.

Fuente: http://diplomas.cervantes.es

- Como sabes, la gramática es la parte más formal de una lengua. Desde el punto de vista gramatical, la lengua se describe a través de reglas formales, abstractas. Desde este punto de vista, ¿dónde está la dificultad de esta prueba? ¿En conocer esas reglas, y aplicarlas? ¿Basta con esto para poder responder?

- El conocimiento lógico de la gramática no es competencia de los usuarios, sino de la ciencia. La gramática no es ninguna destreza, y eso le confiere un carácter especial a esta prueba. De ahí que en los DELE, la comprobación de este conocimiento pase necesariamente por la acción: el candidato debe hacer algo en lo que se refleje el conocimiento que tiene del plano formal de la lengua. Ese algo que se le pide al candidato parte de una comprensión de lectura debido a que los ejercicios vienen dados en forma de texto y diálogo escritos. Es verdad que lo que se evalúa no es si los has entendido o no, pero tienes que hacerlo para poder tomar una decisión relacionada con la gramática. Insistimos: la gramática que se comprueba en los DELE no es una gramática formal, sino una gramática vinculada a la acción. No es posible responder a una cuestión gramatical sin haber entendido lo que has leído, frase, diálogo o texto.

- Por otro lado, la gramática de cada lengua particular plantea sus propios obstáculos al hablante no nativo que pretende adquirirla. Cuáles son esos aspectos especialmente difíciles (independientemente del idioma del candidato) y cuál es el grado de dificultad con el que deben aparecer en el examen, puede ser un criterio a la hora de redactar los exámenes, pues los redactores tienen que elegir qué aspectos van a evaluar, y qué grado de dificultad van a tener las preguntas propuestas. La página oficial del Instituto Cervantes no especifica qué contenidos concretos se evalúan en el DELE (Nivel Intermedio). Los que vas a encontrar en las sesiones siguientes son una selección nuestra a partir de dos fuentes: el Plan Curricular del propio Instituto Cervantes, y el análisis de modelos de examen anteriores. Esperamos de esta forma darte una orientación fiable de lo que puedes encontrar. Pero recuerda: es nuestra propuesta, siempre pueden aparecer aspectos de la gramática del español que no se presentan en este manual.

Claves

1- No; 2- Sí; 3- Sí; 4- Sí; 5- No [Como comentamos más arriba, es difícil establecer qué aspectos de la gramática se evalúan, no conocemos ningún documento público que lo especifique. La referencia es el conocimiento que puede tener un usuario de la lengua tal y como se definió en la Sesión 0]; 6- Sí [El contexto siempre puede ayudarte, pero en el caso de la prueba de Gramática y vocabulario, los diálogos están pensados de tal forma que es difícil saber cuál es la opción correcta si no conoces la regla gramatical o el significado de la palabra o expresión adecuada, que te permitiría encontrar la respuesta]; 7- Sí; 8- No; 9- No [El vocabulario que se evalúa en este nivel corresponde, *grosso modo*, a una manera de hablar culta estándar del mundo hispánico. Los hablantes cultos de cualquier país donde se habla español podrían reconocer ese vocabulario como propio, si bien es verdad que se trata de la variante peninsular del español. En el caso de las frases hechas, en general sucede lo mismo, aunque no con el mismo grado, algunas se puede decir que son propias de España].

Sesión 11: Gramática y vocabulario

Completar un texto

En esta Sesión de trabajo te vas a familiarizar con el primer ejercicio de la prueba de Grámatica y vocabulario. Para ello te presentamos cinco tareas que no corresponden exactamente a las del examen, pero que te pueden ayudar a desarrollar habilidades útiles para la tarea 6, que está diseñada según las características del ejercicio que te encontrarás el día del examen. Por ello, hasta la tarea 6 no necesitas controlar el tiempo.

Tarea 1

- Completa cada enunciado incompleto con una o más de las cuatro propuestas que le siguen, de manera que consigas frases gramaticalmente correctas.

A. Desgraciadamente, la trata de blancas (…)
- ☐ 1. …se enfrentan con otra miseria distinta a la de sus países.
- ☐ 2. …en una u otra forma ha existido siempre.
- ☐ 3. …de todas las partes del mundo son engañadas.
- ☐ 4. …proceden de los antiguos países llamados del Este.

B. Son obligadas después a prostituirse (…)
- ☐ 1. …con los nombres de clubs de alterne más o menos disimulados.
- ☐ 2. …ofreciendo sus cuerpos en la calle.
- ☐ 3. …de todas las partes del mundo.
- ☐ 4. …por haber creído lo que no era.

C. Blancas y negras, vietnamitas, (…)
- ☐ 1. …o procedente de los antiguos países llamados del Este…
- ☐ 2. …pobres chicas que huyen de la miseria…
- ☐ 3. …quienes la vida fácil de nuestros países ha engañado…
- ☐ 4. …en falsas ilusiones…

D. Con horror y repugnancia leemos cada día que muchachas venidas a Europa (…)
- ☐ 1. …de todas las partes del mundo sufren malos tratos.
- ☐ 2. …les prometen trabajo los traficantes.
- ☐ 3. …por traficantes se prostituyen inevitablemente.
- ☐ 4. …creen ellas que se vive en los países capitalistas.

E. Estas pobres chicas se enfrentan (…)
- ☐ 1. …con un futuro no menos horrible.
- ☐ 2. …sus cuerpos en la calle.
- ☐ 3. …venidas a Europa para prostituirse.
- ☐ 4. …a una vida que creen fácil.

F. Estas mujeres son engañadas en sus países (…)
- ☐ 1. …para creer que se vive una vida fácil.
- ☐ 2. …por falsas expectativas que no llegan a cumplirse.
- ☐ 3. …por traficantes que les prometen trabajo en nuestros países.
- ☐ 4. …por prostituirse en burdeles disimulados con los nombres de clubs de alterne.

• ¿Has encontrado la(s) solución(es) de cada frase? ¿Te ha resultado difícil? ¿Has tenido que pensar en la gramática para hacerlo? Anota aquí tus comentarios.

....
....
....

Tarea 2

Completa los huecos del texto con 5 palabras de la siguiente lista.

☐ la que   ☐ se recuerde   ☐ estará   ☐ la cual   ☐ se recuerda
☐ vinieron   ☐ hayan venido   ☐ concordia   ☐ escrúpulos   ☐ será

Si bien muchas de estas chicas .... 1 .... a nuestros países engañadas por traficantes sin .... 2 ...., bueno .... 3 .... recordar que en el siglo XVIII, del que .... 4 .... siempre la trata de esclavos negros, también existía una trata de blancas muy especial como .... 5 .... se relata a continuación.

Tarea 3

Completa los huecos del texto con 9 de estas palabras.

☐ se   ☐ las   ☐ algunos   ☐ ninguna
☐ les   ☐ se las   ☐ alguna   ☐ ellas
☐ otras   ☐ se recuerde   ☐ estará   ☐ la cual

Pero esta vez no se trata ni de prostitutas ni enfermas ni mendigas miserables. Muchas de .... 1 .... son hermosas, muy jóvenes; y todas están furiosas de ser tratadas como bestias. Gritan y se resisten a embarcar, pues han sido raptadas violentamente en París y .... 2 .... ciudades francesas cuando paseaban por las calles o estando reunidas en .... 3 .... sociedad de damas. Los soldados penetraban violentamente en los locales, agarraban a cuantas muchachas jóvenes encontraban en ellos y .... 4 .... detenían sin atender a protestas de .... 5 .... clase. Tras todo esto, ... 6 .... conducía hacia los puertos atlánticos, como esta vez el de La Rochelle. A veces, entre las desdichadas mujeres, iban .... 7 .... jóvenes capturados de la misma forma. Y desde allí, todos juntos, eran enviados como cargamento humano para servir .... 8 .... de diversión a los colonos ansiosos de carne blanca. Algunas muchachas .... 9 .... lograron casar, pero la mayor parte moría en los prostíbulos a los que habían sido enviadas sin miramiento alguno.

Tarea 4

Opción múltiple: completa los huecos con una de las opciones que se ofrecen.

En agosto de 1719, en el puerto francés de La Rochelle, dos grandes .... 1 .... de la Compañía de Indias .... 2 .... sus bodegas con un cargamento especial que .... 3 .... a la ciudad en unos grandes carros cerrados. Éstos contenían mujeres encadenadas en grupos de a seis y que eran trasladadas hacia la Luisiana, ... 4 .... colonia francesa, en lo que hoy es Estados Unidos de América, o hacia el Canadá, también francés por aquel tiempo, ... 5 .... donde eran esperadas por los muchos colonos que carecían de mujeres. Ya en otras ocasiones se habían enviado a América grupos de mujeres procedentes de los hospitales franceses, recogidas en las calles en donde pedían limosna, pero esas mujeres eran tan feas, tan mal formadas, tan miserables que eran rechazadas por los colonos franceses, que preferían las indias .... 6 .... podían raptar.

1. ☐ a. ferrocarriles   ☐ b. veleros   ☐ c. dirigibles
2. ☐ a. llenaban   ☐ b. han llenado   ☐ c. llenasen
3. ☐ a. había llegado   ☐ b. haya llegado   ☐ c. habrá llegado
4. ☐ a. durante   ☐ b. cuando   ☐ c. entonces
5. ☐ a. hacia   ☐ b. en   ☐ c. por
6   ☐ a. las cuales   ☐ b. quienes   ☐ c. que

Tarea 5

Ordena los fragmentos de forma que configuren un texto coherente.

1. [ ]; 2. [ ]; 3. [ ]; 4. [ ].

A   Si bien muchas de estas chicas vinieron a nuestros países engañadas por traficantes sin escrúpulos, bueno será recordar que en el siglo XVIII, del que se recuerda siempre la trata de esclavos negros, también existía una trata de blancas muy especial como la que se relata a continuación.

B   Pero esta vez no se trata ni de prostitutas ni enfermas ni mendigas miserables. Muchas de ellas son hermosas, muy jóvenes; y todas están furiosas de ser tratadas como bestias. Gritan y se resisten a embarcar, pues han sido raptadas violentamente en París y otras ciudades francesas cuando paseaban por las calles o estando reunidas en alguna sociedad de damas. Los soldados penetraban violentamente en los locales, agarraban a cuantas muchachas jóvenes encontraban en ellos y las detenían sin atender a protestas de ninguna clase. A veces, entre las desdichadas mujeres, iban algunos jóvenes capturados de la misma forma. Tras todo esto, se las conducía hacia los puertos atlánticos, como esta vez el de La Rochelle. Y desde allí, todos juntos, eran enviados como cargamento humano para servirles de diversión a los colonos ansiosos de carne blanca. Algunas muchachas se lograron casar, pero la mayor parte moría en los prostíbulos a los que habían sido enviadas sin miramiento alguno.

C   Desgraciadamente, la trata de blancas en una u otra forma ha existido siempre. Con horror y repugnancia leemos cada día que muchachas venidas a Europa de todas las partes del mundo son engañadas en sus países por traficantes que les prometen trabajo en nuestros países. Son obligadas después a prostituirse en burdeles más o menos disimulados con los nombres de clubs de alterne o simplemente ofreciendo sus cuerpos en la calle. Blancas y negras, vietnamitas o procedentes de los antiguos países llamados del Este; pobres chicas que huyen de la miseria o que han sido embaucadas con la vida fácil que creen ellas que se vive en los países capitalistas. Estas pobres chicas se enfrentan con otra miseria distinta a la de sus países, pero no menos horrible.

D   En agosto de 1719, en el puerto francés de La Rochelle, dos grandes veleros de la Compañía de Indias llenaban sus bodegas con un cargamento especial que había llegado a la ciudad en unos grandes carros cerrados. Éstos contenían mujeres encadenadas en grupos de a seis y que eran trasladadas hacia la Luisiana, entonces colonia francesa, en lo que hoy es Estados Unidos de América, o hacia el Canadá, también francés por aquel tiempo, en donde eran esperadas por los muchos colonos que carecían de mujeres. Ya en otras ocasiones se habían enviado a América grupos de mujeres procedentes de los hospitales franceses, recogidas en las calles en donde pedían limosna, pero esas mujeres eran tan feas, tan mal formadas, tan miserables que eran rechazadas por los colonos franceses, que preferían las indias que podían raptar.

(Adaptado de *Apasionadas y apasionantes* de Carlos Fisas)

Finalmente, y para que compruebes tú mismo si todo ha ido bien, léete el texto que, por partes, conforman los cuatro ejercicios anteriores.

Tarea 6

- Ya has realizado algunas tareas de preparación para este ejercicio de la prueba de Gramática y vocabulario. En esta tarea te proponemos un ejercicio como en la prueba real.
- No te olvides de que para toda la prueba tienes 60 minutos, y que son tres ejercicios diferentes, con un total de 60 preguntas. Por eso, puede parecer que necesitas 1 minuto por pregunta, pero podría ser un cálculo erróneo porque este ejercicio es un texto y los demás son microdiálogos. No te preocupes si tardas más de 20 minutos. Poco a poco podrás calcular el tiempo real que necesitas.
- Las instrucciones que están a continuación corresponden a las que aparecen en el examen.

• • • • • 🕐 Pon el reloj.

Complete el siguiente texto eligiendo para cada uno de los huecos una de las tres opciones que se le ofrecen.
Puede utilizar esta página como borrador si lo estima conveniente.

Nuestros primeros años

Aprender a caminar y a hablar supone una auténtica revolución en la vida del ser humano: se podría decir que estos grandes .... 1 ...., junto con el control de los esfínteres, ... 2 .... una frontera entre dos etapas de la vida, ... 3 .... separa al bebé del niño de pocos años. La autonomía que adquiere el niño .... 4 .... aproximadamente un año es muy notable y .... 5 .... progresos, continuos, pues a esta edad los niños desarrollan una actividad infatigable .... 6 .... van construyendo su personalidad.

.... 7 .... al desarrollo físico, en tres años la talla y peso del pequeño .... 8 .... un importante crecimiento: las proporciones corporales ya no presentan las formas clásicas del bebé para dar paso a las propias del niño. .... 9 .... crecer equilibradamente, en el sentido más .... 10 .... de la palabra, el niño ha de sentirse querido. .... 11 .... a los padres .... 12 .... estas necesidades afectivas, así como otras exigencias básicas en su calidad de vida, como la alimentación, la .... 13 .... de los hábitos de higiene o la adaptación de los ritmos biológicos a las costumbres familiares y sociales.

.... 14 .... la lactancia, se da paso a la alimentación sólida y a la introducción de nuevos alimentos. El niño de tres años no entenderá de dietas equilibradas, pero si ha tenido a su disposición .... 15 .... variedad razonable de alimentos naturales, y no .... 16 .... han creado prejuicios, su propio apetito le .... 17 .... hacia una alimentación equilibrada.

En estos años desempeña un papel primordial la prevención, y en ella se incluyen el control de la salud con visitas periódicas de pediatría y puericultura .... 18 .... el programa de vacunaciones sistemáticas. La seguridad del pequeño es también de suma relevancia. Los accidentes domésticos –traumatismos, quemaduras, intoxicaciones, asfixias, ahogos– provocan la muerte de centenares de niños cada año. Velar por la seguridad en el hogar es absolutamente imprescindible, sin .... 19 .... las precauciones necesarias en el vehículo o la protección frente al sol.

En este período de grandes descubrimientos, posibilitados por la .... 20 .... curiosidad y un innato deseo de independencia, día tras día el pequeño se prepara para el gran salto: el acceso a la escuela y con él el inicio de una nueva etapa en su vida, la infancia.

(Adaptado de *Guía práctica de la salud infantil*)

1. ☐ a. asuntos ☐ b. logros ☐ c. inconvenientes
2. ☐ a. marcan ☐ b. escriben ☐ c. están
3. ☐ a. cuya ☐ b. cual ☐ c. la que
4. ☐ a. a ☐ b. para ☐ c. de
5. ☐ a. suyos ☐ b. sus ☐ c. su
6. ☐ a. durante ☐ b. mientras ☐ c. entonces
7. ☐ a. Cuanto ☐ b. Respecto ☐ c. Junto
8. ☐ a. hayan experimentado ☐ b. experimentaron ☐ c. habrán experimentado
9. ☐ a. Para ☐ b. Por ☐ c. A
10. ☐ a. ingente ☐ b. grande ☐ c. amplio
11. ☐ a. Corresponde ☐ b. Es ☐ c. Pertenece
12. ☐ a. que atenderán ☐ b. atender ☐ c. que atienden
13. ☐ a. consiguiente ☐ b. acción ☐ c. adquisición
14. ☐ a. Tras ☐ b. Después ☐ c. Al cabo de
15. ☐ a. cualquier ☐ b. una ☐ c. alguna
16. ☐ a. se le ☐ b. lo ☐ c. se los
17. ☐ a. vaya a encauzar ☐ b. encauce ☐ c. encauzará
18. ☐ a. así como ☐ b. además ☐ c. tanto que
19. ☐ a. que te olvides ☐ b. que olvidas ☐ c. olvidar
20. ☐ a. insana ☐ b. insaciable ☐ c. irrelevante

● ● ● ● ● 🕐 ¿Cuánto tiempo has tardado? Anótalo aquí: ___

Análisis del ejercicio

	Sí	No
• La comprensión del texto me ha ayudado a resolver el ejercicio.	☐	☐
• No he tenido dificultades en las preguntas de gramática.	☐	☐
• No he tenido dificultades en las preguntas de vocabulario.	☐	☐
• Las tareas previas me han servido para resolver el ejercicio.	☐	☐
• He reconocido fácilmente las opciones incorrectas.	☐	☐

• ¿Qué puedes hacer para mejorar los resultados? Anota aquí tus comentarios.

....

....

Claves

Tarea 1:
   A- 2; B- 2 y 4; C- 2; D- 1; E- 1 y 4; F- 3.
Tarea 2:
   1- vinieron; 2- escrúpulos; 3- será; 4- se recuerda; 5- la que.
Tarea 3:
   1- ellas; 2- otras; 3- alguna; 4- las; 5- ninguna; 6- se las; 7- algunos; 8- (servir)les; 9- se.
Tarea 4:
   1- b; 2- a; 3- a; 4- c; 5- b; 6- c.
Tarea 5:
   1- C; 2- A; 3- D; 4- B.
Tarea 6:
   1- b; 2- a; 3- c; 4- c; 5- b; 6- b; 7- b; 8- c; 9- a; 10- c; 11- a; 12- b; 13- c; 14- a; 15- b; 16- a; 17- c; 18- a; 19- c; 20- b.

Sesión 12: Gramática y vocabulario

Seleccionar opciones

En esta segunda Sesión de la prueba de Gramática y vocabulario vas a trabajar el segundo ejercicio que consiste en 10 preguntas de opción múltiple. Verás que se trata de microdiálogos que no te dan suficiente información para deducir el significado de la palabra o frase hecha por la que se pregunta. Te puedes encontrar con tres tipos de preguntas: un primer grupo referido a frases hechas, un segundo grupo relacionado con bloques léxicos y un tercer grupo de vocabulario en general.

Tarea 1

- Las frases hechas son estructuras de la lengua que no permiten cambios en su composición y que adquieren un sentido distinto a la "suma" de sus elementos. Forman parte del vocabulario habitual de la lengua, y conocerlas es tan importante como conocer el significado de las palabras:

  Primero, lee las siguientes frases.

  – *Aunque ha habido muchos problemas*   – *Controlar la situación*   – *En absoluto*
  – *Después de mucho tiempo*   – *No me importa*   – *Simular que estás muerto*
  – *No fue tan negativo como se esperaba*   – *No acepto la autoridad de...*   – *Estrambótico, desmesurado, absurdo*
  – *Despedir a alguien de malos modos*   – *Es muy fácil*

- Ahora, relaciona los elementos de fuera del círculo con alguno de los de dentro. Cada frase hecha es equivalente a una de las frases de la lista anterior, que te puede servir de guía para encontrar la solución.

  - A mí, como si...
  - A pesar de...
  - No llegar...
  - Estar...
  - ¿Me escuchas?...
  - Hacerse...

  ...el tiempo
  ...la sangre al río
  ...¡No padre!
  ...cajas destempladas
  ...el despilfarro
  ...con la situación
  ...lo dice Perico el de los Palotes

  ...el muerto
  ...un bledo
  ...la luna
  ...los pesares
  ...con trompetilla
  ...bombero
  ...la vida
  ...chupado

  - Con...
  - Echar con...
  - Importarme...
  - Hacerse...
  - Tener ideas de...

- Otro tipo de preguntas evalúan tu conocimiento general del vocabulario. Por ejemplo, qué preposición va con el verbo *pensar*. Haz lo mismo que antes, pero ahora con verbos y su régimen preposicional. ¡Atención! No tendrás que usar todas las preposiciones.

  - Dirigirse [...] el director
  - Montar [...] barco
  - Consultar [...] el jefe
  - Equivocarse [...] la elección
  - Comprometerse [...] María
  - Cargar [...] la culpa
  - Ir [...] bicicleta
  - Equivocarse [...] número
  - Desposar [...] María

  ante   desde
  con   en
  a   sin
  contra   de
  por   ø

  - Asistir [...] un congreso
  - Enamorarse [...] María
  - Viajar [...] La Argentina
  - Aceptar [...] las condiciones
  - Casarse [...] María
  - Transigir [...] otras ideas
  - Comprometerse [...] ayudarme
  - Librarse [...] un problema
  - Ir [...] contracorriente

Tarea 2

Bloques léxicos

- Otro tipo de preguntas está relacionado con las posibilidades de combinación de diferentes palabras. Fíjate que, en los siguientes ejemplos, lo de la izquierda no es sustituible por lo de la derecha:

    – **Curiosidad insana** / *curiosidad mala
    – **Herir suspicacias** / **levantar** / *producir suspicacias
    – **Marcar un hito** / *destacar un hito / *resaltar un hito
    – **Saltarse las reglas** /**romper** / **contravenir** / **incumplir** / *no hacer las reglas
    – **Cumplir las reglas** / **seguir** / **obedecer** / **observar** / *hacer las reglas
    – **Marcar la pauta** / **dar** / *señalar la pauta / *indicar la pauta / *marcar el ejemplo / *marcar (el modelo)
    – **Seguir {mi, tu, su, el...de...} ejemplo** / *copiar mi ejemplo
    – **Cometer errores** / *hacer errores /*producir errores
    – **Hacerse ilusiones** / *producirse ilusiones / *provocarse ilusiones /*darse ilusiones
    – **Estar bien visto** / **considerado** / *estar bien aceptado / *estar bien mirado / *estar correctamente (visto)
    – **Cálculo de mercado** / (?) previsión de mercado
    – **Error de cálculo** / (?) fallo de cálculo /*equivocación de cálculo
    – **Crear problemas** / *hacer problemas
    – **Dictar las leyes**/ (?) hacer/ (?) redactar / (?) dar / (?) escribir/ *decir las leyes
    – **Tener mala conciencia** / *sentir mala conciencia / *tener conciencia mala
    – **Sentir remordimientos** / **tener remordimientos** / *recibir remordimientos
    – **Tener pesadillas** / (?) soñar pesadillas
    – **Tarea ardua** / (?) tarea trabajosa

● ● ● ● ● ❗ **¡Atención!**

Los asteriscos (*) señalan que la frase no es correcta y los signos de interrogación (?) que la frase es dudosa desde el punto de vista de la norma. Este tipo de combinaciones las has visto anteriormente en la Sesión 1, tarea 3, pág.19 y en la Sesión 6, tarea 4, pág. 43. Puedes volver a esas tareas para repasar.

- Completa las frases con el vocabulario propuesto (cuando hay más de una solución aparece marcado con el número de posibilidades).

Vocabulario				
☐ desorbitada	☐ tonterías	☐ loco	☐ descanso	☐ un lío
☐ lo prometido	☐ las hipótesis	☐ insana	☐ la cólera	☐ picante
☐ un secreto	☐ edad	☐ las bases	☐ tóxica	☐ cubiertas
☐ ilusiones	☐ expectativas	☐ problemas	☐ las buenas noches	☐ aburrimiento
☐ camarero	☐ solucionadas	☐ las ideas	☐ hechas	☐ un incendio
☐ un deseo	☐ despedidas	☐ acérrima		

  ❖ a. Hacerse (3) ....
  ❖ b. Crearse (3) ....
  ❖ c. Volverse (4) ....
  ❖ d. Dar (3)...
  ❖ e. Decir (3) ....
  ❖ f. Curiosidad (2) ....
  ❖ g. Tener las necesidades (1) ....
  ❖ h. Provocar (4) ....
  ❖ i. Encender (2) ....
  ❖ j. Soberano (1)...
  ❖ k. Realizar (1)..
  ❖ l. Cumplir (3) ....
  ❖ m. Otorgar (1)..

❖ n. Confiar (1) ....

❖ ñ. Cantidad (2) ....

❖ o. Enemiga (1) ....

❖ p. Sentar (2) ....

Tarea 3

● ● ● ● ● 🕐 Pon el reloj.

En cada una de las frases siguientes se ha marcado con letra **negrita** un fragmento. Elija, de entre las tres opciones de respuesta, aquélla que tenga un significado equivalente al del fragmento marcado.

1. ▷ Tienes un comportamiento **muy contradictorio con** tus ideas, y eso me parece que es falta de sinceridad.
   ► Yo lo que digo, lo cumplo, perdona.
   - ☐ a. acorde con
   - ☐ b. coherente con
   - ☐ c. opuesto a

2. ▷ Me ha contado Jaime que tiene que cocinar para cinco personas y no sabe qué hacer.
   ► Sí, yo he intentado **echarle una mano**, pero me ha dicho que no.
   - ☐ a. aconsejarle
   - ☐ b. ayudarle
   - ☐ c. animarle

3. ▷ Sabes algo de Marilines, hace bastante que no oigo nada de ella.
   ► Parece ser que **ha regañado** con su chico, pero no sé...
   - ☐ a. se ha casado
   - ☐ b. ha discutido
   - ☐ c. se ha ido a vivir

4. ▷ Ese es un problema que **no nos concierne**.
   ► Pero aún así, habrá que tenerlo en cuenta.
   - ☐ a. no nos afecta
   - ☐ b. para nosotros no lo es
   - ☐ c. no tiene solución

5. ▷ Hace calor aquí, ¿no?
   ► Sí, pero no te quedes **en mangas de camisa** que hay corriente.
   - ☐ a. con poca ropa
   - ☐ b. manga corta
   - ☐ c. desnudo

6. ▷ Las ventas de este año **han aumentado** un 5%.
   ► Eso dicen, pero a saber si es verdad.
   - ☐ a. se han dividido
   - ☐ b. se han reducido
   - ☐ c. ahora son mayores

7. ▷ ¿Qué te parece? ¿Te gusta? Ayer me lo compré en El Corte Inglés, y bien barato.
   ► Pues sí, es un **señor paraguas**.
   - ☐ a. paraguas de ocasión
   - ☐ b. paraguas de caballero
   - ☐ c. buen paraguas

8. ▷ Has hecho un trabajo **impecable**. Como siempre. ¿Cómo lo haces?
   ► No sé. Me pongo a ello y me sale.
   - ☐ a. aceptable
   - ☐ b. perfecto
   - ☐ c. de poca calidad

9. ▷ ¿Qué **butacas** te han dado?
   ► Estamos en la tercera fila, no está mal del todo.
   - ☐ a. tiques
   - ☐ b. sillas
   - ☐ c. sitios

10. ▷ ¡Qué te ha pasado en la pierna!
    ► Pues mira: ayer, que me di un golpe **de padre y muy señor mío**.
    - ☐ a. de mucho respeto
    - ☐ b. ligero
    - ☐ c. fuerte

● ● ● ● ● 🕐 ¿Cuánto tiempo has tardado? Anótalo aquí: ___

Análisis del ejercicio

	Sí	No
• La comprensión del diálogo me ha ayudado a resolver el ejercicio.	☐	☐
• He tenido problemas con las opciones.	☐	☐
• Me he dejado llevar por la intuición y ha funcionado.	☐	☐
• Las tareas previas me han servido para resolver el ejercicio.	☐	☐
• He reconocido fácilmente las opciones incorrectas.	☐	☐

• ¿Qué puedes hacer para mejorar los resultados? Anota aquí tus comentarios.

....

Repite el ejercicio con otra nueva tanda.

● ● ● ● ● 🕐 Pon el reloj.

1. ▷ ¿Voy a buscaros? ¿A qué hora llegaréis?
   ► Conduce Luis, así que **a las tantas**.
   - ☐ a. tarde
   - ☐ b. por la noche
   - ☐ c. rápido

2. ▷ **Me escuece** un montón.
   ► Ya lo sé, pero aguanta, que es un minuto.
   - ☐ a. duele
   - ☐ b. arde
   - ☐ c. pica

3. ▷ En estos casos lo mejor es discutir el asunto con tranquilidad ¿Qué os parece si organizamos una cena y hablamos?
   ► Sí que parece **un buen remedio**.
   - ☐ a. una buena ocasión
   - ☐ b. una buena solución
   - ☐ c. un buen propósito

4. ▷ Tengo que hablar con Juan sobre lo de María y no sé como entrarle.
   ► Pues tú **vete al grano** y ya está.
       ☐ a. no se lo digas
       ☐ b. háblale directamente
       ☐ c. sé diplomático

5. ▷ ¿Las quiere **brillantes** o mate?
   ► Brillantes, por favor.
       ☐ a. lustrosas
       ☐ b. satinadas
       ☐ c. encendidas

6. ▷ ¿Qué os han dicho en el banco?
   ► Nada. **Han escurrido el bulto**, como siempre.
       ☐ a. se han equivocado
       ☐ b. escamotean la explicación
       ☐ c. que no es culpa suya

7. ▷ Lo que pasa es que en este problema **concurren** varios agravantes.
   ► ¿Agravantes?¿Y cuáles son?
       ☐ a. se repiten
       ☐ b. encajan
       ☐ c. se unen

8. ▷ ¿Os habéis dado cuenta de que Juan siempre opina lo mismo que yo?
   ► Pues **es un poco sospechoso**, ¿no?
       ☐ a. tiene poco criterio
       ☐ b. da qué pensar
       ☐ c. es algo indeciso

9. ▷ A mí me gusta explicar las cosas **a la pata la llana**.
   ► Pues me parece bien: tanta retórica ni tanta retórica.
       ☐ a. con sencillez
       ☐ b. con buenas palabras
       ☐ c. con estilo

10. ▷ **Aprieta**, que son las ocho y cuarto.
   ► Sí, sí, tienes razón.
       ☐ a. ven ahora mismo
       ☐ b. relájate
       ☐ c. date prisa

● ● ● ● ● 🕐 ¿Cuánto tiempo has tardado? Anótalo aquí: ___

Análisis del ejercicio

	Sí	No
• La comprensión del diálogo me ha ayudado a resolver el ejercicio.	☐	☐
• He tenido problemas con las opciones.	☐	☐
• Me he dejado llevar por la intuición y ha funcionado.	☐	☐
• Las tareas previas me han servido para resolver el ejercicio.	☐	☐
• He reconocido fácilmente las opciones incorrectas.	☐	☐

• ¿Qué puedes hacer para mejorar los resultados? Anota aquí tus comentarios.

....

Claves

Tarea 1:
- **Aunque ha habido muchos problemas** = a pesar de los pesares
- **Después de mucho tiempo** = con el tiempo
- **No fue tan negativo como se esperaba** = no llegar la sangre al río
- **Despedir a alguien de malos modos** = echar con cajas destempladas
- **Controlar la situación** = hacerse con la situación
- **No me importa** = importar(me) un bledo
- **No acepto la autoridad de...** = a mí como si lo dice Perico el de los Palotes
- **Es muy fácil** = estar chupado
- **En absoluto** = ¿me escuchas? No padre
- **Simular que estás muerto** = hacerse el muerto
- **Estrambótico, desmesurado, absurdo** = tener ideas de bombero

Palabras no necesarias: "la luna", "con trompetilla", "el despilfarro", "la vida".
Verbos con preposición: dirigirse al director, montar en barco, consultar con el jefe, equivocarse con la elección, comprometerse con María, cargar con la culpa, ir en bicicleta, equivocarse de número, desposar a María, asistir a un congreso, enamorarse de María, viajar a la Argentina, aceptar Ø las condiciones, casarse con María, transigir con otras ideas, comprometerse a ayudarme, librarse de un problema, ir contra corriente.
Preposiciones no necesarias: Ante, desde, sin.

Tarea 2:
Hacerse... un lío / camarero / ilusiones; **crearse...** problemas / ilusiones / expectativas; **volverse...** loco / desorbitada / insana / tóxica; **dar...** problemas / las buenas noches / la felicidad; **decir...** tonterías / un secreto / un deseo; **curiosidad...** insana / desorbitada; **tener las necesidades...** cubiertas; **provocar...** un incendio / un deseo / un lío / la cólera; **encender...** la cólera / la felicidad; **soberano...** aburrimiento; **realizar...** un deseo; **cumplir...** lo prometido / las expectativas / un deseo; **otorgar...** un deseo; **confiar...** un secreto; **cantidad...** desorbitada / insana; **enemiga...** acérrima; **sentar...** las bases / las ideas.

Tarea 3:
- **Primera tanda:** 1- c; 2- b; 3- b; 4- a; 5- a; 6- c; 7- c; 8- b; 9- c; 10- c.
- **Segunda tanda:** 1- a; 2- b; 3- b; 4- b; 5- a; 6- b; 7- c; 8- b; 9- a; 10- c.

Sesión 13: Gramática y vocabulario
Gramática

En el tercer ejercicio de la prueba de Gramática y vocabulario te vas a encontrar dos tandas de preguntas: una de 10 con dos opciones, y una segunda de 20 con cuatro opciones.

En la **tarea 1** de esta Sesión vas a trabajar las preguntas de dos opciones. Están agrupadas por temas de gramática. La cantidad de diálogos no corresponde con la del examen, ya que, aunque en el examen haya un número fijo de 30 ejercicios, los aspectos que se tratan pueden variar. Al final de los ejercicios, como ayuda, te vas a ir encontrando con unas notas o consejos, sobre cada tema, fundamentalmente, dónde se pueden encontrar otros ejercicios y explicaciones al respecto.

La **tarea 2** contiene 30 ítems como en el examen. En la Sesión 28 encontrarás un repaso como el que hacemos aquí de las preguntas de cuatro opciones, pero tratando otros aspectos gramaticales que completan los de esta Sesión. Recuerda que para toda la prueba tienes 60 minutos.

Tarea 1

A. Ser / estar

1. ▷ ¿Has visto mi camiseta?
   ► Sí, ... en la lavadora.
   ☐ a. está   ☐ b. es

2. ▷ Oye, ¿qué le pasaba ayer a Juan?
   ► Nada, que .... disgustado con su novia.
   ☐ a. estaba   ☐ b. era

3. ▷ Ten cuidado con la pared que .... recién pintada.
   ► Ah, gracias, no me había dado cuenta.
   ☐ a. es   ☐ b. está

4. ▷ ¿Tú .... de aquí?
   ► Sí, ¿por qué me lo preguntas?
   ☐ a. estás   ☐ b. eres

5. ▷ ¿Al final fuiste al concierto?
   ► No, ... muy ocupado.
   ☐ a. estuve   ☐ b. fui

6. ▷ ¿Sabes qué pasó ayer en la oficina? ¿Cuál .... el problema?
   ► Nada, el jefe se enfadó con Juan porque llegó tarde.
   ☐ a. estuvo   ☐ b. fue

7. ▷ ¿Te han dicho si la conferencia .... aquí?
   ► No, todavía no lo han decidido.
   ☐ a. será   ☐ b. estará

El contraste *ser* / *estar* puede aparecer representado por diferentes usos tanto del verbo *ser* como del verbo *estar*. Además de los ejercicios de este manual puedes consultar otros libros. Por ejemplo, en *Procesos y Recursos*, en la unidad 6 y en los manuales *Prisma B1* y *B2*. En *Prisma B1 Progresa* se trabaja en la unidad 8 y en la revisión 1. En *Prisma B2 Avanza* en la unidad 7 hay un repaso de *ser/estar*, también se trabaja el verbo *ser* en la unidad 9 y en la revisión de las unidades 6-10. En el libro *Método de español para extranjeros, nivel intermedio* el tema 1 entero. Te sugerimos en especial que veas el libro de autoaprendizaje *¿Ser o estar?*, ahí encontrarás una compilación de ejercicios sobre el tema. Todos estos libros son de Editorial Edinumen.

B. Indefinido / imperfecto

1. ▷ ¿Y cuándo .... el accidente?
   ► No lo sé, me parece que hace tiempo.
   - ☐ a. tenía
   - ☐ b. tuvo

2. ▷ ¿Hace mucho que vives aquí?
   ► Como 15 años, ... en el 90.
   - ☐ a. llegué
   - ☐ b. llegaba

3. ▷ ¿Conoces a ese chico?
   ► Sí, le .... en otra fiesta.
   - ☐ a. conocía
   - ☐ b. conocí

4. ▷ ¿Que Juan no ha venido a trabajar? ¿Le pasa algo grave?
   ► No, pero ayer en la oficina .... tos.
   - ☐ a. tenía
   - ☐ b. tuvo

5. ▷ Me parece que las cuentas te salen mal.
   ► ¿Te parece? Es que yo .... más dinero.
   - ☐ a. tuve
   - ☐ b. tenía

6. ▷ Por cierto, ¿cuándo te .... eso Carmen?
   ► Por mi cumpleaños.
   - ☐ a. compró
   - ☐ b. compraba

7. ▷ ¿Tus abuelos son italianos, verdad?
   ► Sólo mi abuela. Mi abuelo .... español.
   - ☐ a. era
   - ☐ b. fue

En la parte de gramática, los tiempos del pasado pueden aparecer de dos maneras, una con el contraste *imperfecto / indefinido*, y otra, en contraste con todos los tiempos. En el libro *Los tiempos del pasado del indicativo* puedes encontrar muchos ejercicios para practicar estos contrastes, fundamentalmente en el nivel 3 del mismo. También puedes encontrar actividades de los pasados en el manual *Procesos y Recursos*, en las unidades 3 y 5 (con el estilo indirecto) y en los manuales *Prisma B1 Progresa y B2 Avanza*. En *Prisma B1 Progresa* se trabajan los pasados en las unidades 1 y 2. En *Prisma B2 Avanza* en la unidad 5 hay un repaso de los pasados. En el libro *Método de español para extranjeros, nivel intermedio* el tema 3, segunda parte. Todos estos libros son de Editorial Edinumen.

C. Por / para

1. ▷ ¿Sabes .... quién es este paquete?
   ► No, lo dejaron ahí hace unos días.
   - ☐ a. por
   - ☐ b. para

2. ▷ .... hoy ya está bien.
   ► Sí, pero todavía no hemos hecho todo.
   - ☐ a. Por
   - ☐ b. Para

3. ▷ Me parece que ya tenemos dinero suficiente.
   ► ¿Te parece? .... comprar ese piso necesitamos un poco más.
   - ☐ a. para
   - ☐ b. por

4. ▷ Perdone señor, ¿el museo de la ciudad es .... aquí?
   ► Sí claro, unos 200 metros todo recto.
      ☐ a. para   ☐ b. por

   Muchas veces, los usos básicos de *por / para* se trabajan sistemáticamente en los niveles iniciales, y a veces quedan lagunas. Aunque tiene un nivel más bajo que el examen, te recomendamos que mires el manual *Prisma A1 Comienza*. En la unidad 8 se pueden encontrar ejercicios sobre la preposición *para*. En *Prisma B1 Progresa* relacionado con los conectores de discurso y el uso de la finalidad, hay ejercicios en las unidades 10 y 11. También en *Procesos y Recursos* en la unidad 4 puedes encontrar el tema de la finalidad con *para*. Las preposiciones *por* y *para* se tocan en *Método de español para extranjeros, nivel intermedio* dentro del tema 8. Todos estos libros son de Editorial Edinumen.

D. Determinantes indefinidos

1. ▷ ¿Puedo coger uno de tus libros? Me gustan mucho.
   ► Sí, coge ....
      ☐ a. cualquiera   ☐ b. cualquier

2. ▷ Estoy preocupado por Carlos el otro día fui a su casa y no estaba.
   ► Sí, yo también fui y lo peor fue que toqué el timbre y no me contestó ....
      ☐ a. nada   ☐ b. nadie

3. ▷ ¿Piensas que .... de estos estaría bien para ir a la fiesta?
   ► Sí mujer todos están bien, ponte el que más te guste.
      ☐ a. ninguno   ☐ b. alguno

   Aunque sabemos que no concuerda con el nivel (ya que es un manual para un nivel más bajo), puedes echar un vistazo a la lección 8 de *Prisma A1 Comienza*, donde se toca el tema de los determinantes indefinidos. Es un libro de Editorial Edinumen.

Tarea 2

A continuación tienes los 30 ítems como podrían aparecer en el examen. No te olvides de controlar el tiempo para saber después en qué parte de la gramática y el vocabulario poner más énfasis.

● ● ● ● ● 🕐 Pon el reloj.

1. ▷ ¿Sabes dónde .... el congreso?
   ► Sí, en un teatro del centro.
      ☐ a. está   ☐ b. es

2. ▷ Bueno, sí .... un poco preocupado por todo lo que ha pasado.
   ► No te preocupes demasiado, ya se ha terminado.
      ☐ a. estoy   ☐ b. soy

3. ▷ Hoy pienso decirle toda la verdad.
   ► ¿Por qué no te tomas un poco más de tiempo? Seguro que .... más tranquilo en unos días.
      ☐ a. estarás   ☐ b. serás

4. ▷ ¿Cómo se llama la película esa que .... en cartelera la semana pasada? Al final la fui a ver y me gustó mucho.
   ► Pues yo cambié de opinión después de verla otra vez.
      ☐ a. era   ☐ b. estaba

5. ▷ Por cierto, ¿............... en el mercado?
   ► Sí, claro, y aquí está toda la compra.
     ☐ a. estabas   ☐ b. estuviste

6. ▷ No me imagino que podamos hacer esto sin ayuda.
   ► ¿Y por qué no se lo ....?
     ☐ a. decías   ☐ b. dijiste

7. ▷ En general todo bien, sólo .... un poco la actuación.
   ► ¿Cómo? ¿De qué actuación me hablas?
     ☐ a. me criticaron   ☐ b. me criticaban

8. ▷ Un café solo y uno con leche .... la mesa 10.
   ► Vale, ya sale.
     ☐ a. para   ☐ b. por

9. ▷ ¿Te parece bien este vestido?
   ► No está mal, pero si es .... tu esposa, mejor compra uno más elegante.
     ☐ a. por   ☐ b. para

10. ▷ Venga, hombre, ya está bien, dime algo, no me dejes así.
   ► Es que ahora no puedo, lo que te tengo que decir no es .... cosa.
     ☐ a. alguna   ☐ b. cualquier

11. ▷ A mí con tanto trabajo se me ha pasado escribir las tarjetas navideñas.
   ► A mí también. .... no tenga un rato mañana, este año no escribiré nada.
     ☐ a. Como   ☐ c. Aunque
     ☐ b. Si   ☐ d. Hasta

12. ▷ Otra vez lo mismo, siempre tengo que hacer el trabajo de los demás.
   ► Yo te podré ayudar, ... tengo tiempo, claro.
     ☐ a. aunque   ☐ c. como
     ☐ b. si   ☐ d. siempre que

13. ▷ A ver, cuéntame qué ha pasado.
   ► Nada del otro mundo mamá, ... con Pepe, eso es todo.
     ☐ a. me encontré   ☐ c. me encontraría
     ☐ b. me había encontrado   ☐ d. me encontraba

14. ▷ ¿Y ahora qué .... has dicho?
   ► Nada, si se pone a llorar por cualquier cosa.
     ☐ a. lo   ☐ c. la
     ☐ b. se   ☐ d. le

15. ▷ ¿Por qué se acuesta a dormir tan temprano?
   ► La verdad, ni idea, si .... su edad, de dormir a esta hora, nada de nada.
     ☐ a. tendría   ☐ c. tenía
     ☐ b. tuviera   ☐ d. tendré

16. ▷ Qué lío que tenemos .... esto.
   ► Pues yo pensaba que nos darían otro trabajo para estas fechas.
     ☐ a. hasta   ☐ c. con
     ☐ b. de   ☐ d. para

17. ▷ ¿Por qué nos ha llamado el director para una reunión?
   ► No lo sé. .... muchas cosas para decirnos.
     ☐ a. Tendrá   ☐ c. Tuvo
     ☐ b. Había tenido   ☐ d. Hubiera tenido

18. ▷ Si puedes, pásame a buscar, que no tengo mucho tiempo.
    ► Está bien, pero .... la escuela.
    □ a. por   □ c. en
    □ b. sobre   □ d. de

19. ▷ ¿Ya has comprado las entradas? Es que no puedo ir.
    ► No te preocupes. Cuando .... otra vez ese grupo, vamos.
    □ a. venga   □ c. viene
    □ b. vendrá   □ d. vendría

20. ▷ El partido del otro día .... un robo.
    ► No es para tanto, aunque lo del penalti no lo tengo tan claro.
    □ a. era   □ c. fuera
    □ b. había sido   □ d. fue

21. ▷ Según alguno de tus amigos, las cosas en el colegio no te van tan bien.
    ► ¿Sí? ¿Y de .... de ellos me estás hablando?
    □ a. el qué   □ c. el cuál
    □ b. cuál   □ d. qué

22. ▷ Esta noche podríamos ir al cine y ver una buena película.
    ► Sí, porque .... vimos la última vez era bastante mala.
    □ a. que   □ c. la que
    □ b. cual   □ d. la cual

23. ▷ Qué quieres que te diga, para mí las cosas están cada día peor.
    ► Eso lo .... tú, porque para la mayoría están mejor.
    □ a. has dicho   □ c. hubieras dicho
    □ b. dirías   □ d. dirás

24. ▷ Estoy preocupado por .... de Carlos.
    ► Te entiendo hombre, pero no hay que preocuparse.
    □ a. los   □ c. la
    □ b. lo   □ d. le

25. ▷ Antes de que .... una decisión hay que pensar más.
    ► Bueno, pero no demasiado, porque los negocios pasan volando.
    □ a. tomaremos   □ c. tomamos
    □ b. tomaríamos   □ d. tomemos

26. ▷ Así que ya están viviendo en la nueva casa.
    ► Sí, pero .... tanto trabajo, no tenemos tiempo para nada.
    □ a. a   □ c. con
    □ b. sobre   □ d. desde

27. ▷ ¿Por qué no me dijiste esas cosas antes?
    ► .... dije a mucha gente, pero a ti no podía, eras muy pequeño.
    □ a. se la   □ c. se
    □ b. se las   □ d. se los

28. ▷ Creía que las cosas entre vosotros .... mejor.
    ► Bueno, tan mal no están, lo que pasa es que no compartimos muchas ideas.
    □ a. estaban   □ c. estuvieran
    □ b. estarán   □ d. estuvieron

29. ▷ ¡Qué bien habla Mario! ¿No? Dice cosas tan interesantes...
    ► .... no empiece a hablar de su infancia.
        ☐ a. Así   ☐ c. Mientras
        ☐ b. Si   ☐ d. Aunque

30. ▷ Gracias por recomendarnos ese restaurante, está muy bien.
    ► De nada, pero hemos encontrado uno, ... está muy cerca de aquí, todavía mejor.
        ☐ a. cuyo   ☐ c. cual
        ☐ b. el que   ☐ d. que

● ● ● ● ● 🕐 ¿Cuánto tiempo has tardado? Anótalo aquí: ___

Análisis del ejercicio

	Sí	No
• La comprensión del diálogo me ha ayudado a resolver el ejercicio.	☐	☐
• He tenido problemas con las opciones.	☐	☐
• Me he dejado llevar por la intuición y ha funcionado.	☐	☐
• La tarea previa me ha servido para resolver el ejercicio.	☐	☐
• He reconocido fácilmente las opciones incorrectas.	☐	☐

• ¿Qué puedes hacer para mejorar los resultados? Anota aquí tus comentarios.

....

....

....

Claves

Tarea 1:
  A. Ser / estar: 1- a; 2- a; 3- b; 4- b; 5- a; 6- b; 7- a.
  B. Indefinido / imperfecto: 1- b; 2- a; 3- b; 4- a; 5- b; 6- a; 7- a.
  C. Por / para: 1- b; 2- a; 3- a; 4- b.
  D. Determinantes indefinidos: 1- a; 2- b; 3- b.

Tarea 2: 1- b; 2- a; 3- a; 4- b; 5- b; 6- b; 7- a; 8- a; 9- b; 10- b; 11- a; 12- b; 13- a; 14- d; 15- b; 16- c; 17- a; 18- a; 19- a; 20- d; 21- b; 22- c; 23- d; 24- b; 25- d; 26- c; 27- b; 28- a; 29- c; 30- d.

Primera vuelta

La quinta prueba: Expresión oral

¿Cómo crees que es esta prueba? ¿Qué sabes ya de ella? Antes de leer el texto, aquí tienes unas preguntas previas.

Anota en la primera columna Sí o No según tu opinión. Verifica luego tus anotaciones leyendo el texto.

	Según tú	Según el texto
1. ¿Durante la parte oral mantengo una conversacion con otro candidato?	☐	☐
2. ¿Tengo que hablar sin pararme para poder aprobar?	☐	☐
3. ¿Debo hablar siempre de "usted" cuando hable con el examinador?	☐	☐
4. Si tengo alguna duda, o no entiendo algo, ¿puedo preguntar durante la prueba?	☐	☐
5. ¿Es mejor hablar mucho aunque cometa muchos errores?	☐	☐
6. ¿Quitan puntos por una respuesta equivocada?	☐	☐
7. ¿Antes de la parte oral tengo algún tiempo de preparación?	☐	☐
8. ¿Puedo expresar mis opiniones espontáneamente aunque estén en contra de las del examinador?	☐	☐
9. ¿Es más importante la corrección gramatical que la capacidad para comunicarse?	☐	☐
10. ¿Se va a evaluar todo lo que diga, desde el primer momento hasta el último?	☐	☐
11. [Escribe tu pregunta].	☐	☐

....

....

- Duración de la prueba 5: 30 min. (15 de preparación y 15 de entrevista).
- Nivel de exigencia requerido: el candidato será capaz de desenvolverse con cierta comodidad en situaciones de la vida cotidiana y en el ámbito público no especializado, así como hacer exposiciones sobre temas de su interés.
- Es capaz de dar información sobre su trabajo, familia o entorno personal y social; puede resolver los problemas que aparezcan durante una estancia en un país hispanohablante, haciendo preguntas, pidiendo aclaraciones, etc.
- Puede entender a su interlocutor siempre que éste hable a una velocidad normal. Puede opinar y justificar sus afirmaciones.
- Comunica bien aunque pueda mostrar vacilaciones, mayores si el tema es más abstracto o no habitual. En todo caso, las vacilaciones nunca provocan la impaciencia de su interlocutor. Las vacilaciones o los errores de gramática o de vocabulario no entorpecen la comunicación.
- Habla con frases breves, bien articuladas, aunque tenga un número reducido de conectores.
- Puede tener dificultades con ciertos sonidos ajenos a su sistema fonético, y su entonación puede no ser exactamente la del español estándar de cualquiera de las variantes reconocidas, pero no perturba gravemente la comunicación.
- Por encima del nivel: intervenir activamente en conversaciones entre nativos; ritmo rápido con cambios de tema; hacer uso adecuado de los turnos de palabra; participar en polémicas, debates y discusiones; exposiciones sobre temas abstractos o especializados; no cometer ningún error ni gramatical, ni de vocabulario, o pragmático.
- Ejemplos: resolver la mayor parte de situaciones que se dan en restaurantes, hoteles, comercios; poder negociar la devolución de pagos o realizar reclamaciones, expresar grado o descontento con un servicio; consultas médicas ruti-

narias, bancos, estafetas de correos, aeropuertos y estaciones; poder hablar sobre temas y expresar opiniones de forma limitada; como turistas, poder seguir las explicaciones de un guía y hacer ellos mismos de guías, describiendo lugares y respondiendo preguntas sobre esos lugares; en el ámbito laboral, poder hablar de temas conocidos y participar, aunque de forma limitada, en una reunión; poder tomar y transmitir mensajes; negociaciones sencillas sobre precios y productos; en el ámbito académico, poder hacer preguntas sobre una presentación si el tema es conocido, poder hacer una presentación breve y sencilla sobre un tema.

Fuente: http://diplomas.cervantes.es

- El objetivo fundamental de esta prueba es evaluar tu capacidad para comunicarte oralmente en dos tipos de situaciones: situaciones de la vida cotidiana, y desarrollo de un tema de opinión. Para ello, el tribunal intentará que haya un ambiente tranquilo, que dé confianza y permita la comunicación, y buscará propiciar la conversación y hacerla lo más natural posible dentro de la formalidad que impone siempre una prueba oficial.

- La fase de preparación se realiza en una sala, y la conversación en otra. En la segunda encontrarás a dos personas. Sólo hablarás con una de ellas.

- El entrevistador te saludará y previsiblemente te pedirá que confirmes tu identidad. Cuando termine la conversación, te invitará a salir, sin poder dar pista alguna del resultado de la prueba.

Claves

1- No; 2- No [La cuestión de la fluidez es difícil. Qué se considera hablar fluidamente o hablar despacio. Muchas veces depende de factores personales o culturales. No se espera que hables como un nativo, pero hay una velocidad mínima requerida. Los silencios más arriesgados son los que haces para buscar palabras o para terminar una frase. Si los silencios son naturales, no deberán repercutir negativamente en tu nota]; 3- No [La cuestión del tuteo también es difícil de aclarar porque intervienen factores culturales. Los españoles suelen tutearse más fácilmente que en otras culturas, pero lo más probable es que el entrevistador pregunte qué forma prefieres. Ten cuidado, eso sí, de pasar al tú o al usted si la tarea lo pide, pues una cosa es la conversación con el entrevistador, y otra la tarea que te proponga]; 4- Sí [Desde luego, no está prohibido preguntar, y nosotros te aconsejamos hacerlo, otra cosa es que el examinador te dé la palabra que necesitas. En todo caso es una muestra de tu capacidad para mantener la conversación a pesar de tus carencias, es decir, de tu capacidad comunicativa]; 5- No [Ni lo uno ni lo otro. Hablar lo necesario cuidando la manera como hablas, hablar con naturalidad, respetando los turnos de la conversación]; 6- No [¿Qué es una respuesta equivocada? Lo que te puede "quitar puntos" es no entender la pregunta, algo que se puede reflejar en la respuesta, por eso, es mejor, pedir una aclaración antes que contestar cualquier cosa, con fórmulas como "*¿qué quieres decir?, ¿a qué te refieres?, ¿puedes aclarar tu pregunta?*", etc.]; 7- Sí; 8- Sí [No van a evaluar tus opiniones e ideas sino tu capacidad para explicarlas. De lo que se trata es de desarrollar una conversación natural en la que, entre otras cosas, cada persona expresa sus opiniones]; 9- No; 10- No [El tribunal sólo va a evaluar tu intervención durante el desarrollo de las tareas, que son tres (consulta la Sesión 0 para recordarlas), todo lo demás, saludos, despedidas, etc., no se evalúa].

Sesión 14: Expresión oral

Descripción de viñetas

En esta Sesión vas a familiarizarte con la primera parte de la prueba de Expresión oral, que consiste en describir viñetas y recrear una situación de las propias viñetas.

- ¿Qué dificultades crees que puede tener para ti la prueba? Anota aquí tu comentario.

....

....

Tarea 1

- Primero mira las viñetas. Luego lee una descripción de las tres primeras.

En la primera viñeta hay un camarero, en un restaurante, que parece un restaurante de lujo, y hay un señor bastante viejo, que está leyendo la carta. Después, en la segunda, el camarero ya ha tomado nota de lo que quiere el señor y dice, "Muy bien, pues ahora le traigo el vino". Luego, el señor sigue esperando y prepara la servilleta. A través de la ventana se ve la calle y que el cocinero está buscando algo en la basura.

- ¿Crees qué esta descripción es adecuada? ¿Por qué?

....

....

●●●●● ⓘ Ahora intenta hacer tu descripción. No la escribas, intenta grabarla. No te olvides de que en el examen no vas a ver las viñetas hasta el momento de la entrevista.

Tarea 2

Mira las viñetas otra vez e imagínate cuál podría ser el diálogo que mantienen el camarero y el cliente en la cuarta viñeta. Debajo tienes un esquema de diálogo para completar.

Camarero: *Perdone, pero no nos queda pescado.*
   Cliente: [1] ....
Camarero: *Muy bien, ¿de ternera o de cerdo?*
   Cliente: [2] ....
Camarero: *Filete de ternera, ¿con patatas o con salsa?*

Cliente: [3] ....

Camarero: *Picante.*

Cliente: [4] ....

Camarero: *Entonces, ¿prefiere el filete con patatas sólo?*

Cliente: [5] ....

Camarero: *¿Para beber?*

Cliente: [6] ....

Camarero: *¿Tinto o blanco?*

Cliente: [7] ....

Camarero: *Muy bien.*

Cliente: [8] ....

Camarero: *Unos 15 minutos.*

Cliente: [9] ....

Camarero: *Sí, porque, mire, ya ve cómo está el restaurante de lleno.*

Cliente: [10]..

Camarero: *Muy bien, pues ahora le traigo el vino.*

● Lee cómo se ha desarrollado esta misma situación en un ejercicio simulado de examen. Las viñetas son las mismas. Ten en cuenta que la persona que cuenta la historia y que representa después el papel de cliente es un candidato como tú y ha cometido algunos errores. Esos errores se reflejan en la transcripción.

● ● ● ● ● 🛈 ¡Ojo! Contiene errores.

Entrevistador: Vamos a ver esto. Primero *(el candidato le muestra el texto que ha escrito)*... el texto lo vemos después. Primero, aquí tienes dos historias, ¿sí?, las miras un momento y tienes que escoger una de ellas.

Candidato: Venga, empezamos con ésta, la primera.

Entrevistador: Vale, como ves hay cuatro viñetas, me explicas...

Candidato: Sí.

Entrevistador: Me explicas qué pasa en las tres primeras y en la última vamos a hacer un diálogo tú y yo.

Candidato: Venga. En la primera viñeta hay un camarero, en la restaurante, que parece un restaurante de lujo, y hay un tío bastante viejo, que está escogiendo algo de la meniú. Después en la segunda, el camarero ya... eh... ha tomado ya el orden y ahora dice, "venga le voy a traer... traer la comida, la bebida", no sé. Y el tío está esperando. Y bueno aquí, eh... la persona se está ya preparando... para comer... en este momento... un otro, que es alguien de cocina está buscando algo en basura que yo entiendo que no hay más ese tipo de comida, él está buscando si no hay la comida en basura, no sé, si no está ensalada, algo, patatas, en basura... Ya... ya llegamos al cuatro, al cuar..., a la cuarta viñeta...

Entrevistador: Pues en la última, en esta cuarta viñeta, venga, tú eres el cliente, ese señor, y yo soy el camarero. Sí, dígame.

Candidato: Pues, ¿dónde está mi comida que ya he ordenado hace 30 minutos?

Entrevistador: Ya, mire, es que... la verdad es que eso que ha pedido usted, pues, no nos queda, no nos queda más.

Candidato: Ma como, cómo es que no e, que no le queda meniú del día.

Entrevistador: Hombre, como ve, pues, el... el restaurante está lleno y los clientes van pidiendo y pues se nos ha agotado ya ese, ese plato.

Candidato: Pero es normal que... un ristaurante está lleno a ese hora.

Entrevistador: Sí, sí, sí, pero bueno, no tenemos otra solución, lo único que le puedo ofrecer es la, el menú y que... usted escoja otra cosa.

Candidato: ¿Y por qué... eh... por qué no me había dicho antes que... que no os queda?

Entrevistador: Bueno, hemos intentado buscar en nuestras neveras *(habían estado buscando en la basura)*.

Candidato: Perdón.

Entrevistador: En nuestras neveras, también hemos llamado a otros restaurantes a ver si tenían esos productos, pero... ha resultado que no ha sido posible.

Candidato: Qué pena. Pues, ¿qué me aconseja ahora?

Entrevistador: Pues, no sé, ¿qué le apetece comer, carne, pescado?

Candidato: ¿Hay una paella?

Entrevistador: Sí, sí, pues paella tenemos, sí...

Candidato: Venga, pues...

Entrevistador: De marisco.

Candidato: Sí, puede ser de marisco también. Una paella de marisco y... algo para beber, no sé qué, qué hay, porque yo tengo muchas dudas si hay algo.

Entrevistador: No mire, le aseguro que tenemos un vino tinto muy bueno y...

Candidato: ¿Hay tinto de verano también?

Entrevistador: Bueno, le puedo traer la Casera, sí, sí.

Candidato: Bueno, bueno, sí, sí una Casera.

Entrevistador: ¿Sí? Una paella de marisco y el vino.

Candidato: Pero, ¿pero hay... hay platos medios? Porque la paella es muy grande, ¿sabe?

Entrevistador: No, no, es para una persona.

Candidato: Para una persona. Venga.

Entrevistador: Pues en 15 minutos está listo, ¿eh?

Candidato: ¿Todavía 15 minutos?

Entrevistador: Sí, porque se tiene que hacer.

Candidato: Pero, pero... yo no puedo pasar aquí todo el día.

Entrevistador: No, pero le aseguro que son 15 minutos si no le voy a hacer...

Candidato: ¿El qué?

Entrevistador: La comida gratis.

Candidato: Prego.

Entrevistador: ¿Sí?

Candidato: Aspero ahora.

Entrevistador: Muy bien.

Candidato: Estoy esperando.

Entrevistador: Gracias. Ahora pasamos al tema de exposición.

- ¿Qué tipo de errores ha cometido el candidato y por qué los comete? Anota tus comentarios.

  ....
  ....

Tarea 3

- Una de las cosas con las que te vas a encontrar en el examen es que las viñetas las vas a ver unos segundos antes de empezar a describirlas. Vas a trabajar ahora ese aspecto: la descripción. A continuación te presentamos una serie de fotos. Intenta describirlas. Sigue las instrucciones en cada caso.

Primero mira la foto que aparece aquí. Luego completa las frases que están a continuación.

- En primer plano aparece ....
  ....
  ....

- En el fondo hay ....
  ....
  ....

- Arriba hay ....
  ....
  ....

- También se ve...
  ....
  ....

• Ahora haz lo mismo, pero en este caso la foto está partida en cuatro. Ya ves, que cuando describimos algo se puede usar la ubicación espacial de las cosas.

• Arriba a la derecha podemos ver ....
....
....

• En cambio, abajo a la derecha hay..
....
....

• En la parte de abajo, a la izquierda se encuentra o encuentran
....
....

• Y arriba, a la izquierda, parece que hay ....
....
....

• Además, entre ....
....
....

• Describe la foto que está debajo. Para esta actividad usa las expresiones de ubicación que aparecen en los dos ejercicios anteriores. Si quieres puedes escribir tu descripción de la foto, pero lo mejor es que lo grabes. Después escucha cómo ha sido tu descripción, qué cosas se pueden agregar y qué cosas quitar.

....
....
....
....
....
....

Tarea 4

- Mira las viñetas que tienes a continuación. Describe las tres primeras. Grábalo. También se lo puedes contar a un amigo que hable español.

Analiza lo que has grabado.

	SÍ	No
• ¿Has mencionado que la chica está impaciente y mira el reloj?	☐	☐
• ¿Te has fijado en que la chica ha pedido un café o un té y no una cerveza?	☐	☐
• ¿Te has referido a que hay mucho tráfico y que quizá sea una hora punta?	☐	☐
• ¿Has explicado por qué va corriendo el chico?	☐	☐
• ¿Has aludido a las pancartas que llevan los manifestantes?	☐	☐
• ¿Has hablado del estado de ánimo del chico?	☐	☐
• ¿Has dicho que el problema no es sólo del chico, sino que también hay otras personas esperando?	☐	☐

- ¿Qué puedes hacer para mejorar los resultados? Anota aquí tus comentarios.

....

....

- Lee esta descripción. Compara las viñetas y el texto. Encuentra tres errores que se han cometido y márcalos sobre el propio texto.

En la primera viñeta se ve un chico que corre por la calle porque tiene prisa. Lo que pasa es que tiene una cita con una chica en una cafetería o en un bar y parece que llega tarde, el chico lleva una caja de bombones en la mano. En la segunda viñeta vemos que el chico se encuentra con una procesión que no le deja pasar, entonces se detiene, sorprendido. En la tercera viñeta el chico lleva un rato esperando a que termine de pasar la gente y está cada vez más enfadado. En la última viñeta un manifestante se detiene, le pregunta qué le pasa y por qué está tan enfadado y grita de esa manera, y le explica que los manifestantes reivindican una ciudad sin coches y le ofrece un folleto con información, pero el chico sigue estando poco contento.

- Ahora sí que necesitas a un amigo que hable español, o incluso otro compañero que se esté preparando para el examen como tú te puede ayudar en esta actividad. Recrea el diálogo que podrían mantener los personajes de la última viñeta.

● ● ● ● ● ❗ Un consejo

Disculpa que desde "El cronómetro" no te podamos ayudar a realizar el diálogo y su análisis, dado que un diálogo de estas características es imprevisible. Sin embargo, algunos consejos para mantener una conversación de estas características sí son importantes. No te olvides de que representarás a uno de los dos personajes que aparecen en la última viñeta, y por eso tus preguntas o respuestas en el diálogo tienen que estar relacionadas con la situación que se presenta en las tres primeras viñetas. Tampoco te olvides de que es una historia, con lo cual puedes tener en cuenta lo que ha pasado en 1, 2 ó 3. Por otra parte, presta atención al tipo de preguntas o comentarios que te haga el entrevistador, no intentes contestar cualquier cosa. Y por último, no te olvides de las fórmulas de tratamiento. Dependiendo de la situación que te toque en el examen, tendrás que tratar de tú o usted a tu interlocutor.

Claves

Tarea 1:

¿Crees que esta descripción es adecuada? En general sí, pero no podríamos decir que el restaurante es de lujo; el señor no es "bastante viejo"; el cliente no prepara la servilleta, sino que se entretiene comiendo pan; en la tercera viñeta no está claro si lo que se ve por la ventana es la calle y si hay un cubo de basura o una cocina, por ejemplo. En cualquier caso, lo importante es crear una descripción coherente, no una que coincida exactamente con el dibujo o con una interpretación del dibujo de las muchas posibles.

Tarea 2:

Modelo de diálogo que podría tener diferentes variantes.

[1]: Pues entonces, carne.

[2]: De ternera. ¿Qué me recomienda?

[3]: ¿Cómo es la salsa?

[4]: Es que no puedo probar lo picante.

[5]: Sí, bueno, vale.

[6]: Vino.

[7]: Blanco.

[8]: ¿Tardará mucho?

[9]: ¿Tanto?, es que tengo un poco de prisa.

[10]: Está bien, pues tráigame la bebida.

Errores del candidato: Comete errores por desconocimiento lingüístico (de vocabulario y de reglas gramaticales); pero también los comete por el estrés de la situación.

Tarea 4:

Errores de la descripción: 1- No lleva una caja de bombones, sino un ramo de flores; 2- No se trata de una procesión de bicletas, sino de una manifestación; 3- El chico no grita, está callado.

Sesión 15: Expresión oral

Tema preparado

En esta parte de la prueba oral tienes 15 minutos de preparación. Para ello se te ofrecen tres temas de los que tienes que elegir uno. El enunciado del tema incluye preguntas orientativas que no tienes que responder obligatoriamente, pero que te pueden servir de guía. Lo que apuntes durante la preparación no lo podrás leer durante la prueba, sólo te servirá como apoyo.

Tarea 1

- A continuación tienes un posible tema de la prueba oral para desarrollar. Prepárate durante 15 minutos y luego haz una exposición de 3 ó 4 minutos. Grábala.

● ● ● ● ● 🕐 Pon el reloj.

Tema: **La influencia del turismo en el desarrollo (en la economía, en las costumbres, en la tradición...) de un país.**

- ¿Cree usted que el turismo favorece el intercambio cultural?
- ¿Cómo influye en el empleo?
- ¿Cuál es su repercusión en la calidad de los servicios?
- ¿Cómo puede afectar al paisaje urbanístico y al paisaje natural?

● ● ● ● ● 🕐 ¿Cuánto tiempo has tardado? Anótalo aquí: ___

- Muéstrale la grabación a un amigo que hable español o bien a tu profesor. Pregúntale qué le parece lo que has grabado. Sus respuestas te servirán para completar esta actividad.

Análisis del ejercicio.

	Sí	No
• He seguido las preguntas que se hacen en el tema.	☐	☐
• He logrado exponer el tema claramente.	☐	☐
• A pesar de los errores gramaticales que he cometido se entiende bien la exposición.	☐	☐
• Las pausas que he hecho son porque me falta fluidez.	☐	☐
• Las pausas que he hecho son porque me faltaba vocabulario sobre el tema.	☐	☐
• Cuando no he sabido o no he recordado una palabra la he explicado.	☐	☐
• Cuando me ha faltado una palabra me he bloqueado y he vuelto a empezar.	☐	☐

- ¿Qué puedes hacer para mejorar los resultados? Anota aquí tu comentario.

....

- Aquí tienes la exposición de un hipotético candidato al DELE (Nivel Intermedio). En la misma hay algunos errores gramaticales, pero la intención no es examinarlos. Compara tu exposición con la suya y luego contesta las preguntas del cuadro que hay debajo.

● ● ● ● ● ❗ ¡Ojo! Contiene errores.

Entrevistador: Dejamos la historieta y, a ver, ¿qué tema has preparado?
    Candidato: El tema segundo, la influencia del turismo.
Entrevistador: De acuerdo. ¿Has tomado unas notas, no?
    Candidato: Sí, algo.

Entrevistador: Las notas si quieres las puedes mirar, pero no puedes leer, ¿eh?

Candidato: Sí, claro, claro, entiendo.

Entrevistador: Pues, cuéntame.

Candidato: Pues empezando con la influencia del turismo, hum, en el, eh ...en el empleo en país. Pues, por lo general, por supuesto, la influencia es positiva porque hay muchos nuevos puestos de trabajo y eh..., la gente se gaña la vida con el dinero que.., eh... que llevan los turistas. Pero non, no en todo porque es el trabajo temporal por lo general, y hay muchos trabajos en temporada alta, pero en temporada baja no hay qué hacer a veces porque no llegan turistas o llegan sólo pocas personas. Y no sé, el trabajo es sólo... eh... por lo general, más trabajo hay en hoteles, en bares, en restaurantes, que es un trabajo, eh,..., bastante, eh..., es bastante facíl, pero pagan poco, pero también hay mucho trabajo en transporte y en servicios, anque, y también con los servicios, eh, por lo general, eh yo creo que la calidad de los servicios, eh es mejor cuando hay mucho turismo en un país porque los turistas, los turistas siempre exiguen, exiguen la alta calidad, un buen servicio, pues por esto la influencia es positiva. Pero hay también una pregunta más dificíl, que es influencia del turismo al paisaje, a la naturaleza porque a veces el turismo crea muchos, muchos daños para la naturaleza, como, como... había creado muchas veces en España. Por ejemplo a Benidorm, en donde hay muchos hoteles muy altos, muy muy cerca de la playa, y la playa ya no está bonita, e también en otras regiones de España hay, donde hay mucho turismo ya la belleza de la naturaleza no es lo mismo que... que fue una vuelta... antes. Eh, pues, yo pienso que tengamos que pensar más sobre ecología cuando, cuando pensamos eh ...en turismo porque la influencia de turismo eh... a la ecología puede ser, muy muy mala.

• Es posible que tu exposición haya sido diferente de ésta. Contesta a las preguntas del siguiente cuadro.

Análisis del ejercicio.

	Sí	No
• ¿La exposición sigue las preguntas que se proponen en el tema?	☐	☐
• ¿Ha logrado exponer el tema claramente?	☐	☐
• ¿Los errores gramaticales impiden entender lo que se dice?	☐	☐
• Los puntos suspensivos son pausas del candidato. ¿El ritmo es lento?	☐	☐
• ¿Esas pausas son para poder entrelazar una frase con la otra, es decir, son naturales?	☐	☐

Tarea 2

• A continuación tienes otro posible tema de la prueba oral. Pero en este caso lo hemos fragmentado. Intenta desarrollar las actividades que te proponemos en 15 minutos.

● ● ● ● ● 🕐 Pon el reloj.

Tema: **Internet, ¿mundo virtual o real?**

• Haz una lista de palabras que te puedan ayudar a organizar las ideas centrales al respecto.

....
....
....
....

• Anota las ideas que te parezcan más útiles sobre el tema.

Idea 1:..

Idea 2:..

Idea 3:..

Otras ideas: ....
....

- Mira las preguntas que te pueden servir de guía. Si quieres puedes contestarlas.
  - Internet es un lugar donde todos nos podemos hacer pasar por todos, ¿no le parece que es una forma de esconderse y crear un mundo virtual alejado de la realidad?
  - En la red podemos encontrar muchas universidades que imparten cursos a distancia, ¿no es una contradicción con la pregunta anterior? ¿Por qué?
  - ¿Piensa que hay alguna solución para mejorar los contenidos de la red y para que los mismos sean mejor utilizados por los ciudadanos?

- Intenta hacer un esquema que englobe tus ideas, las preguntas y el vocabulario que has anotado en la primera parte.

Idea 1	Idea 2	Idea 3

- Una conclusión:

- Graba tu exposición. Para analizarla puedes seguir el mismo cuadro de la tarea 1. Anota también el tiempo.

● ● ● ● ● 🕐 ¿Cuánto tiempo has tardado en la tarea? Anótalo aquí: ___

● ● ● ● ● 🕐 ¿Cuánto tiempo has tardado en la exposición? Anótalo aquí: ___

● ● ● ● ● ❗ Un consejo
Seguramente tu exposición ha durado más de tres o cuatro minutos. Tal vez, con el material que hayas preparado, se podría hablar mucho más. Pero el día del examen, no vas a tener más de tres o cuatro minutos. Muchos candidatos nos han contado que se quedaron con ganas de hablar más sobre el tema, y que no tuvieron tiempo para desarrollar a su gusto todo lo que habían preparado. No te olvides de que es un examen y todo pasa muy rápido. Por eso, intenta controlar el esquema que hayas preparado.

Tarea 3

- A partir del tema que tendrás que exponer, como sabes, vas a realizar una conversación con el entrevistador. Mira una vez más el tema del turismo y la exposición del hipotético candidato e intenta escribir unas posibles preguntas sobre el mismo. Ponte por un momento en el papel del entrevistador.

• A continuación te presentamos la conversación que realizaron ese hipotético candidato y un entrevistador.

Entrevistador: ¿Y qué piensas del ... del turismo rural?
   Candidato: Turismo rural. E, es una cosa muy interesante, pero ahora, todavía sobre todo para los viejos, los ancianos.
Entrevistador: ¿Ah sí?
   Candidato: Para los jóvenes, no creo, no creo, o no sé para alguien que viaja con niños, con o nietos, sobre todo.
Entrevistador: Ajá, ¿y por qué no se hac... no es atractivo para los jóvenes?
   Candidato: Porque a los jóvenes...
Entrevistador: ¿Qué se les ofrece?
   Candidato: gusta la juerga. El turismo rural te ofrece la tranquilidad, y... hum... para los... algunos jóvenes temen que... que no haya qué hacer, haciendo un viaje en campaña.
Entrevistador: ¿No crees que con el turismo rural, quizás, se perjudica más la naturaleza? Que... más que lugares más turísticos como costas, playas, etc.
   Candidato: Claro, pero los jóvenes prefieren viajar, no sé, viajar a dedo, andando, haciendo caminos, como el camino de Santiago por ejemplo, pero, eh, pero no les gusta estar un mes o una semana en un lugar, en un lugar fijo, como es el turismo rural.
Entrevistador: Bueno, pues esto es todo, ya hemos terminado.
   Candidato: Venga. Gracias.

• Contesta al cuadro de análisis que aparece sobre la conversación.

Análisis del ejercicio.

	Sí	No
• ¿Te habías imaginado las preguntas que hizo el entrevistador?	☐	☐
• Y las respuestas, ¿te parecen adecuadas?	☐	☐
• La conversación es un poco corta.	☐	☐
• Las pausas son porque el hipotético candidato no sabía qué contestar.	☐	☐
• Las pausas son una estrategia para ganar tiempo que no ayuda demasiado.	☐	☐

• ¿Qué puedes hacer para mejorar los resultados? Anota aquí tus comentarios.

....
....

Tarea 4

Después de haber hecho las actividades anteriores, te ofrecemos tres temas de preparación. Ya conoces la mecánica: 15 minutos para prepararte, una exposición de 3-5 minutos y por último, una conversación sobre el tema. Lo mejor para llevarla a cabo es encontrar a una persona que se esté preparando para el examen o bien, un amigo que hable español o hacerla con tu profesor. No te olvides en todos los casos de poner el reloj. Tampoco te olvides de grabar las exposiciones y las conversaciones. Otra técnica útil puede ser hacer la exposición frente a un espejo. De esa manera se pueden ver otros aspectos, por ejemplo, si te pones nervioso cuando hablas, si te encuentras tenso, etc. Por eso, durante la prueba oral, los 15 minutos de preparación te pueden servir para estar más tranquilo.

● ● ● ● ●  Pon el reloj.

Tema: **La vida en las grandes ciudades o en los pueblos pequeños: ventajas e inconvenientes.**

• ¿Cuál es el principal problema del desarrollo urbano?
• ¿No le parece que al tener menos habitantes, la calidad de vida en un pueblo es mayor que en las grandes urbes?
• ¿Qué sucede en los pueblos con el desarrollo escolar, la cultura, etc.? ¿No están de alguna manera restringidas?
• ¿Las nuevas tecnologías pueden ayudar a ensanchar o más bien a estrechar las diferencias entre el desarrollo urbano y el rural?

● ● ● ● ● ¿Cuánto tiempo has tardado? Anótalo aquí: ___

● ● ● ● ● 🕐 Pon el reloj.

Tema: **La violencia en la televisión: un peligro para los más pequeños.**

- ¿Cree que el hecho de que los niños pasen tanto tiempo frente a la pantalla puede generarles problemas en su desarrollo? ¿Cuáles?
- ¿Es responsabilidad de los padres que estén tanto tiempo frente a la televisión?
- ¿Acaso todos los programas infantiles muestran violencia? ¿No cree que algunos son de carácter educativo?
- ¿Qué programación sería la adecuada para un público tan manipulable?

● ● ● ● ● 🕐 ¿Cuánto tiempo has tardado? Anótalo aquí: ___

● ● ● ● ● 🕐 Pon el reloj.

Tema: **La enseñanza en el mundo moderno.**

- ¿Cree que ya no funcionan los viejos métodos de enseñanza? ¿Por qué?
- ¿De quién cree que es responsabilidad desarrollar nuevas formas de enseñanza?
- ¿Cómo se podría mejorar la calidad de la educación en general?
- ¿Se ha encontrado con nuevas formas de enseñanza? ¿Cuál es su experiencia personal?

● ● ● ● ● 🕐 ¿Cuánto tiempo has tardado? Anótalo aquí: ___

Claves

Tarea 1:

¿La exposición sigue las preguntas que se proponen en el tema? Definitivamente no. El primer punto no lo toca (el del intercambio cultural) y el tercero apenas lo nombra sin desarrollarlo. **¿Ha logrado exponer el tema claramente?** Las ideas son sencillas y más o menos claras, pero duda mucho y no las relaciona suficientemente bien. No se llega a saber del todo qué opinión general tiene sobre el tema. **¿Los errores gramaticales impiden entender lo que se dice?** En general, no. La abundancia de errores puntuales puede, eso sí, cansar al interlocutor. **¿El ritmo es lento?** Sí, el ritmo es bastante entrecortado, lo cual puede cansar también al interlocutor. **¿Esas pausas son naturales?** No, pueden demostrar falta de seguridad, o no haberse preparado el tema suficientemente bien.

Segunda vuelta

Sesión 16: Comprensión de lectura

Tiendas y centros comerciales

Con esta Sesión de trabajo inicias la segunda fase de preparación. Vas a volver a recorrer todas las pruebas y todos los ejercicios que tendrás que realizar, con el objetivo de practicar y afianzar lo visto hasta ahora, y manteniendo la estructura de sesiones de trabajo. Será en la tercera fase cuando te enfrentarás a un examen modelo en el que tendrás que seguir al pie de la letra todas las indicaciones, especialmente las de tiempo.

Tarea 1

● ● ● ● ● 🛈 Recuerda algunos **consejos** que hemos visto antes:

☐ Empieza por las preguntas en vez de empezar por el texto.
☐ Marca palabras clave en las preguntas y en el texto.
☐ Localiza la frase o el párrafo donde puede estar la información necesaria.
☐ Céntrate en la tarea más que en la lectura de todo el texto.
☐ Intenta deducir el significado de las palabras desconocidas a través del contexto.
☐ Ten en cuenta el reloj pero sin estresarte.

Y en especial, te recomendamos no usar el diccionario.

● ● ● ● ● 🕐 Pon el reloj.

¿Quién da la vez?

El sector de los comercios ha experimentado un cambio muy fuerte en los últimos años, en especial por la aparición de los centros comerciales. La aparición y generalización del sistema de apertura de tiendas por franquicias ha llevado a comerciantes a mudarse a esos centros comerciales y ha uniformizado la imagen de las tiendas del país. Dada esta situación, los establecimientos tradicionales buscan maneras de mantener su clientela.

En España hay 416 centros comerciales, cada año se abren 20 más. Muchos de los locales que los ocupan pertenecen a grandes cadenas de moda, ocio o restauración, pero los hay también que tienen como dueño a un antiguo comerciante tradicional que ha decidido dejar la tienda de la calle y mudarse al centro comercial, bien con su propia firma o como franquiciado de algún grupo. El sistema de franquicia permite a un comerciante vender productos de una marca reconocida manteniendo su independencia comercial.

El presidente de la Asociación Española de Centros Comerciales (AECC), explica las ventajas de estas áreas para los pequeños empresarios. "Son como una ciudad ideal: son seguros, están limpios y ofrecen una amplia oferta, también en ocio. Puede ir toda la familia". Pero el factor decisivo para instalarse en uno de estos templos del consumo masivo es el público: mil millones de personas ya en 2001.

La Dirección de Comercio Interior reconoce que los negocios de venta al público independientes, los de puerta de calle, tienen menos clientes. El pequeño comercio busca en la proximidad y el trato personal, el gancho para sobrevivir. El "Buenas, ¿qué desea?" de toda la vida. La principal valía del pequeño comercio es su cercanía y el trato personalizado. Los consumidores lo quieren y lo necesitan. Deben coexistir grandes y pequeños sin abusos de poder, porque son complementarios, no adversarios.

Las razones por las que los consumidores eligen una gran superficie son, según el Centro de Investigaciones Sociológicas, mejores precios, variedad de productos y horarios más amplios. Cuando eligen las tiendas de la calle es porque optan por la calidad de los artículos (que consideran mayor), la cercanía al domicilio y, sobre todo, porque buscan un trato mejor.

Con el fin de que las grandes superficies no acaben con los tradicionales mercados, algunas comunidades autónomas, como Madrid, han diseñado un Plan de Rehabilitación y Mejora. El objetivo: reformar sus instalaciones para que resulten cómodas y atractivas y ayudar a adaptarse a las nuevas formas de venta. "Tendrán que modificar su forma de trabajar para ser competitivos", explica el gerente de la Asociación Nacional de Medianos Empresarios de Comercio y Ocio. "Horarios más amplios, aceptar tarjetas, ofrecer servicio a domicilio y especializarse. Sólo así se atrae a ese público joven que ya no va al mercado".

Adaptado de *El País Semanal*

1. **Según el texto, en España hay cada vez más centros comerciales gracias, sobre todo, a la aparición del sistema de franquicia.**
   ☐ a. Verdadero.
   ☐ b. Falso.

2. **Por lo que dice el texto, los dos tipos de comercio no deberían luchar entre sí porque ofrecen formas diferentes de tratar al cliente.**
   ☐ a. Verdadero.
   ☐ b. Falso.

3. **El texto explica que la comunidad de Madrid ha puesto en marcha un proyecto para atender mejor las reclamaciones de los pequeños comerciantes no especializados.**
   ☐ a. Verdadero.
   ☐ b. Falso.

● ● ● ● ● 🕐 ¿Cuánto tiempo has tardado? Anótalo aquí: ___

Análisis de la tarea

	Sí	No
• He tenido problemas con el tiempo, he tardado bastante en encontrar las respuestas a las preguntas (más de 15 minutos).	☐	☐
• El vocabulario específico del tema no me ha dejado contestar a las preguntas.	☐	☐
• He perdido la concentración porque no conozco bien el tema, no me es familiar.	☐	☐
• Estoy aún poco familiarizado con el estilo del texto (estructuras gramaticales, etc.), y por eso no he podido contestar a las preguntas.	☐	☐
• No he entendido bien las preguntas, por eso me he confundido.	☐	☐

• ¿Qué puedes hacer para no tener esos problemas la próxima vez? Anota aquí tu comentario.
....
....

Aquí tienes una nueva serie de preguntas, si quieres hacer otro ensayo.

1. **El texto dice que la afluencia de público es lo que determina que un comerciante quiera establecerse en un centro comercial.**
   ☐ a. Verdadero.
   ☐ b. Falso.

2. **Según el texto, la solución que aplican los comerciantes de tiendas a pie de calle para mantener su clientela, es mejorar la manera de tratar al cliente.**
   ☐ a. Verdadero.
   ☐ b. Falso.

3. **Entre las modificaciones necesarias que tienen que emprender las tiendas a pie de calle están las relativas a la forma de pago.**
   ☐ a. Verdadero.
   ☐ b. Falso.

Tarea 2

- A continuación vamos a ver algunas palabras o expresiones que aparecen en el texto y que contribuyen a relacionar las ideas.

– *en especial*	– *como*	– *sobre todo*	– *para que*
– *porque*	– *dada esta situación*	– *bien... o...*	– *con el fin de que*
– *cuando*	– *las razones por las que*	– *sólo así*	– *según*

Imagina que las siguientes 12 frases pertenecen a la exposición que un candidato ha hecho sobre el tema de la Sesión. Complétalas con una de esas expresiones. Ojo, en algunos casos se puede usar más de una.Una de las expresiones no es necesaria.

1. Muchas tiendas se han modernizado, ... porque han cambiado de dueño, o por cambios en la sociedad.

2. No es que esos centros sean .... ciudades, es que son más bien .... galaxias del consumo.

3. Muchas tiendas del centro están cerrando. .... la gente sin coche no tiene dónde ir a comprar.

4. .... la gente ha ido adaptándose a los hábitos que imponen los centros comerciales.

5. .... he cambiado de hábitos son fundamentalmente el aumento de sueldo y que me he mudado a un barrio donde no hay tiendas pequeñas.

6. Casi todas las tiendas de mi ciudad abren los domingos, ... las panaderías y los quioscos de revistas.

7. Así que después de mucho criticarlos, he acabado comprando .... en esos centros comerciales y no tanto en las tiendas pequeñas.

8. Algo tendrán los centros comerciales .... la gente va masivamente.

9. La gente también tiene que concienciarse de la herencia cultural y social que son las pequeñas tiendas y mercados. .... podrán sobrevivir frente a esos monstruos del consumo.

10. .... vayan familias enteras, se ofrecen áreas infantiles donde los padres puedan dejar a los niños mientras compran.

11. En muchos centros comerciales ponen música, no sé si es .... la gente se sienta cómoda.

12. A mí no me atraen especialmente .... prefiero el trato directo, como dice el texto.

- Ten en cuenta que esta manera de relacionar las ideas puede servir, tanto en la expresión oral como en la expresión escrita, para estructurar mejor tu discurso.

Entre comas

Observa esta frase del texto:

> *los negocios de venta al público independientes, **los de puerta de calle**, tienen menos clientes.*

Como ves, *los negocios de venta al público independientes* es lo mismo que *los de puerta de calle*. Completa las siguientes frases con este tipo de repeticiones entre comas.

1. El sector de los comercios, ..., ha experimentado un cambio muy fuerte en los últimos años.

2. Los establecimientos tradicionales, ..., buscan maneras de mantener su clientela.

3. El pequeño comercio busca en la proximidad y el trato personal el gancho para sobrevivir, ...

4. Con el fin de que las grandes superficies no acaben con los mercados tradicionales, ..., se ha diseñado un Plan de Rehabilitación y Mejora.

5. [escribe tú una frase] ....

Se trata de un mecanismo por el que se repite, se amplía o se aclara un concepto con palabras diferentes, sin usar fórmulas como "es decir" o frases subordinadas (*que, los que*, etc.). Las comas en estos casos son fundamentales, y corresponden a un cambio de entonación. Te pueden servir para dar a tu exposición un aire más formal.

Si quieres más información sobre el tema, puedes consultar: *Procesos y recursos* de Estrella López, María Rodríguez y Marta Topolevsky, Pág. 57, Pág. 166, Pág. 203. *La puntuación: usos y funciones*, de José Antonio Benito, y *Ortografía: del uso a la norma*, de Eugenio Cascón. Todos los libros son de la Editorial Edinumen.

Tarea 3

Mapa de vocabulario

Ya sabes cómo se hacen estos esquemas. Te recomendamos que hagas uno con el tema "comercios" (ya vimos en la Sesión 1 el vocabulario relacionado con el consumo, con el que está relacionado el tema de esta Sesión).

- ❖ sector
- ❖ servicio a domicilio
- ❖ clientela
- ❖ instalaciones
- ❖ precios
- ❖ comercios
- ❖ gran superficie
- ❖ restauración
- ❖ venta
- ❖ centros comerciales
- ❖ tiendas
- ❖ mercado
- ❖ horarios
- ❖ tarjetas
- ❖ cadenas de moda
- ❖ firma
- ❖ se abren
- ❖ calidad
- ❖ ocio
- ❖ consumo
- ❖ productos
- ❖ consumidores
- ❖ franquicias
- ❖ establecimientos (comerciales)

● ● ● ● ● ❶ Una idea

En una hoja en blanco marca dos sectores, uno que corresponda al que vende, y otro al que compra. Distribuye entonces las palabras. Añade o haz referencias a palabras que conozcas que no aparecen en el texto, por ejemplo, tipos de tiendas (*papelería, farmacia*, etc.), todo lo relativo al pago (*descuento, factura, rebajas, saldos, oferta*, etc.), profesionales (*dependiente, peluquero*, etc.), verbos (*montar un negocio, quebrar*, etc.), sinónimos (*comprar / adquirir, engañar / timar*), expresiones útiles (*hacer la compra, ir de compras*), frases hechas (*hacer el agosto, vender la moto, dar gato por liebre*), etc. En los apéndices puedes encontrar un listado de donde puedes sacar palabras para tu mapa de vocabulario.

Tarea 4

Expresión oral

Ya sabes en qué consiste la prueba oral del examen (la prueba número 5), y sabes que tienes que hablar sobre un tema. Aprovecha la información y el vocabulario del texto *Quién da la vez* para preparar una exposición. Después, grábate la exposición y óyete a ti mismo. Intenta detectar errores como los trabajados en la Sesión 15, así como aciertos. Recuerda que tienes 15 minutos de preparación y entre 4 y 5 minutos de exposición. Éste es el enunciado del tema:

● ● ● ● ● 🕐 Pon el reloj.

Tema: **Centros comerciales o tiendas de barrio.**

- ¿Dónde suele usted realizar sus compras habitualmente?
- ¿Coinciden sus hábitos con los de la mayoría de los habitantes de su país?
- ¿Han cambiado los hábitos de compra de sus conciudadanos? ¿En qué sentido?
- ¿Cree que la competencia entre los dos tipos de comercios es igualitaria, o más bien injusta?

● ● ● ● ● 🕐 ¿Cuánto tiempo has tardado? Anótalo aquí: ___

Claves

Tarea 1
  Primera tanda de preguntas: 1- Falso; 2- Verdadero; 3- Falso.
  Segunda tanda de preguntas: 1- Verdadero; 2- Falso; 3- Verdadero.

Tarea 2
  1- bien; 2- como - como; 3- dada esta situación; 4- En especial / Dada esta situación / Sobre todo / Sólo así; 5- Las razones por las que; 6- sobre todo / en especial; 7- sobre todo / en especial; 8- cuando; 9- Sólo así; 10- Con el fin de que / para que; 11- para que / con el fin de que; 12- porque.
  La que no es necesaria es "según".
  Entre comas: El segundo ejercicio de la tarea 2 es un ejercicio abierto con diferentes posibles soluciones. Estas son algunas: 1- ...el de las tiendas, supermecados y lugares de ocio,...; 2- ...las tiendas a pie de calle y los puestos de los mercados,...; 3- ...,para mantenerse; 4- ...,los de plazas y pueblos,...

Segunda vuelta

Sesión 17: Comprensión de lectura

Madrid, en contacto con las *Voyager*

En esta Sesión de trabajo vas a volver a tratar la dificultad que pueden contener las preguntas, tal y como has visto en la sesión 4.

Recuerda que la comprensión del vocabulario es muy importante porque comprender un texto pasa por conocer el vocabulario que lo compone; y lo es también porque pueden aparecer preguntas dirigidas a evaluar tu comprensión de alguna palabra, y no del texto en general. Para ello, en los enunciados que se dan como alternativas se introducen pequeños cambios que afectan al vocabulario con el fin de convertir en falsa una verdad del texto. Repetimos: pequeños cambios que afectan al vocabulario, exclusivamente, y no a las ideas del texto.

Tarea 1

- A continuación te presentamos un texto sobre el que se te hacen tres preguntas de opción múltiple, que inciden en cuestiones de vocabulario. Pero, un momento. Piensa en primer lugar si conoces estas tres palabras: *"placa"*, *"lanzamiento"*, *"engranaje"*.

1. ¿Sabes qué significa la palabra *"placa"*? ¿Y si la lees incorporada a la siguiente frase?
   En la casa natal del escritor Federico Rom se ha puesto una placa conmemorativa de su nacimiento.

2. ¿Sabes qué significa la palabra *"lanzamiento"*? ¿Y en la siguiente frase?
   El español Carlos Nogueroles se hizo con el oro en el lanzamiento de disco en las últimas Olimpiadas.

3. ¿Sabes qué significa la palabra *"engranaje"*? ¿Y aquí?
   El aceite sirve para mantener lubricados los engranajes y demás piezas del motor.

- Consulta el diccionario si lo necesitas. Lee ahora el texto y contesta a las tres preguntas de opción múltiple.

● ● ● ● ● 🕐 Pon el reloj.

Madrid, en contacto con las *Voyager*

Las naves *Voyager* están tan lejos de la Tierra que la estación de seguimiento de satélites de la NASA en Robledo de Chavela (Madrid) tiene que usar su mayor antena, la de 70 metros de diámetro, para comunicarse con ellas. Esta estación, una segunda en Australia y una tercera en California, forman la Red de Espacio Profundo (DSN) que la NASA necesita para enviar instrucciones a las naves que viajan por el Sistema Solar y recibir sus datos. Las señales de radio, viajando a la velocidad de la luz, tardan ahora 12 horas en llegar desde la Tierra a la *Voyager 1*, que está a 13.500 millones de kilómetros, y otras tantas en volver.

"Algunos de nosotros nos hemos hecho mayores con las *Voyager*. Es una misión entrañable", asegura Gregorio Rodríguez Pasero, director de Robledo. Él trabaja allí desde 1969 y era jefe de operaciones cuando se lanzaron estas naves y durante muchos años de la misión, así que guarda numerosos recuerdos y anécdotas de los 26 años transcurridos desde que emprendieron el viaje.

El peso de las naves fue de 2.100 kilos en lanzamiento y 825 durante la misión. Llevan cámaras e instrumentos científicos, pero no todos funcionan ya. Desde su partida, la *Voyager 1* ha recorrido 15.212 millones de kilómetros, y la *Voyager 2*, 14.254 millones.

"Los encuentros con Júpiter y Saturno fueron muy espectaculares", recuerda Rodríguez Pasero. "Cuando se acercaba la aproximación a un planeta, manteníamos la comunicación constante con las naves. El paso por los anillos de Saturno de *Voyager 2* fue emocionante".

En las fases de rutina, la DSN no está en contacto permanente con las naves, sino que se establecen varias comunicaciones cada semana. Las estaciones mandan comandos de verificación de instrumentos y de equipos de a bordo, de modificación de programas de los ordenadores, de seguimiento de las trayectorias y determinación de órbitas, y reciben todos los datos, que envían al centro de control de la misión.

En 26 años de operaciones no han faltado sustos y fallos. Por ejemplo, recuerda Rodríguez Pasero, "Al salir de Saturno, fallaron unos engranajes necesarios para apuntar bien las cámaras y la solución fue hacer girar todo el vehículo para apuntar".

Pero estas naves también tienen una faceta romántica. Igual que sus predecesoras la *Pioneer 10* y la *Pioneer 11* llevaban unas placas con un mensaje de la humanidad, cada *Voyager* lleva un disco metálico con sonidos e imágenes que muestran la diversidad cultural y biológica del planeta del que salieron. El científico Carl Sagan fue el encargado de seleccionar el contenido de los discos: imágenes y sonidos de la naturaleza (el viento, truenos, pájaros, ballenas...). Además, se grabó una selección de música, saludos en 55 lenguas, uno de Jimmy Carter, presidente de EE UU en 1977, y otro de Kurt Waldheim, así como información del Sistema Solar y la Tierra.

"Estas naves serán interceptadas y los discos descifrados sólo si hay civilizaciones avanzadas en el espacio interestelar. Pero el hecho de lanzar este mensaje en una botella al océano cósmico dice algo muy esperanzador acerca de la vida en este planeta", dijo Sagan.

Adaptado de *El País*

1. **Según el texto, las naves *Voyager* van equipadas con:**
   ☐ a. un archivo que contiene grabaciones terrestres.
   ☐ b. aparatos experimentales que constituyen un pequeño laboratorio.
   ☐ c. computadoras de verificación para rectificar posibles errores de transmisión.

2. **Según el texto, las estaciones de seguimiento en Tierra:**
   ☐ a. una vez a la semana y por razones técnicas suspenden la comunicación con las naves.
   ☐ b. constituyen una red internacional en la que participan varios estados.
   ☐ c. han pasado por momentos muy difíciles que han convertido esta misión en una tarea ardua.

3. **Por lo que dice el texto, cierto problema:**
   ☐ a. de rodamientos obligó a que la nave tuviera que girar para realizar un experimento.
   ☐ b. en el área de energía hizo que algunos equipos dejaran de funcionar.
   ☐ c. afectó a los mecanismos de dirección de las cámaras.

● ● ● ● ● 🕐 **¿Cuánto tiempo has tardado? Anótalo aquí: ___**

Análisis de la tarea

	Sí	No
• He tenido problemas con el tiempo, he tardado bastante en encontrar las respuestas a las preguntas (más de 15 minutos).	☐	☐
• El vocabulario técnico del texto no me ha dejado contestar a las preguntas correctamente, he tenido que usar el diccionario en más de una ocasión.	☐	☐
• He perdido la concentración porque no conozco bien el tema, no me es familiar.	☐	☐
• Estoy aún poco familiarizado con el estilo del texto (estructuras gramaticales, etc.), y por eso no he podido contestar a las preguntas.	☐	☐
• No he entendido bien las preguntas, por eso me he confundido.	☐	☐
• Este texto me ha parecido especialmente difícil.	☐	☐

• ¿Qué puedes hacer para no tener esos problemas la próxima vez? Anota aquí tu comentario.
....
....

Analicemos la situación

• En el examen es posible que te encuentres con preguntas de comprensión de lectura que en realidad son de conocimiento de vocabulario, como las que te acabamos de plantear. Tienes que desarrollar un sentido especial para darte cuenta del tipo de pregunta al que te estás enfrentando. Si crees que no hay obstáculos mayores, lo mejor es realizar una búsqueda de ideas en el texto, para lo cual es más favorable hacer una lectura de comprensión general. Pero si sospechas que se trata de una pregunta de vocabulario, entonces conviene hacer una lectura selectiva en busca de la palabra sobre la que se apoya la pregunta.

Veamos un ejemplo. Has empezado por leer las preguntas para saber lo que tienes que encontrar. Supongamos que no sabes qué significa la palabra "rodamientos", que ha aparecido en la pregunta número 3. El resto del vocabulario que se ha utilizado parece más corriente, menos problemático. ¿Quizás sea en esta extraña palabra, "rodamientos", donde se encuentra todo el asunto? Una cosa sí que está clara: la pregunta se refiere a un problema en el funcionamiento de la nave. Esa es la clave: hay que encontrar el párrafo. Es el que sigue:

Al salir de Saturno, fallaron unos engranajes necesarios para apuntar bien las cámaras y la solución fue hacer girar todo el vehículo para apuntar.

- Una vez localizado el párrafo en el que se encuentra el problema, el siguiente paso es comprobar si la palabra es verdaderamente el *quid* de la cuestión o si se trata de algo que está ahí para distraer, obligándonos a concentrar en ella la atención, cuando podríamos resolver la situación sin saber su significado.

En el párrafo no aparece por ninguna parte la palabra *"rodamientos"*, sin embargo, hay otra palabra tan extraña o más aún que aquélla: *"engranajes"*. Supongamos que efectivamente tampoco sabes qué significa. En el examen no tienes opción al diccionario, el contexto tampoco te aclara demasiado: *"Al salir de Saturno, fallaron unos engranajes necesarios para apuntar bien las cámaras"*. De modo que por ahora no puedes hacer nada por esta vía. Puede que en realidad no se trate de una pregunta de vocabulario, que te hayas equivocado en tu sospecha y debas seguir buscando la solución en un contexto más amplio, de sentido general. ¿Podría ser una pregunta de idea y no de vocabulario? Lo compruebas verificando si en el texto se habla de "problemas en el área de energía". No parece. ¿Y de *"fallos técnicos que afectaron a las cámaras"*? Parece que sí: *"...fallaron unos engranajes necesarios para apuntar bien las cámaras..."* En la opción *a*, se nos da una idea aparentemente verdadera, pero la hace falsa una simple cuestión de vocabulario: no hubo ningún problema con los rodamientos, sino con los engranajes. La opción *b* se refiere a algo de lo que no habla el texto: problemas en el área de energía. En conclusión, sólo la tercera opción, la *c* puede ser verdadera.

Tarea 2

A continuación te presentamos tres nuevas preguntas de opción múltiple, que inciden ahora en la comprensión de las ideas que contiene el texto. Contéstalas.

1. **Según el texto, podemos afirmar que España ha participado en el seguimiento de las naves:**
   ☐ a. durante la última década.
   ☐ b. a partir del paso por Júpiter.
   ☐ c. desde que entró en funcionamiento la misión *Voyager*.

2. **También se dice en el artículo que a su paso por Saturno:**
   ☐ a. se intensificó la atención puesta en el seguimiento de la nave.
   ☐ b. la *Voyager 2* orientó sus instrumentos hacia este planeta para estudiar su estructura química.
   ☐ c. un fallo técnico hizo que se perdiera transitoriamente el contacto con la nave.

3. **El artículo añade que las naves no tripuladas *Voyager*:**
   ☐ a. técnicamente mantienen toda su operatividad a pesar de la distancia.
   ☐ b. han conseguido sumar a su relevancia estrictamente científica un sentido emotivo.
   ☐ c. son portadoras del primer mensaje que la humanidad ha lanzado al espacio.

Claves

Tarea 1
1- a; 2- b; 3- c.
Análisis de la tarea: Es probable que el texto te haya parecido especialmente difícil. En los exámenes no suele haber textos de esta dificultad pero se ha dado algún caso de textos más difíciles. De ahí que hayamos introducido éste para que antes del examen te hayas enfrentado alguna vez a tareas que pueden superar el nivel.
Tarea 2: 1- c; 2- a; 3- b.

Sesión 18: Comprensión de lectura

Sojoescéptica

En esta Sesión de trabajo vas a ver un texto de opinión y vas a trabajar algunas expresiones de ese tipo. También pueden serte útiles para escribir un texto de opinión en la prueba de Expresión escrita.

Tarea 1

Expresar opiniones

- Antes de leer el texto, señala de las frases siguientes, cuáles crees que corresponden a un tono coloquial y cuáles a un tono más o menos formal.

1. Creo que es conveniente que haya un buen control de calidad de los alimentos.
2. Nunca me ha gustado la manera como anuncian algunos alimentos en la televisión.
3. No me fastidies, hombre, qué manera de criticar.
4. Me parece que en esta situación, el uso de transgénicos no puede continuar.
5. Ya estoy harto de tener que comprar sólo lo que imponen las multinacionales.
6. Esto es un escándalo, de verdad, no podemos seguir en este plan, estoy hasta las narices de todo.
7. No veo bien que los productos regionales tengan más subvenciones que los demás productos.
8. Hasta cuándo, dime, hasta cuándo vas a estar engañándome con la leche.
9. Considero una idea muy acertada el que se indiquen los ingredientes de los productos en la etiqueta.
10. En todas partes cuecen habas, así que no nos escandalicemos por las carencias y errores nacionales.

- En los textos de opinión pueden aparecer ambos tipos de frases. Además, en muchos textos de opinión hay otro aspecto importante que es la ironía. No es frecuente que en el examen aparezcan textos irónicos, aunque sí pueden aparecer fragmentos con una ironía fácilmente identificable. Las preguntas, en todo caso, nunca inciden en dicho aspecto.

 Pon el reloj.

Por qué soy sojoescéptica

Mi hija Jimena, que se dedica a la publicidad, empieza a estar cansada de su madre. Dice que no es plan trabajar hasta las tantas y luego, volver a casa, tener que seguir hablando del tema con la pesada de mamá, que, con cada anuncio publicitario que ve, le interroga sobre el diseño y otros detalles. Pena me da ser tan latosa, pero estarán ustedes de acuerdo conmigo en que los anuncios son lo más interesante que uno puede ver en la tele.

En los anuncios está todo, las aspiraciones de la gente, su forma de ver la vida, lo que les gusta y lo que no les gusta. Hay un tema que me tiene fascinada y es la sojomanía o, lo que es lo mismo, la omnipresencia de este vegetal. Si hacemos caso de lo que dicen, la soja debe de ser algo así como la panacea universal. Porque hoy en día resulta que hay soja en la leche y en los yogures, en las pizzas y en salsas dulces, en las cremas para la cara (??) y (esto bate todos los récords) en el champú y el gel de baño.

Como estoy a punto de entrar en eso que llaman "la edad complicada de la mujer", he estado informándome y he descubierto que no es tan mágica. Por lo visto, en un principio se creyó que aliviaba los síntomas de la menopausia, porque las japonesas no sufren sus característicos sofocos. Sin embargo, muy pronto se llegó a la conclusión de que el secreto debía de estar en algún otro ingrediente de la dieta japonesa, porque las coreanas, que comen tanta soja como las japonesas, sí sufren los sofocos de la edad. Aún así, ya se habían lanzado las campanas al vuelo. Las sociedades occidentales exageraron las virtudes de la soja, y ahora tenemos soja para aburrirnos. Conste que para mí tiene un aspecto muy positivo esta manía. Gracias a ella, en Uruguay se están plantando enormes extensiones de tal producto de modo que mi país podrá empezar a salir de su difícil situación económica. Pero, dicho esto, yo soy sojoescéptica. Dudo mucho que con desayunar leche con soja vaya a rejuvenecer, veo improbable que comer pan de molde con soja sea el santo remedio y estoy segura, vamos, segurísima, de que ducharme con soja no va a convertirme en top-model.

Mi hija Jimena dice que soy muy drástica, que algo tendrá la soja cuando la bendicen, pero a mí me parece una pamplina. Lo único en lo que yo creo es en comer más o menos sano, más o menos rico. Sí, creo que hasta que un espabilado industrial le añada soja a mi vicio favorito, el chocolate, seguiré siendo escéptica, sojoescéptica, quiero decir.

Adaptado de La Vanguardia

1. Según el texto, cuando madre e hija están juntas en casa después de trabajar:
- ☐ a. les gusta comentar los anuncios de la televisión porque es lo más interesante.
- ☐ b. hacen muchos planes para el tiempo libre.
- ☐ c. la hija se queja de que la madre le haga preguntas relacionadas con el trabajo.

2. Según la autora, la televisión presenta la soja:
- ☐ a. como la solución a todos los problemas de salud de las mujeres.
- ☐ b. como la salvación de la economía uruguaya.
- ☐ c. como un producto del que se han exagerado sus propiedades.

3. En relación con este tema de la soja, según el artículo:
- ☐ a. madre e hija comparten sus opiniones.
- ☐ b. la hija es escéptica con la posición de su madre.
- ☐ c. la hija defiende con entusiasmo las propiedades de la soja.

• • • • • 🕐 ¿Cuánto tiempo has tardado? Anótalo aquí: ___

Análisis de la tarea

	Sí	No
• He tenido problemas con el tiempo, he tardado bastante en encontrar las respuestas a las preguntas (más de 15 minutos).	☐	☐
• El vocabulario del texto no me ha dejado contestar a las preguntas correctamente, he sentido la tentación de usar el diccionario en más de una ocasión.	☐	☐
• He perdido la concentración porque no conozco bien el tema, no me es familiar.	☐	☐
• Estoy poco familiarizado con textos que tienen párrafos irónicos como éste, y eso me ha desorientado.	☐	☐
• No he entendido bien las preguntas.	☐	☐

• ¿Qué puedes hacer para no tener esos problemas la próxima vez? Anota aquí tu comentario.

....

....

Aquí tienes una nueva serie de preguntas, si quieres hacer un segundo ensayo.

1. El texto dice que los anuncios de la televisión:
- ☐ a. reflejan, entre otras cosas, lo que la gente espera de la vida.
- ☐ b. intentan influir en los gustos de la gente.
- ☐ c. aspiran a reflejar los intereses y mentalidad de la gente.

2. A la autora del texto hay una cosa que sí le parece bien del tema, y es:
- ☐ a. que tanto las japonesas como las coreanas coman soja.
- ☐ b. la incidencia del consumo de soja en la economía de su país.
- ☐ c. que gracias a la soja ha afianzado sus opiniones sobre lo que es comer sano.

3. Por lo que dice el texto, la autora:

☐ a. recomienda ducharse con productos con soja, aunque una no sea una top-model.

☐ b. ha decidido mantener sus opiniones sobre la alimentación.

☐ c. propone que le pongan soja al chocolate.

Tarea 2

- Hay determinados momentos en los que el texto puede tener cierta dificultad. Están relacionados con expresiones de opinión. Vamos a detenernos un momento en ellos. Para entenderlos bien, es necesario tener en cuenta qué opinión tiene la autora sobre la soja. Resúmelo en una frase (ten en cuenta el título del artículo):

  ....

  ....

- Intenta ahora, teniendo en cuenta esa opinión, sustituir en las siguientes frases del texto las partes escritas en cursiva por una de las tres opciones. Si lo necesitas, vuelve a leer las frases en su contexto original.

1. Hay un tema que *me tiene fascinada*.

    ☐ a. me preocupa mucho   ☐ b. me entristece mucho   ☐ c. me sorprende mucho

2. *Por lo visto*, en un principio se creyó que aliviaba los síntomas de la menopausia.

    ☐ a. Se ha visto que   ☐ b. Parece que   ☐ c. Resulta que

3. *Conste que* para mí tiene un aspecto muy positivo esta manía.

    ☐ a. Que quede claro que   ☐ b. Aparte de que   ☐ c. Además

4. *Dudo mucho que* con desayunar leche con soja vaya a rejuvenecer.

    ☐ a. Creo firmemente que   ☐ b. No me sorprende que   ☐ c. No creo que

5. ...*veo improbable* que comer pan de molde con soja sea el santo remedio.

    ☐ a. no me parece creíble   ☐ b. no veo bien   ☐ c. no es improbable

6. Mi hija Jimena dice que soy muy drástica, que *algo tendrá* la soja cuando la bendicen...

    ☐ a. algo tiene   ☐ b. algo va a tener   ☐ c. algo debe de tener

7. ...pero a mí me parece *una pamplina*.

    ☐ a. una superstición   ☐ b. una tontería   ☐ c. un tópico

Tarea 3

Expresión escrita

- A lo largo de esta sesión has encontrado frases como ésta: *Creo que es conveniente que haya un buen control de calidad de los alimentos.* Hay un grupo de palabras y expresiones que sirven para valorar hechos, argumentos, ideas, etc. Se han usado en el siguiente texto. Complétalo eligiendo una de las tres opciones que se te ofrecen.

En mi opinión, no existen las dietas mágicas, es más, creo que es .... 1 .... que haya tanta publicidad sobre ellas. Si uno tiene problemas de peso, lo .... 2 .... es que vaya al médico y que el médico le diga lo que tiene que comer y lo que no. Me parece .... 3 .... que se permita que la publicidad ocupe el puesto de los especialistas. Puede que para algunas personas esté .... 4 .... seguir una dieta de ésas porque, por ejemplo, un personaje famoso de la televisión la sigue y dice que es .... 5 ...., pero eso no significa que sea .... 6 .... dejarse aconsejar así. Ya digo, lo .... 7 .... es consultar al médico.

Sin embargo, dirá alguno, detrás de cada dieta hay un especialista. O aún más, dirá otro, una empresa especializada que se apoya en estudios, investigaciones, y todo eso. No veo que sean argumentos suficientemente .... 8 .... Los estudios se falsean, las investigaciones son tendenciosas. En definitiva, es el dinero el que manda.

Por otro lado, es verdad que la mala alimentación nos puede llevar a sufrir enfermedades serias, por lo que es .... 9 ...., dada la tendencia de nuestro mundo a comer en exceso, que cuidemos este aspecto de la vida, pero de ahí a seguir esas dietas mágicas, hay un trecho largo. Tengo una amiga que durante mucho tiempo siguió una dieta de adelgazamiento muy famosa hace algunos años, y hoy se dedica a destruir su fama a causa de que lo pasó muy mal física y emocionalmente. En mi caso, aunque no me ha pasado nada grave, mientras no me demuestren que una de esas dietas es realmente eficaz para mis problemas de peso, veo muy .... 10 .... que vaya a seguir alguna.

En definitiva, que la publicidad en este campo, como en tantos otros, resulta, para mí, bastante .... 11 ...., no porque mienta, sino porque no dice toda la verdad, y es .... 12 .... que sigamos haciéndole caso, y más aún, que su modo de actuar no se controle de alguna manera.

1. ☐ a. escandaloso   ☐ b. admirable   ☐ c. perdonable
2. ☐ a. justo   ☐ b. aconsejable   ☐ c. de buena educación
3. ☐ a. lógico   ☐ b. dudoso   ☐ c. indignante
4. ☐ a. bien visto   ☐ b. de buen gusto   ☐ c. costumbre
5. ☐ a. fantástica   ☐ b. propicia   ☐ c. memorable
6. ☐ a. preferible   ☐ b. costumbre   ☐ c. indecente
7. ☐ a. elegante   ☐ b. mejor   ☐ c. pésimo
8. ☐ a. aconsejables   ☐ b. convencidos   ☐ c. convincentes
9. ☐ a. inquietante   ☐ b. imprescindible   ☐ c. una falta de seriedad
10. ☐ a. vulgar   ☐ b. indecente   ☐ c. improbable
11. ☐ a. engañosa   ☐ b. improbable   ☐ c. un escándalo
12. ☐ a. estupendo   ☐ b. tranquilizador   ☐ c. lamentable

• Ese texto ha sido escrito siguiendo una de las siguientes consignas. ¿Puedes reconocer cuál?

1. Muchas personas intentan mejorar su estado físico gracias a las llamadas "dietas mágicas" que se presentan en los medios de comunicación. ¿Qué le parece a usted este tipo de dietas? Elabore una redacción en la que deberá:
   – Explicar su opinión.
   – Compararla con otras opiniones.
   – Hablar de una experiencia que la apoye.
   – Añadir una conclusión.

2. "Los medios de comunicación que presentan métodos para adelgazar deberán explicar siempre en qué estudios científicos están basados" ¿Qué le parece a usted esta afirmación? Elabore una redacción en la que:
   – Exprese su opinión a favor o en contra de esta afirmación.
   – Dé ejemplos que justifiquen su posición.
   – Hable de la influencia de la televisión en nuestras costumbres.
   – Añada una conclusión.

• Ahora escribe tú un texto de unas 150 a 200 palabras (15-20 líneas) siguiendo la otra consigna. No olvides poner el reloj.

● ● ● ● ● ● 🕐 ¿Cuánto tiempo has tardado? Anótalo aquí: ___

Claves

Tarea 1
Frases de opinión con un tono más o menos formal: 1, 2, 4, 7, 9, 10 [esta última frase, por llevar un refrán, podría ser también informal, depende del contexto].
Primera tanda de preguntas: 1- c; 2- a; 3- b.
Segunda tanda de preguntas: 1- a; 2-b; 3- b.

Tarea 2: 1- c; 2- b; 3- a; 4- c; 5- a; 6- c; 7- b.

Tarea 3
1- a; 2- b; 3- c; 4- a; 5- a; 6- a; 7- b; 8- c; 9- b; 10- c; 11- a; 12- c.
La consigna que sigue el texto es la primera.

Sesión 19: Comprensión de lectura

El segundo descubrimiento de América

En la Sesión 4 has visto qué tipo de tareas están previstas para el cuarto texto. A pesar de su carácter literario, no habrá preguntas de literatura, sino que su tratamiento es como el de los demás textos. En esta Sesión te presentamos una narración con cierto carácter literario, algunas tareas y, por último, una serie de recursos y fuentes en donde puedes encontrar materiales para continuar con la preparación de la prueba de Comprensión de lectura.

● ● ● ● ● ❗ En este caso, excepcionalmente, no necesitas el reloj.

- Lee el texto.

Para Pedro Arispe, la patria no significaba nada. Pero cuando el fútbol uruguayo ganó en Francia la Olimpíada de 1924, Arispe era uno de los jugadores triunfantes; y mientras miraba la bandera nacional que se alzaba lentamente en el mástil de honor, con el sol arriba y las cuatro barras celestes, en el centro de todas las banderas y más alta que todas, Arispe sintió que se le rompía el pecho.

La camiseta celeste era la prueba de la existencia de la nación, el Uruguay no era un error, el fútbol había arrancado a este minúsculo país de las sombras del anonimato universal.

Los autores de aquellos milagros del 24 y del 28 eran obreros y bohemios que no recibían del fútbol nada más que la pura felicidad de jugar. Pedro Arispe era obrero de la carne. José Nasazzi cortaba piedras de mármol. Perucho Petrone era verdulero. Pedro Cea, repartidor de hielo. José Leandro Andrade, musiquero de carnaval y lustrabotas. Todos tenían veinte años, o poco más aunque en las fotos parecen señores mayores. Se curaban las patadas con agua y sal y unas cuantas copas de vino.

En 1924, llegaron a Europa y camino de la Olimpíada de París, disputaron en España nueve partidos y ganaron los nueve.

Era la primera vez que un equipo latinoamericano jugaba en Europa. Uruguay enfrentaba a Yugoslavia en su partido inicial. Los yugoslavos enviaron espías a la práctica. Los uruguayos se dieron cuenta, y se entrenaron pegando patadas al suelo, tirando la pelota a las nubes, tropezando a cada paso y chocándose entre sí. Los espías informaron:

– Dan pena estos pobres chicos, que vinieron de tan lejos...

Apenas dos mil personas asistieron a aquel primer partido. La bandera uruguaya fue izada al revés, con el sol para abajo, y en lugar del himno nacional se escuchó una marcha brasileña. Aquella tarde, Uruguay derrotó a Yugoslavia 7 a 0.

Y entonces ocurrió algo así como el segundo descubrimiento de América. Partido tras partido, la multitud se agolpaba para ver a aquellos hombres escurridizos como ardillas, que jugaban al ajedrez con la pelota. La escuela inglesa había impuesto el pase largo y la pelota alta, pero estos hijos desconocidos, nacidos en la remota América, no repetían al padre.

La pasión futbolera de los uruguayos viene de aquellas lejanías, y todavía sus hondas raíces están a la vista: cada vez que la selección nacional juega un partido, sea contra quien sea, se corta la respiración del país y se callan la boca los políticos, los cantores y los charlatanes de feria, los amantes detienen sus amores y las moscas paran el vuelo.

Adaptado de *El fútbol a sol y sombra* de Eduardo Galeano.

• Todo texto narrativo responde a cinco preguntas clave: *Quién, qué, cómo, cuándo* y *dónde*. No todas tienen que aparecer en los textos ni en ese orden, pero muchas veces, haciéndote estas preguntas, será más fácil responder a las de la prueba. Relaciona cada punto de la columna izquierda con uno de la derecha en relación con lo que se dice en el texto.

1. Quién •   • a. En los Juegos Olímpicos de 1924.
2. Qué •   • b. En Europa y en París.
3. Cómo •   • c. Jugando con un estilo nuevo, innovador.
4. Dónde •   • d. Ganaron la medalla de oro.
5. Cuándo •   • e. Los jugadores de la selección uruguaya de fútbol, de los que ninguno era profesional.

• Marca la respuesta correcta.

1. **Según el texto, Pedro Arispe sintió que se le rompía el pecho porque:**
   ☐ a. la bandera nacional se izaba lentamente.
   ☐ b. habían ganado las olimpiadas.
   ☐ c. el sol estaba arriba y la bandera era la más alta.

2. **Según el autor, el milagro del 24 y del 28 se dio porque:**
   ☐ a. los futbolistas eran obreros.
   ☐ b. eran todos jóvenes.
   ☐ c. disfrutaban y sentían felicidad con lo que hacían.

3. **De acuerdo con el texto, la pasión por el fútbol de los uruguayos:**
   ☐ a. contrasta con su anterior despreocupación hacia este deporte.
   ☐ b. proviene de aquellas olimpiadas doradas.
   ☐ c. provoca sentimientos extraños.

Análisis del ejercicio

	Sí	No
• Me ha servido unir las columnas del esquema previo a las preguntas para encontrar las respuestas correctas.	☐	☐
• Precisar quién, qué, cómo, cuándo y dónde ha hecho que no tenga problemas con las preguntas.	☐	☐
• No he entendido bien los pasados, y creo que por eso no he podido contestar a las preguntas.	☐	☐
• El tema no es interesante y no me he podido concentrar.	☐	☐
• No he entendido las preguntas bien, por eso me he confundido.	☐	☐

• ¿Qué puedes hacer para mejorar los resultados? Anota aquí tus comentarios.
....
....

Tarea 2

Verbos de movimiento

• Completa los huecos del siguiente texto eligiendo una de entre las tres opciones de verbos de movimiento que se te proponen. Algunos verbos provienen del texto que has leído.

A   De pronto, la cometa vuelve a .... 1 .... con una nueva ráfaga de viento y el niño que tira del hilo .... 2 .... en seco y descansa de su última carrera. La cometa está en lo alto y recorre el cielo en círculos. Un coche se acerca lentamente por un camino de polvo y .... 3 .... cerca de donde están los niños. Por la ventanilla .... 4 .... una mujer que grita: "¡Fernando, Santi! ¡Nos vamos!".

B   A veces el viento empuja la cometa hacia abajo y .... 5 .... a tanta velocidad por delante de los niños que tienen que .... 6 .... rápidamente para que no les dé en la cabeza o en la espalda. En esos casos, los niños apenas pueden controlarla.

C   Fernando, al oírla, se dirige al coche corriendo mientras el otro niño le grita: "¡Espérame!". Pero Fernando no hace caso y .... 7 .... en un momento casi toda la distancia que le separa del coche. Cuando el otro por fin lo .... 8 ...., le repite "¡Que me esperes, hombre!". Los dos llegan al coche, y entonces la mujer les pregunta qué tal ha .... 9 .... la cometa. Ellos contestan:

– Hoy era un día fenomenal. Ha funcionado mejor que nunca, como un pájaro en el aire.

D Las ramas de los árboles .... 10 .... agitadamente y .... 11 .... unas contra otras porque es un día de mucho viento. Algunas hojas salen volando por los aires. Hay un niño que juega con una cometa pero le resulta difícil controlar el juguete que sube y baja como quiere. Otro niño más pequeño .... 12 .... detrás animándole.

1. ☐ a. elevarse ☐ b. dirigirse ☐ c. venir
2. ☐ a. salta ☐ b. se eleva ☐ c. se para
3. ☐ a. se eleva ☐ b. frena ☐ c. salta
4. ☐ a. se asoma ☐ b. baja ☐ c. se mueve
5. ☐ a. se dirige ☐ b. frena ☐ c. pasa
6. ☐ a. agacharse ☐ b. alejarse ☐ c. recorrer
7. ☐ a. recorre ☐ b. se dirige ☐ c. pasa
8. ☐ a. empuja ☐ b. abraza ☐ c. alcanza
9. ☐ a. volado ☐ b. llegado ☐ c. recorrido
10. ☐ a. se agachan ☐ b. se mueven ☐ c. recorren
11. ☐ a. chocan ☐ b. se tropiezan ☐ c. se asoman
12. ☐ a. se marcha ☐ b. abraza ☐ c. corre

- Ahora ordena los cuatro párrafos de la historia.

1. ☐ ; 2. ☐ ; 3. ☐ ; 4. ☐

Tarea 3

En el texto también hay algunas palabras relacionadas con los deportes. A continuación te presentamos una lista más amplia. Primero busca sinónimos. Después selecciona las palabras que sirven para todos los deportes y, por último, escribe las palabras específicas junto al nombre del deporte correspondiente.

- ❖ partido
- ❖ ganar
- ❖ perímetro de juego
- ❖ infracción
- ❖ asistir a un partido
- ❖ falta
- ❖ entrenamiento
- ❖ marcar

- ❖ gol
- ❖ tribunas
- ❖ balón
- ❖ saque de costado
- ❖ canasta
- ❖ disputar
- ❖ pelota
- ❖ encestar

- ❖ encuentro
- ❖ jugar
- ❖ árbitro
- ❖ entrenador
- ❖ pase largo
- ❖ perder
- ❖ aros
- ❖ gradas

- ❖ pista
- ❖ hinchas
- ❖ punto
- ❖ práctica
- ❖ pelota alta
- ❖ saque
- ❖ saque de banda
- ❖ empatar

- ❖ córner
- ❖ seguidores
- ❖ equipo
- ❖ míster
- ❖ revés
- ❖ portería
- ❖ cancha
- ❖ conjunto

Palabras sinónimas	Palabras generales de deportes	Palabras de fútbol	Palabras de tenis	Palabras de baloncesto

Tarea 4

En la Sesión 15 habrás visto que hay diferentes temas en la preparación de la prueba oral. Uno de esos posibles temas son los deportes. A continuación, te proponemos que desarrolles ese tema. No te olvides de tomar el tiempo, y tampoco de cómo se lleva a cabo esta parte de la prueba oral. Para eso puedes volver a mirar la Sesión 15 (tarea 4, pág. 93).

● ● ● ● ● 🕐 Pon el reloj.

Tema: **Deportes de masas: una forma de pasar el tiempo libre o un gran comercio.**

- ¿Por qué la gente va con tanta frecuencia a los partidos de fútbol, baloncesto, etc? ¿Es sólo para pasar el tiempo libre?
- ¿Es importante para integrarse en sociedad conocer esos deportes?
- ¿Promueven los deportes masificados la violencia y las conductas incívicas?
- ¿No cree que el dinero que se mueve en los deportes de masas es excesivo y que sólo es un negocio más, como fabricar coches u ordenadores?

● ● ● ● ● 🕐 ¿Cuánto tiempo has tardado? Anótalo aquí: ___

Para seguir preparándote

La mayor dificultad para continuar la preparación de esta prueba es encontrar textos que se ajusten al nivel del examen. En este sentido, puedes aprovechar los que aparecen en los manuales de español para extranjeros de nivel intermedio y avanzado, en especial los del nivel B1 o B2 del Marco de referencia. Aquí tienes una lista de algunos de los que puedes encontrar en manuales de la Editorial Edinumen.

- *Prisma Progresa (Nivel B1):* Pág.10 (Texto descriptivo de costumbres), Pág.16 (Noticia periodística), Pág.27 (Texto periodístico), Pág. 35 (Recomendaciones), Pág. 48 (Texto informativo sobre las universidades españolas), Pág. 57 (Noticia), Pág. 74 (Texto literario), Pág. 117 (Texto con instrucciones), Pág. 125 (Artículo periodístico), Pág.132 (Texto informativo), Pág. 147 (Texto informativo).
- *Prisma Avanza (Nivel B2):* Pág. 15 (Consejos y advertencias para viajar), Pág. 17 (Instrucciones sobre un tema médico), Pág. 27 (Noticias e instrucciones sobre el teléfono), Pág. 32 (Opinión, anécdotas a propósito del teléfono), Pág. 44 (Texto de opinión sobre el aburrimiento), Pág. 48 (Noticia sobre idiomas), Pág. 51 (Artículo de opinión sobre el cine), Pág. 137 (Texto informativo sobre el *spanglish*), Pág. 142 (Texto literario), Pág. 148 (Texto literario), Pág. 151 (Texto informativo sobre alimentación), Pág. 160 (Textos descriptivos sobre deportes), Pág. 167 (Texto de opinión sobre el fútbol), Pág. 170 (Folleto con los derechos del pasajero), Pág. 180 (Texto literario).
- *Cuaderno de ejercicios:* Pág. 18 (Texto literario), Pág. 44 (Textos informativos sobre exposiciones), Pág. 50 (Texto literario), Pág. 65 (Texto literario), Pág. 83 (Texto literario).
- *Método de español para extranjeros* (Nivel intermedio): Pág. 21 (Texto literario), Pág. 111 (Texto literario), Pág. 123 (Texto literario), Pág. 135 (Texto literario).
- Colección de lecturas graduadas *Lecturas de español*, nivel superior (I y II).
- Algunas direcciones electrónicas de periódicos: www.elmundo.es (España), www.elpais.es (España), www.lavanguardia.es (España), www.clarin.com (Argentina), www.lanacion.com (Argentina), www.elmercurio.cl (Chile), www.reforma.com (México), www.excelsior.com.mx (México), www.la-razon.com (Bolivia), www.elespectador.com (Colombia), www.eltiempo.com (Colombia), www.eud.com (Venezuela), www.nacional.com (Venezuela), www.elcomercioperu.com.pe (Perú), www.diarioelpais.com (Uruguay), www.hoy.com.ec (Ecuador).

Claves

Tarea 1
Esquema: 1- e; 2- d; 3- c; 4- b; 5- a.
Preguntas: 1- b; 2- c; 3- b.

Tarea 2
Verbos de movimiento: 1- a; 2- c; 3- b; 4- a; 5- c; 6- a; 7- a; 8- c; 9- a; 10- b; 11- a; 12- c.
Orden de los párrafos: 1- D; 2- B; 3- A; 4- C.

Tarea 3
Palabras sinónimas: partido / encuentro; gradas / tribunas; jugar / disputar; hinchas / seguidores; perímetro de juego / cancha; balón / pelota; equipo / conjunto; infracción / falta; saque de costado / saque de banda; entrenador / míster; práctica / entrenamiento.
Palabras generales: partido, gradas, encuentro, ganar, tribunas, jugar, perímetro de juego, árbitro, infracción, entrenador, práctica, asistir a un partido, falta, disputar, perder, entrenamiento, empatar, conjunto, seguidores, pelota, equipo, saque de costado, saque de banda, saque.
Fútbol: córner, hinchas, míster, pase largo, pelota alta, marcar, gol, portería.
Tenis: punto, revés, (doble) falta, pista.
Baloncesto: canasta, pase largo, pelota alta, aros, cancha, encestar.

Sesión 20: Expresión escrita

Una carta informal

En esta Sesión de trabajo vas a trabajar algunos ejemplos de cartas de estudiantes que se estaban preparando para el examen, para que tomes mayor conciencia de las características de la prueba.

Una reflexión previa

- Plantéate las siguientes preguntas:
    - ¿Cuándo escribes cartas? ....
    - ¿A quién? ....
    - ¿Por qué? ....

- Como hemos visto en la Sesión 6, la situación que se presenta en el examen es un tanto atípica porque te tienes que imaginar al destinatario de la carta. A veces, algunos candidatos se esfuerzan tanto en demostrar que saben español (que conocen mucho vocabulario, que pueden usar estructuras gramaticales complejas) que se olvidan de que en realidad lo que tienen que hacer es lo mismo que en la vida real. Por eso, te aconsejamos que cuando escribas una carta pienses en una persona concreta, con la que te sueles cartear, o en una persona a la que te gustaría escribir una carta. Y si has vivido alguna situación parecida a la que te presentan en el examen, trata de recordarla: te ayudará.

- La carta tiene un destinatario, la persona a la que le escribes. Seguro que no le escribirías del mismo modo a tu mejor amigo/a que a un conocido o a tu profesor o profesora de español. Y no le contarías de la misma forma que has encontrado trabajo a un amigo que también acaba de encontrar trabajo y está feliz, que a otro que lleva en paro un año y que está deprimido. Por eso, es importante que cuando escribas se note a quién escribes, que esa persona esté presente en la carta.

Tarea 1

Análisis de una carta informal

- Aquí tienes un ejemplo de unas instrucciones para escribir una carta, y la respuesta de un candidato. **En este texto se han mantenido todos los errores originales.**

- Redacte una carta de 150-200 palabras (15-20 líneas).
- Usted ha realizado el sueño de su vida: comprar una pequeña casa en el campo. Escriba a un amigo/a una carta en la que:
    - Exprese el motivo por el que le escribe.
    - Cuente cómo descubrió la casa de sus sueños.
    - Describa cómo es.
    - Proponga a su amigo/a que le haga una visita.

●●●●●● ❗ ¡Ojo! Contiene errores.

Querido Peter:
Estoy escribiendo a ti porque tengo la gran noticia. ¡He comprado la casa! El sueño de mi vida ha realizado. Todavía no puedo creerlo.
Un día estuve paseando y vi la casa preciosa. Era muy bonita, un poco bieja, de estilo gotico. El jardín también era muy interesante, parecía una poco peligroso, tenía un secreto. Preguntó alguien (no recuerdo quien era) sí esta casa estaba para vender. El me di que sí. Compré la otro día sin pensar.

Haora estoy cambiando algunas cosas que no me gustan: por ejemplo los paredes en el dormigorio son de color verde.¡Qué horror! Pienso que voy a cambiar todo hasta el otoño. Quiero que me visites. Pasar algunos días juntos, hablar de la vida parece una buena idea. Estoy esperando tu respuesta.

Besos

Elisabeth

Análisis del texto

- Las instrucciones.

	Sí	No
1. ¿La carta sigue todas las instrucciones?	☐	☐
2. Expresa el motivo por el que le escribe.	☐	☐
3. Cuenta cómo descubrió la casa de sus sueños.	☐	☐
4. Describe cómo es.	☐	☐
5. Propone a su amigo/a que le haga una visita.	☐	☐
6. Tiene 150-200 palabras.	☐	☐

- La forma y la adecuación.

	Sí	No
1. El texto, ¿tiene estructura de carta? Es decir, ¿tiene saludo, parte central y despedida?	☐	☐
2. ¿Existe un destinatario, una persona a la que se dirige la carta?	☐	☐
3. ¿Tiene errores de vocabulario que dificultan u obstaculizan la comprensión del texto?	☐	☐
4. El vocabulario, ¿es adecuado al tema y al tipo de situación?	☐	☐
5. ¿Tiene errores de gramática que dificultan u obstaculizan la comprensión del texto?	☐	☐

- Este texto, ¿podría ser una carta real? Por ejemplo, ¿escribirías una carta así a alguien? ¿A quién?
  1. Si recibieras una carta así, ¿cómo te sentirías?
  ....
  2. ¿Le falta (o le sobra) algo a la carta? ¿Qué?
  ....
  3. ¿Sabemos algo del amigo (además del nombre)?
  ....
  4. Al expresar el motivo por el que le escribe, ¿suena natural?
  ....
  5. Al leer la descripción de la casa, ¿te imaginas cómo es?
  ....
  6. Al proponer a su amigo que le haga una visita, ¿lo propone de forma natural?
  ....

- Lee ahora la carta corregida, y algunos comentarios relativos a la adecuación.

Querido Peter:

Te escribo porque tengo una gran noticia. ¡He comprado una casa! ¡El sueño de mi vida se ha hecho realidad! Todavía no puedo creerlo.

Un día estaba paseando y vi una casa preciosa. Era muy bonita, antigua, recordaba el estilo gótico. El jardín también era precioso, parecía un poco misterioso, como si hubiese algún secreto. Pregunté a un hombre que pasaba por allí (no sé quién era) si esta casa estaba en venta y me dijo que sí. Sin pensármelo dos veces, al día siguiente me puse a hacer todos los trámites y la compré. *(NOTA: falta información sobre estos trámites)*

(NOTA: falta la descripción de la casa, hay muy pocos datos)

Ahora estoy cambiando algunas cosas que no me gustan: por ejemplo los paredes del dormitorio son de color verde. ¡Qué horror! Creo que de aquí al otoño voy a hacer unas cuantas reformas.

Me gustaría que me visitases. Después de tanto tiempo sin vernos, me encantaría pasar algunos días juntos y hablar de la vida. ¿Te animas a venir?

Espero tu respuesta.

Besos

Elisabeth

Nuestros comentarios a la forma y la adecuación

- **Destinatario.** A primera vista parece que hay un destinatario, porque la carta está dirigida a Peter, y en dos ocasiones se dirige a él para justificar el motivo de la carta, *"Estoy escribiendo a ti"*, cuando lo invita, *Quiero que me visites*", y al despedirle, *"Estoy esperando tu respuesta"*.

  Pero en realidad el destinatario no parece real. Lo normal sería preguntarle cómo está al principio de la carta, o si se trata de una contestación a una carta suya, hacer referencia a ésta, y que se notase por qué le escribe precisamente a él esta noticia (por ejemplo: *"ya sabes la ilusión que me hacía tener mi propia casa"* o "*¿te acuerdas de cuándo éramos más jóvenes y soñábamos con tener un día una casa en el campo?"*).

  Lo mismo ocurre con la invitación. Además de ser demasiado imperativa *(Quiero que me visites)*, no queda claro el motivo y no parece tenerse en cuenta al amigo. *"Pasar algunos días juntos, hablar de la vida parece una buena idea"* resulta demasiado general. Podría hacer referencia al hecho de que hace mucho que no se ven, *"Después de tanto tiempo sin vernos, me encantaría pasar algunos días juntos, enseñarte mi casa, y hablar de la vida. ¿Te animas a venir?"*. O justificarlo por el gusto del supuesto amigo por el campo: *"Como sé que te gusta mucho la naturaleza, y mi casa está en pleno campo, me encantaría que me visitases. Además hace mucho que no nos vemos. Podríamos pasear, respirar aire puro y charlar... ¿Qué te parece la idea?"*.

- Cuando escribas una carta, es importante que aparezcan referencias al destinatario. Para ello, como decíamos antes, es una buena idea que pienses en una persona concreta.

  Relee alguna carta real (no tiene por qué estar en español) que te haya escrito un amigo/a y busca todas las referencias que hace a ti, a vuestra relación, a las cosas de las que habláis... Eso te puede ayudar y servir como modelo a la hora de escribir una carta en el examen.

- Aquí tienes el principio de la carta de un candidato que, además de ajustarse a las instrucciones, tiene en cuenta al destinatario. Te presentamos la carta tal cual con los errores corregidos entre paréntesis.

> - Usted ha estado haciendo un curso de lengua española en España y antes de regresar a su país, encargó a un compañero de clase que le enviara unos libros que todavía no ha recibido. Escriba una carta en la que deberá:
>   - Explicar los motivos de la carta.
>   - Detallar cuál era su encargo.
>   - Proponer una solución para arreglar el problema.
>   - Darle las gracias.

● ● ● ● ● ¡Ojo! Contiene errores.

Querido Manolo:

Te estoy escribiendo *(escribo)* porque todavía no he recibido los libros que tenías que mandarme. ¿Recuerdas cuándo *(que)* te pedí que me mandaras los diccionarios? En el aeropuerto me prometiste que lo harás *(harías)* pero hace ya un mes que estoy en Milán y los libros todavía no llegaron *(han llegado)*.

- **Vocabulario.** En la carta hay también errores de vocabulario que se refieren a la adecuación. Una casa *un poco vieja* no es de estilo gótico. E *interesante* no parece el adjetivo más adecuado para calificar un jardín.

  A lo largo del libro hay diferentes actividades para trabajar el vocabulario que te pueden ayudar. Y recuerda: en una carta informal se espera que utilices un vocabulario neutro. Puede haber algunas expresiones coloquiales, pero sin exagerar. Tampoco se trata de demostrar que conoces palabras "difíciles", sino de que sean adecuadas al contexto.

- **Gramática.** En la carta hay numerosos errores gramaticales. Por ejemplo, en la primera frase hay errores en el uso de los verbos, de los pronombres y de los artículos (en vez de *Estoy escribiendo a ti porque tengo la gran noticia* debería ser *Te escribo porque tengo una gran noticia*), aunque se trata de errores que no afectan a la comunicación. Sin embargo, una frase como *Preguntó alguien (no recuerdo quien era) sí esta casa estaba para vender. El me di que sí* tiene errores que afectan a la comunicación, ya que no queda claro quién preguntó a quién. Estos errores, los que afectan a la comprensión del texto, son los más graves y los que es más importante evitar.

- Si no estás seguro de una estructura complicada, busca otra más sencilla con la que transmitas la misma idea. Y al acabar de escribir la carta, revisa aspectos como las concordancias (masculino/femenino, singular/plural, de tiempo, etc.).

Tarea 2

Redacción de una carta informal

Ahora intenta escribir tú una carta, de acuerdo con las instrucciones y teniendo en cuenta los consejos que te hemos dado en esta Sesión y en la Sesión 5, página 38. Al terminar, y después de repasarla, haz el mismo tipo de análisis que en la tarea anterior. Si tienes algún amigo hispanohablante, pídele que lea tu carta y te comente qué puedes mejorar.

● ● ● ● ● 🛈 Consejo

Cuando leas la tarea que te piden (describir o contar algo), puedes hacer un esquema de los puntos que tratarías en tu lengua materna, y después redactar esos puntos en español.

● ● ● ● ● 🕐 Pon el reloj.

- Redacte una carta de 150-200 palabras (15-20 líneas).
- Usted va a realizar el sueño de su vida: hacer un viaje a un lugar lejano. Escriba a un amigo/a una carta en la que:
  - Exprese el motivo por el que le escribe.
  - Le cuente cómo decidió hacer ese viaje.
  - Explique a dónde va a ir, cómo, cuánto tiempo, etc.
  - Proponga a su amigo/a una cita para cuando usted haya regresado.

● ● ● ● ● 🕐 ¿Cuánto tiempo has tardado? Anótalo aquí: ___

Tarea 3

Análisis de dos cartas informales sobre un mismo tema

- Ahora vas a leer las cartas de dos candidatos en respuesta a estas instrucciones:

- Usted acaba de recibir la invitación de un amigo para asistir a su boda. En esas fechas usted se encontrará de viaje. Escríbale una carta en la que deberá:
  - Felicitarlo.
  - Manifestar su sorpresa.
  - Decirle que no podrá asistir.
  - Explicar el porqué.
  - Proponerle un encuentro posterior.

- Después de leer, intenta responder a las preguntas que te formulamos.

● ● ● ● ● 🛈 ¡Ojo! Contiene errores.

Querido Evaldas,

Estoy muy feliz que tu quieres casarte con Daiva. Vosotros siempre eran una pareja muy simpática. Pero me has sorprendido. Esperaba que su boda fuera en Noviembre, no en Junio.

Muchas gracias por la invitación, pero unfortunadamente yo no puedo asistir a tu boda. El día de su boda tengo un viaje muy importante. Mi jefe me había dicho que tengo que viajar a Roma para negociar un nuevo contracto con una compaña italiana. Si no me voy, voy a perder mi trabajo. Sabes que difícil es encontrar un buen trabajo ese días. Si no has elijido el lugar de la boda te puedo ayudar eligir una buena compaña para organizar la boda y para buscar un buen lugar ¿sí? Entonces, si quieres, te puedo enviar algunos datos sobre un lugar y la compaña en la que puedes confiar.

Cuando regreso de Roma nosotros tenemos que hacer encuentros después de su boda. Por ejemplo el primer martes después de la boda y en ese día me vas a decir todo. Te prometo que te voy a traer un regalo de Italia. Que tengas un buen tiempo y una boda muy buena.

Vytas

- ¿Qué aspectos positivos encuentras?

....

¿Qué podrías mejorar?

....

• • • • • ¡Ojo! Contiene errores.

Querido Pierre:

Te escribo para responder a tu invitación para la boda. Me soprendió mucho la información. Sabía que tú y Marie habíais salido juntos desde terminar la escuela secundaria, pero no pensaba que os casaríais este año.

Querría muchísimo asistir a vuestra boda, pero desgraciadamente no puedo. Mi jefe me ordenó hacer un viaje a Alemania, así que durante tu boda estaré en Berlin. Preferiría ir a tu boda pero sabes, no puedo negarme a los órdenes de mi jefe. Este viaje es muy importante para mi empresa, dado que vamos a negociar un contracto muy grande.

Lamento no poder asistir y por eso te propongo que nos veamos después de vuestro viaje de boda. Me encantaría verte a ti, y a Marie también, porsupuesto. Puedo ir a visitaros en agosto o septiembre, cuando termine es asunto de empresa alemana. Vosotros podéis visitarme a mí, si queréis. Elige tú.

Me alegro de que te cases con Marie, aunque me entristece no poder ir a vuestra boda. ¡Felicitaciones! Espero que seáis felices juntos.

Escríbeme qué tal la fiesta de boda y el viaje.

Un beso muy grande para ti y para Marie.

Blanche

- ¿Qué aspectos positivos encuentras?

....

¿Qué podrías mejorar?

....

- Para terminar esta Sesión te proponemos un ejercicio en el que pongas en práctica todo lo que hemos trabajado. Escribe siguiendo las instrucciones y teniendo en cuenta todas las reflexiones previas. Cuando termines, analiza tu carta con las preguntas que hemos visto en la tarea 1. Y si tienes algún amigo hispanohablante o un profesor de español, muéstrale la carta y pídele que te comente qué puedes mejorar.

• • • • • Pon el reloj.

- Usted acaba de recibir la invitación de un amigo que vive en otra ciudad para ir a la fiesta de inauguración de su casa. Escríbale una carta en la que deberá:
    – Darle la enhorabuena por su nueva casa.
    – Confirmarle su asistencia.
    – Preguntarle si puede quedarse en su casa esa noche.
    – Preguntarle qué necesita para la nueva casa y proponerle algo.

• • • • • ¿Cuánto tiempo has tardado? Anótalo aquí: ___

- Analiza tu carta con ayuda de las preguntas que aparecen en la tarea 1 (pág. 112). Si tienes algún amigo hispanohablante o un profesor de español, muéstrale la carta y pídele que te comente qué puedes mejorar.

Claves

Tarea 1

Las instrucciones: 1- No; 2- Sí; 3- Sí; 4- No (Hay unos cuantos datos, pero no una verdadera descripción de la casa, no sabemos cuántas plantas tiene, cuántas habitaciones, su estado –si necesita o no reformas–, si tiene o no muebles, si es soleada, dónde está situada...); 5- Sí (invita a un amigo a visitarlo); 6- No (tiene menos, unas 130).
La forma y la adecuación: 1- Sí (aunque le falta la fecha y el lugar de donde escribe); 2- Sí y No; 3- No; 4- No; 5- No.

Tarea 3

Comentario y corrección de las cartas

Primera carta.

Aspectos positivos. La carta responde a la estructura de carta y se ajusta al número de palabras exigido. Responde a todas las instrucciones, aunque la manifestación de sorpresa está poco desarrollada. La carta parece una carta real, podría ser la carta de un hablante no nativo de español en respuesta a una invitación real de boda y en numerosas ocasiones se refiere al destinatario (*me has sorprendido, sabes que difícil es encontrar un buen trabajo en nuestros días, si no has elegido el lugar de la boda, te puedo ayudar...*).

Mejorar. La propuesta de ayuda es algo positivo (aunque normalmente cuando se envían las invitaciones el lugar ya está elegido), pero debería desarrollarse en un párrafo aparte. Además, hay demasiadas repeticiones, la propuesta no resulta bastante clara, y hay bastantes errores gramaticales (formas verbales, repeticiones, abuso de pronombres, confusiones de posesivos) y de vocabulario: *unfortunadamente, contracto, elijido, compaña*, etc.

Vilnius, 3 de abril de 2005

Querido Evaldas:

Estoy muy feliz de que quieras casarte con Daiva. Siempre me habéis parecido una pareja muy simpática. Pero me ha sorprendido la fecha: esperaba que vuestra boda fuera en noviembre, no en junio.

Muchas gracias por la invitación, pero desafortunadamente no puedo asistir. El día de vuestra boda tengo un viaje muy importante. Mi jefe me había dicho que tengo que viajar a Roma para negociar un nuevo contrato con una compaña italiana. Si no me voy, me arriesgo a perder mi trabajo. Y ya sabes qué difícil es encontrar un buen trabajo hoy en día.

Por cierto, si todavía no has elegido el lugar en que vas a celebrar la boda, te puedo recomendar un buen sitio, y te puedo dar los datos de una buena compaña organizadora de bodas en la que puedes confiar.

Después de vuestra boda, cuando regrese de Roma tenemos que quedar, así me lo cuentas todo. Por ejemplo, el primer martes después de la boda, ¿qué te parece? Te prometo que te (os) voy a traer un regalo de Italia.

Que disfrutes de la boda y que lo pases muy bien.

Vytas

Segunda carta

Aspectos positivos. La carta responde a la estructura de carta y se ajusta al número de palabras. Responde a todas las instrucciones. La carta *parece* una carta real, podría ser la carta de un hablante no nativo de español en respuesta a una invitación real de boda, reitera la felicitación y lo mucho que lamenta no poder asistir y en numerosas ocasiones se refiere al destinatario. Hace un buen uso de los conectores (*pero, así que, dado que, por eso, aunque*).

Mejorar. Hay algunos errores gramaticales y léxicos que no entorpecen la comunicación.

Querido Pierre:

Te escribo para responder a tu invitación a la boda. Me sorprendió mucho la noticia. Sabía que Marie y tú salíais juntos desde que terminamos la escuela secundaria, pero no pensaba que os fuerais a casar este año.

Me encantaría asistir a vuestra boda, pero desgraciadamente no puedo. Mi jefe me ordenó hacer un viaje a Alemania, así que durante tu boda estaré en Berlin. Preferiría ir a tu boda pero ¿sabes? no puedo negarme a los órdenes de mi jefe. Y además este viaje es muy importante para mi empresa, dado que vamos a negociar un contrato muy grande.

Lamento no poder asistir y por eso te propongo que nos veamos después de vuestro viaje de novios. Me encantaría verte, y a Marie también, por supuesto. Puedo ir a visitaros en agosto o septiembre, cuando termine el asunto de esa empresa alemana. También podéis visitarme vosotros, si queréis. Elige tú.

Me alegro de que te cases con Marie, aunque me entristece no poder ir a vuestra boda. ¡Enhorabuena! Espero que seáis felices juntos.

Escríbeme qué tal la fiesta de boda y el viaje.

Un beso muy grande para ti y para Marie.

Blanche

Sesión 21: Expresión escrita

Descripciones

La redacción de la prueba de Expresión escrita puede presentar consignas muy diferentes pero siempre dentro de estos límites aproximados: contar experiencias y anécdotas (positivas y negativas), explicar opiniones y gustos sobre temas muy diversos (problemas del mundo actual, ideas generales como la generosidad o la amistad), defender una idea o una postura (a favor o en contra), y hacer descripciones de personas, lugares o cosas. Para saber con más detalle qué puedes encontrar, tienes en la Sesión 0, pág. 12, la lista de situaciones y temas que ofrece el Instituto Cervantes.

En todos los casos, una de las dificultades principales es el aspecto creativo de la escritura. Pero además, cada tipo de texto tiene sus dificultades lingüísticas particulares. Reflexiona un momento sobre esta pregunta: ¿qué tipo de dificultades pueden tener esos tipos de textos? Completa esta tabla.

Segunda vuelta

	Tipo de texto*	Posibles dificultades lingüísticas
Opción 1	Textos que cuentan una anécdota, una experiencia, un recuerdo, un viaje, etc.	A. ....
Opción 1	Textos que describen lugares, personas u objetos.	B. ....
Opción 2	Textos que desarrollan una opinión.	C. ....
Opción 2	Textos que defienden una postura.	D. ....

* En general se suele combinar en esta prueba una opción del primer grupo con otra del segundo.

- En esta Sesión de trabajo nos vamos a centrar en uno de esos tipos de texto: la descripción de personas, lugares y cosas. Como verás, la sesión consta de tres textos y una tarea. Los textos ejemplifican, cada uno de ellos, un problema diferente.

Tarea 1

- Observa bien la instrucción del examen y el texto correspondiente y piensa qué tipo de problema puede tener.

- ¿Recuerda el regalo de su infancia que más le gustó? Escriba una redacción en la que:
  - Explique en qué circunstancias le hicieron el regalo.
  - Describa cómo era ese regalo.
  - Diga quién y por qué se lo regaló.
  - Añada qué pasó con el regalo, dónde y cómo está ahora.

● ● ● ● ● ● ❗ ¡Ojo! Contiene errores.

Los zapatos verdes

Cuando era niña mi padre viajaba mucho. Siempre me compró regalos de sus viajes, porque sabía que yo estaba esperando los, imaginando como fueron. Una vez, cuando volvió de Canadá, me daba los zapatos verdes. Eran muy preciosos. A mí parecían estupendos, mágicos. Eran para los niños. Tenían flores de color roja. Cuando fui a la escuela, pensé que todos me miran, que soy una princesa. Otros niños no tenían los zapatos como míos. Eso también les hacía diferentes niños.

Una día quería mostrar los a mi abuelo. Cuando miró en un armario no eran allí. Buscamos en todos los armarios y habitaciones en casa. No los encontrabamos nunca. Pienso que alguien me los robó. El secreto de los zapatos verdes está desconocido hasta hoy.

• Probablemente has detectado automáticamente qué tipo de problemas tiene. Fíjate también en otros aspectos del texto. Aprovecha la siguiente tabla.

		Sí	No
1. ¿Tiene errores de vocabulario que dificultan u obstaculizan la comprensión del texto?		☐	☐
2. ¿Tiene errores de gramática que dificultan u obstaculizan la comprensión del texto?		☐	☐
3. ¿La estructura del texto es tan confusa que no se puede seguir el hilo de la descripción?		☐	☐
4. ¿Usa palabras que no corresponden al tipo de texto y situación (falta de adecuación)?		☐	☐
5. ¿El texto sigue todas las instrucciones, incluido el número de palabras?		☐	☐

Tarea 2

• Observa bien la instrucción del examen y el texto correspondiente y piensa qué tipo de problema puede tener.

> • ¿Existe en su ciudad un lugar especial en el que, por las razones que sean, se siente especialmente bien? Elabore un escrito en el que:
> – Explique dónde se encuentra ese sitio.
> – Describa su aspecto y su ambiente.
> – Explique las razones por las que le gusta.
> – Cuente cuándo estuvo por última vez.

• • • • • • ¡Ojo! Contiene errores.

Hay muchos lugares sea en esta ciudad, en este país o en la tierra entera donde uno puede sentirse bien, relajado, incluso feliz.

Hay lugares por los que uno pasa que son rincones mágicos. Un lugar especial es el que tiene algo de mágico al entrar.

Reconocer un lugar especial es un proceso instantáneo y intuitivo. Al entrar te sientes una emoción, algo dentro de ti se despierta, quizá un recuerdo de la infancia o un sentimiento extraño, algo te trae a la memoria momentos muy especiales. Te entras y ya sabes: es aquí. Te sientas, tomas un café, y desaparece todo el mundo con su prisa, con todos los autobuses perdidos, exámenes suspendidos y novios enfadados. Estás sola tú allí, en aquel momento. Un momento de tu vida. Estar allí me acuerda de que la vida es corta y que cada un momento vale mucho, porque cada un puede ser mágico, inolvidable.

Es allí donde todo el estrés desaparece y vuelvan las fuerzas para luchar contra el mundo.

Es el tiempo de enfocarme en mi mismo, mis necesidades y sentimientos. De volver a hablar con mi "dentro", con mi "interno". Puedo estar ahí muchas horas y no me canso.

La gente que está allí parece olvidarse del mundo también. Nadie tiene prisa y todos sonríen.

La última vez cuando estaba allí fue hace una semana. Compré un libro.

• Analiza el texto con la misma tabla de antes:

		Sí	No
1. ¿Tiene errores de vocabulario que dificultan u obstaculizan la comprensión del texto?		☐	☐
2. ¿Tiene errores de gramática que dificultan u obstaculizan la comprensión del texto?		☐	☐
3. ¿La estructura del texto es tan confusa que no se puede seguir el hilo de la descripción?		☐	☐
4. ¿Usa palabras que no corresponden al tipo de texto y situación (falta de adecuación)?		☐	☐
5. ¿El texto sigue todas las instrucciones, incluido el número de palabras?		☐	☐

Tarea 3

- Observa bien estas instrucciones de un supuesto examen y el texto correspondiente, y piensa qué tipo de problema puede tener.

> - A todos nos ha pasado que nos hemos enamorado. Elabore un texto en el que explique:
>   – Quién fue su último amor.
>   – Cómo es.
>   – Qué defectos y virtudes le encuentra.
>   – Cuándo y dónde lo/la conoció.

● ● ● ● ●  ¡Ojo! Contiene errores.

Siempre había soñado con el amor a primera vista pero tenía que esperar hasta el veinte. Entonces, he conocido a K., desde hace 3 meses. Tome en cuenta que belleza es efímera pero me ha impresionado mucho su aspecto exterior. Es un hombre atractivo, musculoso..., simplemente está como un tren.

K. es un hombre maduro, alto, ancho de espaldas. Por supuesto, está bien proporcionado.

Por lo demás, las cualidades de su aspecto exterior que admiro más son: el cuerpo bronceado, la cara huesuda, la calvicie, los ojos almendrados, el lunar en su carillo y las piernas. Sin embargo, como cada uno de nosotros, tiene también los defectos. Por ejemplo, el nariz respingona, las orejas despegadas o las pies gruesos. No obstante, estoy enamorada como una loco, por lo tanto, no me importan sus defectos.

Me gusta mucho cuando guiña o echa un vistazo a hurtadillas a mí, y me vuelva loca cuando me acaricia con las puntas de los dedos. Su piel es tan blando, simplemente creada por las manos del Creador, para rozarlo.

En cuento a su manera de vestir, le gusta mucho la ropa deportiva. Yo no hago mucho caso. Es que parece majo aun cuando tiene la ropa echa jirones. Además, le viste un bien sastre.

A pesar de todos los razgos positivos de su aspecto exterior, no tiene mucho tiempo para mí. Su despertador siempre suena a las cinco de la mañana con excepción de los fines de semana. Después de levantarse, se despereza y bosteza por más o menos 15 minutos. Luego, pone la radio. Aunque llega al trabajo a todo correr, nunca logra a llegar a la hora. Normalmente pasa de 8 a 10 horas en la empresa. Mientras tanto, me envía mensajes.

Por fin de cuentas está en casa a las 9 de la noche y no puede tener en pie de fatiga. Descansa un poco, saca el perro a pasear. Acto continuo refunfuña y se queja de su vida al desnudarse. Pone el despertador a las 5, apaga la luz y se va a acostar. Aprieta al oso de felpe y cierra los ojos. Lo peor es que ronca mientras duerme.

Por suerte, esta rutina fija cambia naturalmente durante los fines de semana y los viernes cuando se encuentra conmigo.

- Analiza el texto con la misma tabla de antes:

	Sí	No
1. ¿Tiene errores de vocabulario que dificultan u obstaculizan la comprensión del texto?	☐	☐
2. ¿Tiene errores de gramática que dificultan u obstaculizan la comprensión del texto?	☐	☐
3. ¿La estructura del texto es tan confusa que no se puede seguir el hilo de la descripción?	☐	☐
4. ¿Usa palabras que no corresponden al tipo de texto y situación (falta de adecuación)?	☐	☐
5. ¿El texto sigue todas las instrucciones, incluido el número de palabras?	☐	☐

- ¿Puedes marcar algunas palabras que creas que no van bien con el tipo de texto y la situación?

Tarea 4

- Aquí tienes tres instrucciones que corresponden a lo que hemos visto en esta Sesión. Elige una y escribe tu texto.

● ● ● ● ●  Consejos

Ten en cuenta algunos **consejos** que hemos visto en las sesiones 5, 6 y 20:

☐ Recordar los elementos importantes del ejercicio: seguir las instrucciones, vocabulario y gramática adecuados, estructura clara, número de palabras.

☐ Organizar bien el trabajo de escribir para no perder tiempo: borrador y texto definitivo, esquema y texto definitivo, o el procedimiento que mejor te vaya.

☐ Hacer una lista de palabras puede serte útil antes de empezar a escribir.

☐ Ideas sencillas, claras, bien organizadas. No es cuestión de sorprender, sino de hacer un ejercicio de examen.

Segunda vuelta

●●●●● 🕐 Pon el reloj.

Opción 1

- A todos nos ha pasado que hemos perdido algo y luego lo hemos recuperado. Escriba una redacción en la que:
  - Cuente qué perdió y en qué circunstancias.
  - Describa cómo era ese objeto.
  - Explique cómo lo recuperó.
  - Comente qué emoción le supuso.

Opción 2

- Todos tenemos en nuestro pasado alguna persona que ha influido más que las otras. Escriba una redacción en la que:
  - Describa a esa persona.
  - Cuente cómo la conoció.
  - Explique cómo ha influido en usted.
  - Diga qué relación tiene actualmente con esa persona.

Opción 3

- Es probable que usted guarde en su memoria dos lugares relacionados por algún motivo. Escriba un texto en el que:
  - Describa esos dos lugares.
  - Explique por qué los relaciona.
  - Cuente cuándo estuvo en esos sitios por última vez.
  - Cuente qué cambios han sufrido.

●●●●● 🕐 ¿Cuánto tiempo has tardado? Anótalo aquí: ___

- Aprovecha esta tabla para analizar tu texto.

	Sí	No
1. ¿La redacción tiene entre 150 y 200 palabras?	☐	☐
2. ¿El texto se centra realmente en describir una persona / un objeto / dos lugares?	☐	☐
3. ¿Has tenido problemas para seguir todas las instrucciones?	☐	☐
4. ¿Has podido desarrollar un hilo claro?	☐	☐
5. ¿Has tenido problemas para encontrar el vocabulario necesario?	☐	☐
6. Probablemente has redactado un borrador y el texto definitivo. ¿Has hecho muchos cambios al pasar de un texto a otro?, ¿has tenido dudas de corrección en las frases definitivas?	☐	☐
7. ¿Has tenido problemas con el tiempo?	☐	☐
8. ¿Has localizado errores en una segunda lectura, antes de anotar el tiempo?	☐	☐

- Anota aquí tus comentarios.
  ....
  ....

La importancia del tiempo

Compara ahora cuánto has tardado en escribir los textos de las cuatro sesiones de Expresión escrita. Haz un cálculo de lo que puedes necesitar de media durante el examen para escribir los dos textos. No te olvides de que dispones aproximadamente de una hora.

●●●●● 🕐 Mi tiempo para la prueba 2: ___

Para seguir preparándote

Si quieres continuar con la preparación del examen por tu cuenta después de terminar las sesiones de este manual y de la prueba de examen, aquí tienes algunas ideas y consejos para hacerlo.

 Consejos

☐ Plantéate la escritura como un proceso completo: imaginarse la situación, anotar las ideas principales, organizar-las, hacer una lista de palabras útiles, hacer una lista de fórmulas necesarias (por ejemplo, si es una carta, de salu-dos y despedidas), escribir un primer texto (borrador), pasarlo a limpio (texto definitivo), etc.

☐ Piensa qué es mejor, escribir muchos textos sin fijarse tanto en los errores posibles (para practicar la agilidad de la escritura); o escribir menos textos pero preocupándote más de la corrección, aunque la velocidad sea más lenta.

☐ Especialistas en la enseñanza de lenguas insisten en que para escribir bien hay que leer mucho. Lo difícil es encontrar textos que puedan servir como modelo. En este sentido, Internet puede ser una inagotable fuente de recursos.

Dónde encontrar textos.

• Aquí tienes una lista de algunos modelos de textos (cartas y redacciones) en español que se acercan a los que tienes que escribir en el examen. Los puedes encontrar en manuales de español de la Editorial Edinumen.

– *Prisma Progresa* (Nivel B1): pág. 46 (Un mensaje electrónico que da ánimos), pág. 79 (Texto de opinión), pág. 95 (Mensajes electrónicos que piden cosas), pág. 128 (Distintos tipos de cartas y mensajes), pág. 139 (Carta muy formal), pág. 148 (Carta que rechaza una invitación).

– *Prisma Avanza* (Nivel B2): pág. 12 (Cartas breves que piden y dan consejos), pág. 22 (Un mensaje electrónico que da información), pág. 53 (Una carta dando información), pág. 56 (Dos mensajes electrónicos, uno que da ánimos), pág. 85 (Cuatro tipos de cartas formales), pág. 154 (Una carta corregida), pág. 174 (Mensaje electró-nico que propone un viaje), pág. 146 (Redacción que cuenta un viaje).

• Además, si quieres practicar la escritura, aquí tienes una lista de posibles instrucciones de examen.

Parte 1: carta personal	Parte 2: redacción
– Redacte una carta de 150-200 palabras (15-20 líneas). – Escoja sólo una de las dos opciones que se le proponen. – Comience y termine la carta como si fuera real.	– Escriba una redacción de 150-200 palabras (15-20 líneas). – Escoja sólo una de las dos opciones que se le proponen.
1. • Usted tiene dos entradas libres para un concierto de ópera y decide invitar a un buen amigo al que no le gusta la música clásica. En la carta deberá: – Explicarle el motivo de la carta. – Indicarle las características del concierto: fecha, hora, intérpretes... – Convencerle para que le acompañe. – Pedirle una respuesta rápida.	**1.** • Todos tenemos algún o algunos libros que nos han impresionado más que otros. Piense en uno de sus favo-ritos y escriba un texto en el que cuente: – Cuándo y dónde lo leyó por primera vez. – De qué tipo de obra se trataba. – Brevemente su tema. – Por qué le ha impresionado más que otros.
2. • A usted le ha tocado un premio que consiste en una cena para dos personas en un restaurante muy lujoso en com-pañía de una persona famosa que usted puede elegir. Escriba una carta a una amiga o amigo. En ella deberá: – Contarle los detalles del premio. – Invitarla a ir con usted. – Pedirle que le ayude a pensar en la persona famosa que deberá acompañarlos. – Proponerle una cita para hablar del tema.	**2.** • "Los extranjeros residentes de larga duración deberían tener derecho a votar en las elecciones generales". Escriba un texto en el que exprese su opinión a favor o en contra de esta afirmación. En él deberá: – Exponer su opinión. – Dar algún ejemplo que justifique dicha opinión. – Hablar de algún caso que usted conozca. – Elaborar una breve conclusión.

Segunda vuelta

Parte 1: carta personal	Parte 2: redacción
1. • Usted acaba de recibir la invitación de un amigo o amiga para asistir a su despedida de soltero/a. En esas fechas usted estará en un congreso. Escriba una carta de contestación. En la carta deberá: – Felicitarlo. – Manifestar su sorpresa. – Decirle que no podrá asistir. – Explicar por qué y disculparse. – Proponerle un encuentro posterior.	**1.** • Usted tiene en el lugar donde vive un bar, un restaurante, un café favorito en el que, por diversas razones, se encuentra especialmente bien. Escriba un texto en el que: – Diga dónde está ese lugar. – Describa cómo es. – Explique por qué es especial para usted. – Cuente qué hizo allí la última vez que lo visitó.
2. • Usted ha realizado el sueño de su vida: irse a vivir a una pequeña casa en el campo. Escriba a un amigo/a una carta en la que: – Exprese el motivo por el que le escribe. – Cuente cómo descubrió la casa donde ahora vive. – Describa cómo es. – Proponga a su amigo/a que le haga una visita.	**2.** • A todos nos ha sucedido que en alguna ocasión hemos tenido mucha prisa y estrés. Escriba un texto en el que cuente: – Por qué tuvo prisa. – Dónde y cuándo ocurrió. – Cómo reaccionó. – Qué aprendió de esa experiencia.
1. • Usted ha ganado en un concurso un viaje al Caribe para dos personas con todos los gastos pagados. Escríbale una carta a una amiga suya invitándola a ir con usted. En la carta deberá: – Explicarle cómo consiguió el viaje. – Indicarle las características del viaje: fechas, alojamiento, duración. – Convencerla para que le acompañe. – Pedirle una respuesta rápida.	**1.** • Todos hemos visto alguna vez en una película una escena especial que, por alguna razón, nos resulta difícil de olvidar. Escriba un texto en el que cuente: – Dónde tenía lugar esa escena. – Quiénes aparecían en ella. – Qué pasaba. – Por qué era especial.
2. • Usted es el encargado de la organización de un viaje de fin de curso de su clase. Escriba a un amigo que vive en la ciudad que usted ha elegido para el viaje pidiéndole consejo. En la carta deberá: – Saludarlo. – Indicar el motivo de su carta. – Interesarse por posibles alojamientos. – Proponerle actividades. – Solicitar su opinión.	**2.** • Es posible que alguna vez haya tenido algún problema o algún malentendido con un superior (un jefe, un profesor, etc.). Escriba un texto en el que cuente: – Cuál fue ese problema o malentendido. – Dónde y cuándo tuvo lugar. – Cómo se solucionó. – Qué aprendió de esa experiencia.

Claves

Posibles dificultades lingüísticas:

A. Fundamentalmente, los pasados (*canté / cantaba / había cantado*), los marcadores temporales (*entonces, a los dos días, poco después*) y discursivos (*sin embargo, por un lado, en cambio,* etc.) En vocabulario, por ejemplo, los verbos de movimiento.

B. Diferencia entre *ser* y *estar*, el artículo y los demostrativos (*este / ese*), preposiciones de lugar, uso del imperfecto (*era, había*). En vocabulario, sobre todo adjetivos de descripción (carácter, colores, formas, etc.).

C. Expresión de la opinión (*me gusta, me parece, para mí, en mi opinión*), expresión de ideas genéricas, marcadores discursivos (*por un lado, sin embargo, a pesar de,* etc.), la organización de las ideas. Usos del subjuntivo (por ejemplo, *no creo que* + subjuntivo, *es importante que* + subjuntivo, etc.) y del condicional.

D. Expresión de la postura (*estar a favor, estar en contra*), expresión de la opinión, marcadores discursivos, usos del subjuntivo, condicionales. La organización de las ideas.

En las sesiones 13 y 28 tienes referencias bibliográficas para estos y otros temas de gramática.

Claves

Tarea 1

1- No; 2- Sí [Éste es el principal problema del texto. Confunde continuamente los usos de los tiempos del pasado. Abajo tienes una propuesta de corrección, pero no es la única posible. Hay también algunos errores de vocabulario]; 3- No; 4- No; 5- No.

Los zapatos verdes

Cuando era niña mi padre viajaba mucho. Siempre me traía regalos de sus viajes, porque sabía que yo estaba esperándolos, imaginando cómo serían. Una vez que volvió de Canadá, me trajo unos zapatos verdes. Eran preciosos. A mí me parecían estupendos, mágicos. Eran para niños. Tenían flores de color rojo. Cuando fui a la escuela, pensé que todos me miraban / mirarían, que era una princesa. Los otros / los demás niños no tenían unos zapatos como míos. Eso también les hacía diferentes.

Un día quería / quise mostrárselos a mi abuelo. Cuando miré en el armario no estaban allí. Los buscamos en todos los armarios y habitaciones de la casa. No los encontramos. Pienso que alguien me los robó. El misterio de los zapatos verdes permanece sin desvelar hasta hoy.

Tarea 2

1- No; 2- No; 3- No [Éste no es el principal problema del texto, aunque también es importante. Especialmente el principio es algo confuso, parece que no sabe por dónde empezar]; 4- No; 5- No [Éste el principal problema del texto. La única instrucción que sigue es la última, y el párrafo parece estar separado del texto. Además, tiene más de 200 palabras. Fíjate en que el texto está bastante bien escrito y la persona de hecho tiene incluso un nivel superior al necesario (en el nivel Intermedio no se exige escribir sobre temas abstractos ni redactar textos literarios), pero al no seguir las instrucciones tendrá peor nota. Si no tienes un esquema muy claro de lo que quieres escribir te puede pasar lo que ha pasado en el ejemplo. Te aconsejamos que sigas las instrucciones porque es la manera más fácil de no perder el hilo].

Tarea 3

1- Sí; 2- No; 3- No; 4- Sí [Éste es el principal problema del texto. Usa palabras y expresiones inapropiadas: algunas no son de textos descriptivos más o menos objetivos *(está como un tren, el lunar en su carrillo)*, otros no se usan con el valor que tienen realmente *(huesudo, o grueso, o la calvicie,* no son rasgos atractivos en español), comparaciones y adjetivos muy artificiales, como tomados del diccionario *(a hurtadillas, la ropa hecha jirones)* o que no corresponden a lo que el candidato quiere expresar, bien por desconocimiento de su significado, o del contexto en el que se usa. El efecto puede ser bastante cómico para un nativo por la mezcla de registros y estilos: formal, informal, subjetivo, objetivo, incluso arcaico]; 5- No [Tiene demasiadas palabras. No es necesario hablar de todo, sólo de lo que hay que hablar. Además, no explica dónde y cuándo lo conoció].

Sesión 22: Comprensión auditiva

Facturas telefónicas

En esta sesión vas a trabajar la dificultad de comprender explicaciones de conceptos y procedimientos y, junto a eso, aspectos que has visto anteriormente: el vocabulario del texto, la dificultad de las preguntas.

Tarea 1

Activa tu conocimiento previo sobre el tema

¿De qué puede tratar el texto? Ya sabes que los textos duran unos 4 minutos. A partir del título y el subtítulo, haz una lista de los temas que crees que pueden aparecer en la audición. Haz un pequeño vocabulario relacionado con el tema y redacta tus frases. Fíjate en el ejemplo.

Nuevas tarifas telefónicas

A continuación escuchará una noticia sobre la subida de tarifas telefónicas.
Adaptado de *Radio 5*

Va a hablar de precios de llamadas telefónicas, y de servicios de la compañía.
....
....

Conceptos y procedimientos

- En las preguntas propuestas, vas a ver que es necesario entender descripciones de conceptos y procedimientos. Vamos a trabajar ese tipo de textos. En la siguiente audición vas a oír la descripción de cuatro conceptos y cuatro procedimientos relacionados con facturas y envíos. Anota junto a cada palabra el número de la descripción correspondiente. Luego, vuelve a escucharlo y copia las ideas fundamentales.

Escucha dos veces la pista n.º 8
8

Nombre	n.º	Descripción
IVA		
Usuario		
Abono		
Importe		
Pago domiciliado		
Envío certificado		
Acuse de recibo		
Darse de alta / de baja		

- ¿Qué vocabulario y qué fórmulas se han usado en las explicaciones? Haz una pequeña lista.

  ....

  ....

- Responde ahora a las preguntas de la audición.

Escucha dos veces la pista n.º 9

9 Nuevas tarifas telefónicas

A continuación escuchará una noticia sobre la subida de tarifas telefónicas.

Adaptado de *Radio 5*

1. **Según el texto, la compañía telefónica va a subir las tarifas un 2% por consejo del Gobierno.**
   - ☐ a. Verdadero.
   - ☐ b. Falso.

2. **Por lo que dice el texto, la Línea Básica es lo mismo que la cuota de abono.**
   - ☐ a. Verdadero.
   - ☐ b. Falso.

3. **Por lo que dice el texto, para dejar de pagar la Línea Básica, se recomienda no darse de baja mediante una llamada telefónica.**
   - ☐ a. Verdadero.
   - ☐ b. Falso.

Análisis del ejercicio

	Sí	No
• He podido mantener la concentración porque la audición tenía información que esperaba.	☐	☐
• He comprendido perfectamente la descripción de conceptos y procedimientos.	☐	☐
• Me he vuelto a bloquear en un punto de la audición y he perdido el hilo.	☐	☐
• Me ha ayudado haber leído primero las preguntas y escuchar luego la grabación.	☐	☐
• La segunda vez que he escuchado la grabación he podido completar la información que me faltaba.	☐	☐

- ¿Qué puedes hacer para mejorar los resultados? Anota aquí tus comentarios.

  ....

  ....

Tarea 2

Detectando palabras

- Vas a ver una segunda tanda de preguntas que se centran más en palabras concretas del texto. Para ello, primero vas a hacer otro ejercicio de detección de palabras. Escucha la audición otra vez y marca en la siguiente lista las palabras que oigas.

Escucha otra vez la pista n.º 9

9

☐ nos parezcan	☐ a nuestro domicilio	☐ que suponga que
☐ precariamente	☐ la conexión telefónica	☐ qué pasos debe seguir
☐ está envidiando	☐ servicios emparejados	☐ acuse de recibo
☐ costará	☐ ustedes se dejan	☐ el pago habitual
☐ una verdad aparte	☐ perjudica	☐ restituirle el aparato
☐ una media del 1%	☐ sigue expresando	☐ no hace falta
☐ mientras que	☐ inaceptable	☐ que él se desplace
☐ para la Línea Básica	☐ se nos presente	☐ recuperarle el terminal
☐ sumar un incremento	☐ totalmente desproporcionadas	☐ la diferencia de precio es habitual

⊗ Escucha otra vez la pista n.º 9

9 Nuevas tarifas telefónicas

A continuación escuchará una noticia sobre la subida de tarifas telefónicas.

Adaptado de *Radio 5*

1. **Según la audición, las llamadas de fijo a móvil suben al mismo tiempo que el resto.**
   - ☐ a. Verdadero.
   - ☐ b. Falso.

2. **Según la audición, el portavoz de FACUA dice expresamente que no le parece bien que vuelvan a subir el precio de las llamadas.**
   - ☐ a. Verdadero.
   - ☐ b. Falso.

3. **Por lo que dice la audición, si una persona sólo quiere pagar la línea, deberá llevar el teléfono de alquiler a la compañía de teléfonos.**
   - ☐ a. Verdadero.
   - ☐ b. Falso.

- ¿A qué palabras de la lista de arriba corresponden las preguntas? Márcalo en la misma lista.

Análisis del ejercicio

	Sí	No
• He podido mantener la concentración porque la audición tenía información que esperaba.	☐	☐
• He comprendido perfectamente la descripción de conceptos y procedimientos.	☐	☐
• Me he vuelto a bloquear en un punto de la audición y he perdido el hilo.	☐	☐
• Me ha ayudado haber leído primero las preguntas y escuchar luego la grabación.	☐	☐
• La segunda vez que he escuchado la grabación he podido completar la información que me faltaba.	☐	☐

- ¿Qué puedes hacer para mejorar los resultados? Anota aquí tus comentarios.

  ....

- Ahora que has escuchado el texto cuatro veces, ¿te atreverías a redactar tu pregunta?

  1. ....
     - ☐ a. Verdadero.
     - ☐ b. Falso.

Tarea 3

Otros procedimientos

- ¿Qué se hace en tu país para encontrar trabajo?, o si llega a tu casa una carta que no es para ti, ¿qué haces? La manera de resolver pequeñas tareas cotidianas pueden cambiar mucho de unos países a otros. En esta actividad vas a practicar la explicación de procedimientos que no tienen que ser tan técnicos o administrativos como los de la audición. Vas a ver un ejemplo. Corresponde a una de las tres situaciones que se te ofrecen debajo del texto. Marca la que creas que le corresponde a la explicación.

A veces puede ser un poco complicado en este país. Como extranjera, no termino de entender del todo el mecanismo. Parece que primero hay que empezar con preguntas indirectas del tipo "¿Qué vas a hacer el sábado?", así el otro ya sabe qué pretendes y puede prepararse. Luego, tampoco puedes atacar directamente, tienes que dar vueltas, como "No tengo nada que hacer y había pensado que..." o algo así. Y cuando ves que la otra persona abre los ojos y te escucha con atención, aunque diga que no sabe, que lo va a pensar, tú no hagas caso y plantéale el tema directamente. Si dice que sí, entonces viene la segunda parte, que es decidir dónde y cuándo, pero esa es otra historia.

(Martha Roth, 24 años, arquitecta, residente en España desde hace 4 años).

1. **La chica está hablando del procedimiento para:**
   - ☐ a. recomendar algo a alguien;
   - ☐ b. invitar a alguien a hacer algo juntos;
   - ☐ c. disuadir a alguien de que haga algo que va a hacer.

- Para practicar este tipo de explicaciones, te proponemos una actividad de expresión oral, para lo cual te puede ir bien seguir los consejos de las Sesiones 14 y 15, así como grabarte para luego poder escucharte. La explicación no tiene por qué durar más de un minuto. Naturalmente también puedes hacer la actividad por escrito.
  1. ¿Qué se hace en tu país para rechazar una invitación que te ha llegado por carta?
  2. ¿Qué procedimiento se sigue en tu país cuando llega a tu casa una carta que no es para ti?
  3. ¿Qué se hace en tu país para que te envuelvan una compra en papel de regalo?
  4. ¿Qué se hace en tu país para invitar a amigos y conocidos a una boda o a un cumpleaños?
  5. ¿Cómo se hace en tu país para hacer una reclamación por un servicio mal prestado?
  6. ¿Cómo se hace en tu país para contratar una línea telefónica?
  7. Añade una situación parecida relacionada con el trabajo.
  8. Añade una situación parecida relacionada con las relaciones familiares.
  9. Añade una situación parecida relacionada con la administración pública.

Tarea 4

El teléfono es actualmente un medio de comunicación fundamental y, aunque nos facilita la vida, también es fuente de numerosas situaciones equívocas. Aquí tienes dos propuestas de Expresión escrita relacionadas con este tema. Aprovecha los consejos y las indicaciones que has visto en la Sesión 6, página 41 y en la Sesión 21, página 117.

● ● ● ● ● 🕐 Pon el reloj.

- Redacte un texto de 150-200 palabras (15-20 líneas).
- A todos nos han pasado cosas en relación con el teléfono (anécdotas, malentendidos...). Escriba una redacción en la que:
  – Explique algún malentendido relacionado con el teléfono.
  – Indique las circunstancias en las que tuvo lugar.
  – Resuma el diálogo o los diálogos que se produjeron.
  – Elabore una idea general sobre el uso del teléfono.
- Redacte un texto de 150-200 palabras (15-20 líneas).
- El teléfono es un medio de comunicación vital en nuestra sociedad del que a veces no se hace muy buen uso. Redacte un texto de opinión en el que exponga sus ideas sobre el teléfono:
  – Describa brevemente el funcionamiento de la red telefónica en su país.
  – Explique quién cree que usa más el teléfono, cuándo lo usa, y por qué lo usa tanto.
  – Explique su opinión sobre ese uso del teléfono en su país.
  – Elabore una breve conclusión.

● ● ● ● ● 🕐 ¿Cuánto tiempo has tardado? Anótalo aquí: ___

Claves

Tarea 1

Conceptos y procedimientos: 1- Envío certificado; 2- Acuse de recibo; 3- Abono; 4- Pago domiciliado; 5- I.V.A.; 6-Usuario; 7- Darse de alta / baja; 8- Importe.

Procedimiento por el que, de manera que, se va a, dispone de, consistente en, se indican, una vez realizado, notificar, en efecto, modo por el que, se realiza, de forma automática, a través de, ya sea ... o variable, por ejemplo, significa, recae, quien, se puede tratar de, puede referirse a.

Primera tanda de preguntas: 1- Falso (el incremento del 2% que el Gobierno ha propuesto afecta sólo a las cuotas de abono, no a todas las tarifas); 2- Falso (la llamada Línea Básica incluye la cuota de abono); 3- Verdadero.

Detectando palabras, palabras que se escuchan: nos parezcan; costará; una media del 1%; mientras que; sumar un incremento; a nuestro domicilio; la conexión telefónica; perjudica; inaceptable; totalmente desproporcionadas; que suponga que; qué pasos debe seguir; acuse de recibo; el pago habitual; no hace falta; que él se desplace.

Segunda tanda de preguntas: 1- Falso *(mientras que)*; 2- Verdadero *(inaceptable)*; 3- Falso *(no hace falta)*.

Tarea 3: Otros procedimientos: b- invitar a alguien a hacer algo juntos.

Sesión 23: Comprensión auditiva

Una nueva emisora de radio

En esta Sesión vas a trabajar la audición de una noticia. Verás aspectos ya trabajados como la predicción del tema y el vocabulario, el paso de la primera a la segunda audición y las preguntas centradas en el vocabulario. También aquí, como en otras sesiones, vas a escuchar dos versiones de la misma noticia. En el caso de la primera versión, vas a escucharla tres veces, y no dos como es lo normal.

Tarea 1

Activa tu conocimiento previo sobre el tema.

Una nueva emisora de radio

A continuación escuchará una noticia sobre el inicio de una emisora de radio especializada.

Adaptado de *Radio 5*

Va a hablar de los programas que va a emitir.

....

....

En la tabla siguiente tienes algunas frases extraídas de la noticia que vas a escuchar, junto a otras que no aparecen en ella. Tienes que escucharla dos veces. Durante la primera audición, tienes que marcar qué frases de la columna izquierda se escuchan. Las palabras pueden no ser las mismas exactamente. Durante la segunda, tienes que completarlas con lo que se dice en la noticia. Te aconsejamos que no uses la pausa, pero si lo necesitas para que te dé tiempo a escribir, no dudes en hacerlo.

 Escucha dos veces la pista n.º 10
10

Primera audición ¿Qué frases se dicen?	Segunda audición Completa esas frases
Todo ello fue posible gracias a la información Internacional, nacional, regional y municipal que...	A. ....
Radio 5 TN pudo así ampliar con esa reducida infraestructura...	B. ....
La nueva Radio 5 TN llenará de esta manera un vacío en la radiodifusión española, el de una emisora "todo noticias"...	C. ....
Antes sólo había un sistema para dar noticias procedentes de toda España,...	D. ....
Realmente, este tipo de emisoras, además de las emisoras "all news" norteamericanas, son...	E. ....
También en Gran Bretaña comenzó a emitir la cadena BBC Radio 5 Live, que...	F. ....
Asimismo, en Portugal, Italia y Alemania se desarrollaron proyectos de...	G. ....

• Responde ahora a las preguntas.

Escucha una vez más la pista n.º 10

10

Una nueva emisora de radio

A continuación escuchará una noticia sobre el inicio de una emisora de radio especializada.

Adaptado de *Radio 5*

1. **Según la grabación, *Radio 5 Todo Noticias*:**
   ☐ a. Se sirve de otras emisoras para obtener la información.
   ☐ b. Dispone de su propia redacción.
   ☐ c. Consiste en un grupo de 63 emisoras repartidas por todo el territorio nacional.

2. **Según la grabación, *Catalunya Informació*:**
   ☐ a. Es posterior a *Radio 5 Todo Noticias*.
   ☐ b. No emitía en español.
   ☐ c. Se podía escuchar en todo el territorio español.

3. **Según la grabación, cuando *Radio 5 Todo Noticias* salió al aire:**
   ☐ a. La *BBC Radio 5 Live* acababa de empezar a emitir.
   ☐ b. Portugal, Italia y Alemania ya tenían emisoras similares.
   ☐ c. *France-Info* se inspiró en ella como modelo para su propia programación.

Análisis del ejercicio

	Sí	No
• He podido mantener la concentración porque la audición tenía información que esperaba.	☐	☐
• He comprendido perfectamente las características de la nueva emisora.	☐	☐
• Me he vuelto a bloquear en un punto de la audición y he perdido el hilo.	☐	☐
• Me ha ayudado haber leído primero las preguntas y escuchar luego la grabación.	☐	☐
• La segunda vez que he escuchado la grabación he podido completar la información que me faltaba.	☐	☐

• ¿Qué puedes hacer para mejorar los resultados? Anota aquí tus comentarios.

....

....

Tarea 2

Detectando palabras

• Vas a ver una segunda tanda de preguntas que se centran más en palabras concretas del texto. Para ello, repetirás el ejercicio de detección de palabras que ya conoces. Escucha la audición una vez y al mismo tiempo marca en la lista las palabras que oigas.

• • • • • ⓘ **¡Atención!** El texto que vas a oír ahora es distinto del de antes.

Escucha una vez la pista n.º 11

11

☐ cobertura	☐ puede considerarse	☐ emitir
☐ radioyentes	☐ el representante más claro	☐ la cadena hermana española
☐ distraer	☐ totalmente la primera	☐ puesta en escena
☐ sin intervención	☐ hechos y sucesos	☐ se nutre de
☐ especializada	☐ durante	☐ hojas de prensa
☐ origen más remoto	☐ el efecto	☐ procedentes de
☐ emisoras	☐ se dedica	☐ grupo radiofónico
☐ paso interior	☐ en exclusividad a dar noticias	☐ atacan
☐ construye	☐ el territorio autonómico	☐ de esta manera
☐ cuyo	☐ recibidor	☐ dispone de
☐ se trata de	☐ a través de	☐ agentes de información

Segunda vuelta

- Contesta ahora a las preguntas.

⊙ Escucha otra vez la pista n.º 11

¹¹ **Una nueva emisora de radio**

    A continuación escuchará una noticia sobre en la que se habla de *Radio 5 Todo Noticias*.
    <small>Adaptado de *Radio 5*</small>

1. **Según la audición, el origen más antiguo de este tipo de emisoras está en:**
    ☐ a. Francia.
    ☐ b. Catalunya.
    ☐ c. Estados Unidos.

2. **La diferencia más importante con la emisora *Catalunya Informació*, según la audición, es que ésta:**
    ☐ a. da noticias exclusivas.
    ☐ b. se oye sólo dentro de una demarcación territorial concreta.
    ☐ c. usa además del castellano, el catalán.

3. **En relación con la procedencia de las noticias que ofrece, la audición nos informa de que esta emisora:**
    ☐ a. aprovecha la red de emisoras a la que pertenece *Radio 5 Todo Noticias*.
    ☐ b. dispone de agentes muy variados que le proporcionan la información.
    ☐ c. usa el mismo sistema que otras emisoras europeas.

Análisis del ejercicio

¿A qué palabras de la lista de antes corresponden las preguntas? Márcalo en la misma lista.

	Sí	No
• He podido mantener la concentración porque la audición tenía información que esperaba.	☐	☐
• Me ha ayudado el ejercicio de detección de palabras.	☐	☐
• Me he vuelto a bloquear en un punto de la audición y he perdido el hilo.	☐	☐
• Me ha ayudado haber leído primero las preguntas y escuchar luego la grabación.	☐	☐
• La segunda vez que he escuchado la grabación he podido completar la información que me faltaba.	☐	☐

• ¿Qué puedes hacer para mejorar los resultados? Anota aquí tus comentarios.

....

- Ahora que has escuchado el texto cuatro veces (en sus dos versiones), ¿te atreverías a redactar tú una pregunta?
4. ....
    ☐ a. ....
    ☐ b. ....
    ☐ c. ....

Tarea 3

Vocabulario de medios de comunicación

- El tema de los **medios de comunicación** puede aparecer no sólo en la prueba de comprensión auditiva, sino en cualquier prueba. Fíjate que es uno de los grandes temas que aparecen en la Sesión 0, pág. 12, en la lista que ofrece el Instituto Cervantes como orientación para la preparación del examen: *D. Tiempo libre. Aficiones; intereses personales; deporte; prensa; radio; televisión; actividades intelectuales y artísticas (cine, teatro, conciertos, museos, exposiciones)*. Por eso, vamos a ver vocabulario relacionado con el tema. Identifica en el siguiente grupo los términos relacionados con medios de comunicación.

☐ prensa rosa	☐ definición	☐ locutor	☐ programación
☐ usuario	☐ cartelera	☐ certificado	☐ acuse de recibo
☐ afluencia	☐ paparazzi	☐ el editorial	☐ cuota de audiencia
☐ periodista	☐ guionista	☐ artículo	☐ sensacionalismo
☐ domicilio	☐ importe	☐ oyente	☐ factura
☐ ocio	☐ reportaje	☐ espectador	☐ radiodifusión
☐ retransmitir	☐ sintonía	☐ entrevista	☐ cuota de abono
☐ emisora	☐ cadena	☐ noticias	☐ emitir

• Distribuye esas palabras y otras que conozcas tú en cuatro grupos: a) tipos de medios de comunicación, b) personas relacionadas con los medios, c) empresas especializadas y los productos que ofrecen, d) verbos. También puedes hacer un mapa de vocabulario.

Tarea 4

Aquí tienes un posible tema para la exposición de la prueba oral. Tienes 15 minutos para prepararla. Luego, grábala y escúchate. Puedes seguir los consejos y la tabla de análisis de la Sesión 15, pág. 90.

● ● ● ● ● 🕐 Pon el reloj.

• El poder de los medios de comunicación (Prensa, radio, televisión...)
  – ¿Tienen una gran importancia los medios de comunicación?
  – ¿Qué medio de comunicación le parece más eficaz?
  – ¿Son independientes los medios de comunicación?
  – ¿Cómo se imagina la comunicación del futuro?

● ● ● ● ● 🕐 ¿Cuánto tiempo has tardado? Anótalo aquí: ___

Segunda vuelta

Claves

Tarea 1
A. ...le facilitaban los 17 Centros Territoriales de RNE y sus 63 emisoras locales.
C. ...que ofreciera en todo momento las noticias actualizadas.
E. ...el antecedente más claro de Radio 5 Todo Noticias.
F. ...que nació pocos días antes que su homóloga española.
Preguntas: 1- a; 2- b; 3- a.

Tarea 2
Detectar palabras: *radioyentes; especializada; origen más remoto; emisoras; cuyo; se trata de; puede considerarse; hechos y sucesos; durante; se dedica; en exclusividad a dar noticias; el territorio autonómico; a través de; emitir; se nutre de; procedentes de; grupo radiofónico; de esta manera; dispone de.*
Preguntas: 1- c *(origen más remoto)*; 2- b *(el territorio autonómico)*; 3- a *(procedentes de; grupo radiofónico).*

Tarea 3
Tipos de medios de comunicación: *prensa rosa, sensacionalismo, radiodifusión.*
Personas relacionadas con los medios: *locutor, paparazzi, periodista, oyente, espectador.*
Empresas especializadas y los productos que ofrecen: *programación, cuota de audiencia, el editorial, artículo, reportaje, sintonía, entrevista, emisora, cadena, noticias.*
Verbos: *retransmitir, emitir.*

Sesión 24: Comprensión auditiva
Xochimilco

En esta Sesión de trabajo vas a escuchar tres textos que tratan el mismo tema pero desde perspectivas diferentes: un texto turístico, otro ecológico, y una noticia de la televisión. De las tres, la tercera es la que corresponde a las características del examen.

- Una de las dificultades que muchos candidatos encuentran en esta prueba se refiere a la sensación de no poder "agarrar" el texto, de que se escucha sin parar, pues no se puede dar al botón de pausa cuando uno lo necesita y volverlo a escuchar. Esa sensación puede poner muy nervioso, en especial cuando las preguntas se refieren a una palabra que desconocemos. Aquí vas a tratar esta cuestión. Por eso, te recomendamos especialmente que **no uses el diccionario** en toda la Sesión de trabajo para buscar palabras clave de las preguntas o del texto, y que si sueles usar la opción de pausa o de retroceso de tu equipo de sonido para volver a escuchar el texto, que lo hagas sólo en las dos primeras audiciones.

- Por otro lado, es verdad que escuchar un texto no es lo mismo que leerlo, pero muchas veces los textos que se escuchan en la radio o en la televisión han sido previamente escritos. De hecho, las dos primeras audiciones corresponden a textos escritos (proceden de varias páginas web). ¿Cómo crees que hay que escribir un texto para que luego sea escuchado y entendido? ¿Crees que eso influye en este examen o en su preparación? Anota aquí tus comentarios.

....

....

....

Tarea 1

Una idea para hacer una excursión
En 60 segundos haz mentalmente una lista de palabras posibles a partir del tema de la audición. Después escucha el texto.

....

....

Escucha dos veces la pista n.º 12

12 Una idea para hacer una excursión
A continuación escuchará una descripción de un lugar muy turístico de México.

1. **Por lo que dice el texto, las chinampas:**
   - ☐ a. se idearon para ser un mercado de flores muy competitivo.
   - ☐ b. forman una red de canales que sirven para el transporte y comercialización de productos agrícolas.
   - ☐ c. han sido creadas por los habitantes actuales del lugar que describe el texto.

2. **Según la audición, a lo largo del trayecto a través de las chinampas, el visitante puede:**
   - ☐ a. pasarlo bien en un ambiente de vendedores que se desplazan en sus barcas.
   - ☐ b. llevar su propia embarcación y decorarla con flores.
   - ☐ c. cantar junto a los mariachi que amenizan el recorrido.

3. **En la audición se nos dice que el parque ecológico de Xochimilco:**
   - ☐ a. se remodeló en 1993 para albergar un museo y un tren que facilitan la visita y dan información.
   - ☐ b. carece de un centro de información.
   - ☐ c. se creó para recuperar y mantener las chinampas.

Tarea 2

El agua de los lagos de México

En 60 segundos haz mentalmente una lista de palabras posibles a partir del tema de la audición. Después escucha el texto.

Escucha dos veces la pista n.º 13

13 El agua de los lagos de México

A continuación escuchará una explicación de un problema ecológico de la ciudad de México.

1. **Por lo que dice el texto de la audición, el lago de Xochimilco es un ejemplo destacable de:**
    ☐ a. pérdida grave de agua desde la década de los 70.
    ☐ b. la manera como se está acercando el desierto a la Ciudad de México.
    ☐ c. cómo se puede recuperar una zona amenazada.

2. **En la audición se nos dice que las chinampas cultivadas se encuentran:**
    ☐ a. en dos de las zonas descritas de Xochimilco.
    ☐ b. a lo largo de toda la zona que rodea al Distrito Federal.
    ☐ c. en las zonas ribereñas del lago de Xochimilco.

3. **Según el texto de la audición, los habitantes originales de las chinampas:**
    ☐ a. son los más interesados en recuperar las técnicas usadas tradicionalmente en las chinampas.
    ☐ b. han introducido técnicas de cultivo más modernas para sustituir a las tradicionales.
    ☐ c. se han visto obligados a emigrar al ser expropiados sus terrenos para el parque nacional.

Tarea 3

Escucha dos veces la pista n.º 14

14 Los canales de Xochimilco

A continuación escuchará una noticia sobre una zona de México.

Adaptado de *TVE La 2*

1. **Según el texto de la audición, Xochimilco representa actualmente:**
    ☐ a. un medio de defensa natural además de un medio de vida.
    ☐ b. una forma de vida que desapareció cuando desapareció el mundo azteca.
    ☐ c. el resto de algo de mucho mayor esplendor de lo que es hoy día.

2. **La audición comenta que la destrucción del ecosistema:**
    ☐ a. es paralela a la desaparición de anfibios raros y aves.
    ☐ b. es sólo en parte debida a la acción del ser humano.
    ☐ c. es consecuencia de la acción de los fertilizantes.

3. **Por lo que dice la audición, las antiguas chinampas aztecas:**
    ☐ a. servían a la población de axolotes para ampliar su ecosistema.
    ☐ b. se construían directamente sobre el agua, sin desecar el lago con tierra.
    ☐ c. se están manteniendo a pesar del desarrollo destructivo de la zona.

Análisis del ejercicio

	Sí	No
• He podido mantener la concentración porque la audición tenía información que esperaba.	☐	☐
• He comprendido perfectamente la noticia a pesar de no conocer la palabra clave.	☐	☐
• He seguido el hilo sin dificultad y sin bloquearme.	☐	☐
• Me ha ayudado haber leído primero las preguntas y escuchar luego la grabación.	☐	☐
• La segunda vez que he escuchado la grabación he podido completar la información que me faltaba.	☐	☐
• Las dos audiciones previas me han ayudado a resolver la prueba.	☐	☐

• ¿Qué consecuencias pueden tener para tu posterior preparación estos resultados? Anota aquí tus comentarios.

Segunda vuelta

Tarea 4

• La palabra clave en los tres textos era **chinampas**. ¿Sabes ahora qué son? Anota aquí tu definición (si quieres, puedes volver a escuchar las tres audiciones):

....

....

⊕ Puedes encontrar una definición en la pista n.º 15.
15

• ¿Se acerca mucho esa descripción a la que tú has hecho?

Tarea 5

• Las dos primeras audiciones están relacionadas con dos ámbitos: el turismo y la ecología. ¿Podrías hacer un mapa de vocabulario con palabras relacionadas con el **turismo**: visitas turísiticas, viajes organizados, etc.? Aquí tienes algunas.

☐ transporte	☐ agencia de viajes	☐ guías locales	☐ guías acompañantes
☐ asiento	☐ autocar	☐ comodidad	☐ aire acondicionado
☐ servicio de asistencia	☐ habitación doble	☐ seguro turístico	☐ habitación individual
☐ alojamiento	☐ reserva	☐ itinerario	☐ temporada alta
☐ salida	☐ estrellas	☐ tarifas	☐ temporada baja
☐ folletos	☐ duración	☐ destino	☐ lugares de interés
☐ visitas	☐ reclamación	☐ alojarse	☐ billete de avión

• ⊕ Vuelve a escuchar la audición número 13 y anota todas las palabras relacionadas con la **ecología** que oigas. Con
13 ellas y las que tú conozcas, confecciona un mapa de vocabulario.

Claves

Nuestro comentario a las dos primeras preguntas

¿Cómo crees que tiene que ser un texto para que luego sea escuchado y entendido?
El texto deberá ser sencillo y de estructura lineal, con un vocabulario asequible dentro de los límites del nivel, sin saltos de tema ni largas digresiones, y en la sintaxis con relativamente pocas oraciones subordinadas.

¿Crees que eso influye en este examen o en la preparación de éste?
Influye en dos sentidos. Por un lado, los textos originales proceden de la radio o de la televisión, y casi todos fueron escritos por un periodista o un especialista en la materia para ser escuchados. Respecto a las entrevistas, que en un primer momento se dieron como una conversación más o menos espontánea, fueron después transcritas, adaptadas y corregidas. Por otro lado, los textos de las audiciones también pasaron por un proceso de adaptación al nivel, lo que supone una nueva reescritura, siempre atendiendo al hecho de que van a ser escuchados, y no leídos. En este sentido, puedes aprovechar muchos de los textos escritos expresamente para ser escuchados en numerosos manuales de enseñanza de español como lengua extranjera de nivel intermedio y avanzado. Al final de la Sesión 25 encontrarás algunas propuestas concretas.

Tarea 1: 1- b; 2- a; 3- c.
Tarea 2: 1- c; 2- a; 3- a.
Tarea 3: 1- c; 2- a; 3- b.

Fuentes de los dos primeros textos sobre Xochimilco y de la definición de chinampas:
   http://www.xochimilco.df.gob.mx/
   http://www.mexicodesconocido.com.mx/espanol/index.cfm
   http://www.xochimilco.df.gob.mx/delegacion/index.html
   http://www.mexicocity.com.mx/xochim.html
   http://members.fortunecity.es/xochimilco/fiestas.html
   http://www.mexicodesconocido.com.mx/espanol/centros_y_monumentos_historicos/centro/detalle.

Sesión 25: Comprensión auditiva

Entrevista a Luis Sepúlveda

En esta Sesión vas a escuchar una entrevista en la que se nos cuenta la vida de una persona. ¿Cuál puede ser la dificultad principal de este tipo de audiciones? Anota tus ideas en este cuadro.

Escuchar textos narrativos		
Dificultades de gramática	Dificultades de vocabulario	Otras dificultades

Tarea 1

Antes de escuchar la del examen, vamos a practicar con una audición similar en la que se nos cuenta algo importante de la vida de dos personas. Escucha la conversación y contesta a las preguntas. Se trata de un fragmento de una película basada en una novela que trata sobre la vida de unos periodistas.

Escucha dos veces la pista n.º 16

16

Caso 1

1. ¿De qué profesión se trata?
   ....
2. ¿Fue una decisión meditada?
   ....
3. ¿Qué hacía antes de dedicarse a esa profesión?
   ....
4. ¿Qué circunstancias influyeron en la decisión?
   ....
5. ¿Qué actitud tiene ahora?
   ....

Caso 2

6. ¿De qué profesión se trata?
   ....
7. ¿Lo pensó mucho antes de decidirse?
   ....
8. ¿A qué se dedicaba antes?
   ....
9. ¿Por qué se decidió por esa profesión?
   ....
10. ¿Cómo describe ahora su profesión?
    ....

Adaptado de la película *Territorio comanche*, basada en la novela homónima de Arturo Pérez Reverte.

Tarea 2

En esta sesión te proponemos dos series de preguntas. Puedes responder a las dos, o elegir una de ellas. Recuerda que en el examen vas a encontrar sólo una serie con tres opciones en cada pregunta.

● ● ● ● ● ● ❗ Antes de escuchar la grabación, recuerda algunos **consejos**:

☐ Leer primero las preguntas.
☐ Hacer mentalmente una lista de palabras o temas posibles.

☐ Marcar palabras clave en las preguntas.

☐ Anotar en la primera audición datos o palabras para contrastar con las preguntas.

☐ Completar en la segunda audición los datos anotados en la primera.

☐ Marcar una respuesta provisional durante la primera audición y confirmar en la segunda.

Escucha dos veces la pista n.º 17

17 Luis Sepúlveda

A continuación escuchará una entrevista con el escritor chileno Luis Sepúlveda.

Adaptado de *La Vanguardia*

Primera serie de preguntas

1. Según lo que dice el escritor chileno en la entrevista, su vuelta al hotel en que nació:

☐ a. es el tema de una de sus novelas.

☐ b. está relacionado con su idea de la vida.

☐ c. fue fruto de una casualidad.

2. Respecto a su familia, Luis Sepúlveda cuenta que:

☐ a. una abuela tuvo el valor de hacer algo que no estaba bien visto por la sociedad.

☐ b. sus padres viajaban mucho gracias a su éxito en los negocios.

☐ c. otra abuela le daba extraños nombres a los animales.

3. El escritor explica que en este momento de lo que está más contento es:

☐ a. del lugar donde vive.

☐ b. de las personas que ha conocido.

☐ c. de poder decir que tiene la conciencia tranquila.

Segunda serie de preguntas

1. De su padre dice el escritor chileno que:

☐ a. hizo algo ilegal y tuvo que huir con su madre.

☐ b. ayudó a construir ferrocarriles.

☐ c. era un gran boxeador pero no tenía padrino.

2. Durante la entrevista se dice que la actividad de Luis Sepúlveda como escritor:

☐ a. fue una decisión que le costó mucho tomar.

☐ b. fue consecuencia de la vida de aventuras que llevaba.

☐ c. empezó en un periódico.

3. Respecto a Amnistía Internacional, Luis Sepúlveda dice durante la entrevista que:

☐ a. conoció en la organización a una mujer extraordinaria.

☐ b. su militancia en la organización era una atadura para él.

☐ c. esa organización le ayudó a salir de la cárcel.

Análisis del ejercicio

	Sí	No
• He podido mantener la concentración porque la audición tenía información que esperaba.	☐	☐
• He comprendido perfectamente los datos principales de la vida del entrevistado.	☐	☐
• Me he vuelto a bloquear en un punto de la audición y he perdido el hilo.	☐	☐
• Me ha ayudado haber leído primero las preguntas y escuchar luego la grabación.	☐	☐
• La segunda vez que he escuchado la grabación he podido completar la información que me faltaba.	☐	☐

• ¿Qué puedes hacer para mejorar los resultados? Anota aquí tus comentarios.

....

....

....

Tarea 3

Para la primera serie de preguntas

Usa el botón de pausa de tu aparato de sonido en este ejercicio si lo necesitas. Vuelve a escuchar la entrevista y copia la frase que corresponde a cada una de las tres respuestas correctas de la serie. Observa después las diferencias entre la pregunta y el texto.

Escucha una vez la pista n.º 17

17

Texto de la pregunta	Texto de la audición
1. Según lo que dice el escritor chileno en la entrevista, su vuelta al hotel en que nació está relacionada con su idea de la vida.	....
2. Respecto a su familia, Luis Sepúlveda cuenta que una abuela tuvo el valor de hacer algo que no estaba bien visto por la sociedad.	....
3. El escritor explica que en este momento de lo que está más contento es de las personas que ha conocido.	....

Tarea 4

Para la segunda serie de preguntas

• En la siguiente lista están las palabras necesarias para encontrar la respuesta correcta de la segunda serie de preguntas. Vuelve a escuchar la entrevista y marca en la lista las palabras que oigas. Compara después las palabras marcadas con las respuestas dadas a la segunda serie de preguntas.

Escucha otra vez la pista n.º 17

17

☐ bruto   ☐ todo un escándalo   ☐ el diario "Clarín"   ☐ una mujer igualitaria
☐ menor de edad   ☐ me contó historias   ☐ crónica policial   ☐ la militancia política
☐ lo demandó   ☐ palabras mágicas   ☐ piense en la radio   ☐ no quise ataduras
☐ huyan   ☐ un gracioso bandolero   ☐ pasó a la radio   ☐ no quería ataduras
☐ huyeron   ☐ me condenaron   ☐ películas de enredo   ☐ un territorio a salvo
☐ aventurero   ☐ le condenaron   ☐ escolta personal   ☐ antes de ese recorrido
☐ se metió en líos   ☐ me fugué   ☐ una pena de 28 años   ☐ qué queda
☐ el negocio de su vida   ☐ acabé en el desierto   ☐ me salvó   ☐ mi gran orgullo
☐ me dio un hijo   ☐ se hizo sindicalista   ☐ me salvé   ☐ te hace estar a la par
☐ cerrar círculos   ☐ me hice sindicalista   ☐ comience una peregrinación

• ¿Cuáles son las palabras que corresponden a las soluciones correctas de la segunda serie de preguntas?

• Ahora que has escuchado el texto cuatro veces, ¿te atreverías a redactar una pregunta? Puedes usar la transcripción de la entrevista que aparece en el apéndice de transcripciones.

1. ....

     ☐ a. ....

     ☐ b. ....

     ☐ c. ....

Cuestión de vocabulario

Un grupo de verbos frecuente en textos que cuentan vidas de personas, experiencias, etc., es el que se usa para expresar **cambios**. Aquí tienes una lista más o menos representativa y unas frases para completar con esos verbos. En algunos ejemplos vale más de un verbo.

- ❖ hacerse
- ❖ volverse
- ❖ convertirse en
- ❖ convertirse a
- ❖ acabar + GERUNDIO
- ❖ hacer de
- ❖ cambiar (de)
- ❖ transformarse en

1. Después de mucho estudiar, ... siendo lo que siempre había soñado: profesor, igual que su padre.

2. Empecé estudiando medicina, pero me di cuenta de que no servía para aquéllo, así que .... abogado, después de mucho estudiar, claro, y para esto sí que sirvo.

3. Mis ideas .... mucho a raíz de lo que pasó entonces, y .... en el agnóstico que soy hoy día, en cambio mi hermano .... no sé qué religión.

4. Siempre he intentado no acabar .... en lo que no quería ser, pero la presión de la familia era muy grande, y ellos vencieron al final.

5. Jaime, que es profesor y está muy cansado, ha decidido .... actividad y parece que durante una temporada va a .... taxista o algo por el estilo.

6. Bueno, en parte mi actitud hacia las religiones .... también a causa de que mi hermano, desde que .... a esa religión, lleva una vida muy alejada de su familia y de sus amigos.

7. Durante mucho tiempo, aunque de profesión era médico, ... camarero en un bar de barrio.

8. Aquella experiencia .... mucho mi manera de pensar, ... más abierto y comprensivo.

9. Gracias a su trabajo mi mejor amigo .... en una persona muy importante, pero .... muy distante y ha perdido muchas relaciones sociales.

10. Lucía .... enfermera a pesar de la opinión de los padres, que querían que .... en juez.

Para terminar, te proponemos dos ejercicios: uno de expresión escrita y otro de expresión oral. Aprovecha los consejos que hemos visto en las sesiones correspondientes.

● ● ● ● ● 🕐 **No olvides poner el reloj en cada caso.**

- Redacte un texto de 150-200 palabras (15-20 líneas).
- Todos tenemos alguna opinión sobre lo que es un genio. Escriba una redacción en la que:
  - – Exprese su opinión sobre el concepto de genio.
  - – Destaque los elementos más importantes de un genio.
  - – Ponga un ejemplo de la vida de una persona que usted considere un genio.
  - – Añada una conclusión breve sobre el asunto.

- La literatura
  - – ¿Cree que se lee suficiente literatura en nuestros días?
  - – ¿Qué escritores le gustan más? ¿Qué géneros?
  - – ¿Cree que tiene que haber una relación entre la vida del escritor y su obra?
  - – ¿Qué opina de las novelas que se convierten en "super-ventas"? ¿Cree que son de calidad?

Para seguir preparándote

Si quieres continuar con la preparación del examen por tu cuenta después de terminar las sesiones de este manual y de la prueba de examen, aquí tienes algunas ideas y consejos para hacerlo.

● ● ● ● ● ❗ Consejos

☐ En general, los mismos que para la Comprensión de lectura: escucha la mayor cantidad y variedad posible de textos breves (entre 200 y 350 palabras) adaptados al nivel. Realiza una labor de vocabulario semejante a la que hemos propuesto en la Sesión 19 y en las distintas sesiones de preparación de esta prueba. Anota las ideas principales. Escribe preguntas de comprensión de las audiciones y dáselas a compañeros de preparación o amigos hispanohablantes.

Dónde encontrar audiciones adaptadas al nivel

- Encontrar audiciones adaptadas al nivel y con preguntas como en el examen es aún más difícil que encontrar textos para preparar la prueba de Comprensión de lectura. Estos son algunos de los que puedes encontrar en manuales de la Editorial Edinumen:

  - *Prisma Progresa* (Nivel B1): pág. 17 (Entrevista), pág. 24 (Una biografía), pág. 27 (Hablar del pasado), pág. 60 (Entrevista), pág. 67 (Predicciones),pág. 73 (Resumen del argumento de una novela),pág. 101 (Descripción de una zona de América), pág. 113 (Una biografía), pág. 127 (Entrevista), pág. 134 (Descripción de enfermedades), pág. 142 (Servicios para mejorar el aspecto exterior de la gente), pág. 158 (Anuncios de la radio).
  - *Prisma Avanza* (Nivel B2): pág. 19 (Descripción de servicios públicos), pág. 57 (Descripción de un programa de radio), pág. 140 (Entrevista), pág. 163 (Entrevista).

- **Respecto a la red,** te recomendamos que escuches en especial programas de radio, no sólo programas en vivo sino también los que ofrecen las fonotecas de muchas emisoras. Aquí tienes algunas direcciones donde encontrar esas grabaciones: www.rne.es (España), www.cadenaser.es (España), www.continental.com.ar (Argentina), www.radiomitre.com.ar (Argentina), www.rtve.es/me/ree (buscar intercambios culturales, Hispanorama).

Claves

Escuchar textos narrativos
Dificultades de gramática: Reconocer los tiempos del pasado frente a los del presente. Marcadores temporales. Fechas.
Dificultades de vocabulario: No hay un vocabulario específico, sólo algunas palabras coinciden como *nacer, morir,* etc. Verbos de cambio (*hacerse, convertirse en,* etc.).
Otras dificultades: Entender y relacionar datos en una sucesión temporal. Desconocimiento de referentes históricos, geopolíticos, geográficos, etc.

Tarea 1
1- Traductora; 2- No; 3- Estaba terminando su tesis; 4- La guerra en su país, y que todos sus conocidos querían hacer algo útil; 5- Es escéptica sobre su futuro; 6- Fotógrafa de guerra; 7- No; 8- Trabajaba en organizaciones humanitarias; 9- Quería dejar constancia de lo que estaba viendo; 10- Como una dependencia ("estoy enganchada").

Tarea 2
Primera serie: 1- b; 2- a; 3- b.
Segunda serie: 1- a; 2- c; 3- c.

Tarea 3
Preguntas y audición. 1- *a los 40 años volví a aquel hotel* [donde nací]. *Me di el lujo de dormir en la cama en la que había nacido. Creo que la vida es un constante cerrar círculos.* 2- *la abuela italiana, una señorita muy fina que se enamoró de un indio mapuche y fue todo un escándalo.* 3- *Mi gran orgullo es tener muchos amigos.*

Tarea 4
Detectar palabras (las palabras que corresponden a las preguntas son las subrayadas, y el número entre paréntesis a la pregunta): menor de edad, lo demandó, huyeron (1), aventurero, el negocio de su vida, cerrar círculos, todo un escándalo, palabras mágicas, le condenaron, se hizo sindicalista, el diario "Clarín", crónica policial (2), escolta personal, una pena de 28 años, me salvó (3), la militancia política, no quería ataduras, un territorio a salvo, qué queda, mi gran orgullo.
Cuestión de vocabulario
1- acabó siendo; 2- me hice; me convertí en; acabé siendo; 3- cambiaron / me convertí; me transformé / se convirtió a; 4- acabar convirtiéndome; acabar transformándome; acabar convertido; acabar transformado; 5-cambiar de / hacer de; hacerse; convertirse en; volverse; 6- cambió / se ha convertido a; 7- hizo de; 8- cambió / me hice; me volví; 9- se ha convertido; se ha transformado / se ha vuelto; 10- se hizo / se convirtiera.
Comentario: Ten en cuenta que el uso de estos verbos de cambio depende de ciertas circunstancias sociales, lo cual hace que en nuestro ejercicio haya más de una posibilidad. Por ejemplo: "El presidente de la compañía acabó de conserje", no es lo mismo que "José se hizo conserje del ministerio", porque en el primero se expresa una pérdida de categoría social, mientras que en el segundo no tenemos suficiente información como para poder expresar esa idea. Y una última cosa: en algunos casos los verbos pueden ir en un tiempo verbal distinto al propuesto en estas claves.

Sesión 26: Gramática y vocabulario

Completar un texto

En esta Sesión te proponemos la misma mecánica que en la última tarea de la Sesión 11. Aquí tienes dos nuevos textos con huecos de gramática y vocabulario. El cuadro de análisis que está al final de la Tarea 2 también lo puedes usar para la Tarea 1.

Tarea 1

● ● ● ● ● ● 🕐 Pon el reloj.

El jefe de cocina, artista y profesional

Como todo el mundo come (o al menos debería hacerlo), y va a seguir recurriendo a .... 1 .... actividad .... 2 .... los siglos de los siglos, es evidente que la profesión de cocinero .... 3 .... mucho futuro. Aunque en un restaurante existen otras muchas tareas que abordar y responsabilidades que cubrir, la de jefe de cocina .... 4 .... absolutamente básica, pues es al .... 5 .... y al cabo el encargado de hacer comestibles los productos de la Naturaleza, proporcionando, de .... 6 ...., determinadas dosis de placer al comensal.

Asistimos con evidente satisfacción a la superación definitiva de la leyenda negra de la cocina española, esa que, con evidentes rasgos hiperbólicos, señalaba .... 7 .... prácticamente sólo comíamos aceite y ajo, y que otorgaba una evidente mala fama tanto a nuestros cocineros como a los propios restaurantes. Tan rápido .... 8 .... que hoy se puede decir, sin .... 9 .... a exagerar, que España .... 10 .... el primer país del mundo en cuanto a conservación de su cocina popular y, como han reconocido tanto la Academia Internacional de Gastronomía como otros organismos europeos, estamos también entre los primeros en cuanto al prestigio alcanzado por nuestros locales públicos.

.... 11 .... positivo dentro de esta evolución es que se ha conseguido que los ciudadanos españoles .... 12 .... la oportunidad de comer mejor, porque se ha proporcionado un mejor trato a un hecho unitario, el de la alimentación en .... 13 .... conjunto, por lo que exige ser abordado .... 14 .... todos los puntos de vista. Tan complejo resulta el hecho gastronómico que está sometido permanentemente a los altibajos de la demanda social, que, al menos en los países desarrollados, no se conforma .... 15 .... superar el hambre, sino que tiene en cuenta .... 16 .... factores, como la salud o el placer.

En la Biblioteca Internacional de Gastronomía que ha montado en la ciudad suiza de Lugano el italiano Horacio Bernasco, prácticamente la totalidad de los libros .... 17 ...., por encima de todo, el componente dietético de la alimentación .... 18 ...., al fin y al cabo, existe un acuerdo general en que no tendría sentido disfrutar comiendo si se .... 19 .... a costa de la salud de las personas. De hecho, desde tiempo .... 20 ...., las amas de casa siempre se esforzaron para que sus platos contaran con los nutrientes suficientes como para mantener a su familia en buen estado alimenticio, aunque se basaran más en la intuición que en los conocimientos científicos.

(Adaptado de *Cuenta y Razón*)

1. ☐ a. la   ☐ b. esta   ☐ c. aquella
2. ☐ a. por   ☐ b. para   ☐ c. en
3. ☐ a. tendría   ☐ b. tenga   ☐ c. tiene
4. ☐ a. figura   ☐ b. está   ☐ c. resulta
5. ☐ a. final   ☐ b. fin   ☐ c. fondo
6. ☐ a. paso   ☐ b. salida   ☐ c. esa
7. ☐ a. conque   ☐ b. que   ☐ c. si

8. □ a. evolucionábamos   □ b. hemos evolucionado   □ c. hubimos evolucionado
9. □ a. color   □ b. dolor   □ c. temor
10. □ a. está   □ b. es   □ c. hay
11. □ a. Lo más   □ b. Máximo   □ c. Mas
12. □ a. tengan   □ b. tienen   □ c. tenían
13. □ a. su   □ b. el   □ c. este
14. □ a. en   □ b. de   □ c. desde
15. □ a. por   □ b. con   □ c. en
16. □ a. estos   □ b. unos   □ c. otros
17. □ a. escriben   □ b. recogen   □ c. sustentan
18. □ a. porque   □ b. como   □ c. así que
19. □ a. hace   □ b. haga   □ c. haría
20. □ a. pasado   □ b. inmemorial   □ c. inicial

● ● ● ● ● 🕐 ¿Cuánto tiempo has tardado? Anótalo aquí: ___

Tarea 2

● ● ● ● ● 🕐 Pon el reloj.

Cultura popular y cultura mediática

España es, o tal vez era, uno de los países de mayor riqueza en cultura étnica –folclore, sabiduría popular, artesanía, costumbres locales– del mundo. Sus fiestas –entre las cuales .... 1 .... la tauromaquia, todo un universo de rituales y significados de complejidad incomparable–, sus ritos religiosos, su refranes, danzas, juegos y competiciones populares constituían un conjunto muy .... 2 .... de tradiciones, saberes y modos de vivir lo sagrado y lo profano. La .... 3 .... resistencia de los españoles a la modernización .... 4 .... esa herencia cultural sin modificaciones hasta bien entrado el siglo XX.

Ni siquiera la esencia más antigua y característica del pueblo español .... 5 .... capaz de resistir la acción demoledora de los medios. Claro que esto no ocurre sólo en España; pero que también sucumba nuestro país, que parecía tan reacio a la modernización cultural, prueba hasta qué .... 6 .... los medios son determinantes en la deriva de la cultura. .... 7 .... por ser tan exóticos para .... 8 .... occidentales hemos sufrido una particular degradación del propio país. Corremos el riesgo de convertirnos en parque temático .... 9 .... sufrir la fuerte folclorización mediática de nuestra cultura tradicional. Todo empezó, claro está, hace mucho tiempo, con nuestras propias españoladas cinematográficas y, antes, zarzuelas. Y .... 10 .... en la presente calamidad.

Continúa .... 11 .... el empobrecimiento de nuestras lenguas minoritarias, algunas de ellas de noble, vieja y rica tradición literaria, y su subsiguiente agonía .... 12 .... falta de la protección decidida de unos gobiernos cuyo patriotismo en .... 13 .... asuntos consiste en pensar que son sólo responsabilidad de las autoridades autonómicas. .... 14 .... algunos tal vez que si esas lenguas minoritarias prosperan .... 15 .... la unidad de una nación.

.... 16 .... la persistencia de las artes tradicionales –cante andaluz, tauromaquia, folclore astur o vasco, castellers catalanes, luchadores canarios–, ... 17 .... que temer su simplificación mediática cada vez más acusada. La vuelta a lo tradicional fomentada por el .... 18 .... del autonomismo o del nacionalismo étnico ha sido eficaz para la recuperación sólo cuando ha pasado por el filtro mediático, y por .... 19 .... tanto pagando el coste de su desvirtualización. El siglo XXI presenciará su agonía final y su sustitución definitiva .... 20 .... los espectáculos deportivos mediáticos, de festival televisivo y demás negocios audiovisuales.

(Adaptado de *Los españoles* de Salvador Giner)

1. ☐ a. parece   ☐ b. destaca   ☐ c. se dice
2. ☐ a. variado   ☐ b. mayor   ☐ c. valiente
3. ☐ a. minorista   ☐ b. peculiar   ☐ c. mediocre
4. ☐ a. mantuviese   ☐ b. haya mantenido   ☐ c. mantuvo
5. ☐ a. es   ☐ b. hay   ☐ c. está
6. ☐ a. parte   ☐ b. momento   ☐ c. punto
7. ☐ a. Tanto   ☐ b. Precisamente   ☐ c. Al contrario
8. ☐ a. la mayoría   ☐ b. los demás   ☐ c. casi todos
9. ☐ a. con   ☐ b. sobre   ☐ c. al
10. ☐ a. había acabado   ☐ b. ha acabado   ☐ c. acababa
11. ☐ a. cuando   ☐ b. tardando   ☐ c. mientras tanto
12. ☐ a. de   ☐ b. con   ☐ c. por
13. ☐ a. los   ☐ b. unos   ☐ c. estos
14. ☐ a. Pensarían   ☐ b. Piensan   ☐ c. Piensen
15. ☐ a. consolidan   ☐ b. respaldan   ☐ c. amenazan
16. ☐ a. Sin embargo   ☐ b. A pesar de   ☐ c. Incluso
17. ☐ a. hay   ☐ b. haya   ☐ c. hubiera
18. ☐ a. derribo   ☐ b. desarrollo   ☐ c. empobrecimiento
19. ☐ a. ello   ☐ b. esto   ☐ c. lo
20. ☐ a. por   ☐ b. para   ☐ c. con

● ● ● ● ● ● 🕐 ¿Cuánto tiempo has tardado? Anótalo aquí: ___

Análisis del ejercicio

	Sí	No
• La comprensión de los textos me ha ayudado a resolver el ejercicio.	☐	☐
• No he tenido dificultades en las preguntas de gramática.	☐	☐
• No he tenido dificultades en las preguntas de vocabulario.	☐	☐
• He reconocido fácilmente las opciones correctas.	☐	☐
• He podido completar el ejercicio en un tiempo aceptable.	☐	☐

• ¿Qué puedes hacer para mejorar los resultados? Anota aquí tus comentarios.

....

....

Claves

Tarea 1:
1- b; 2- a ; 3- c; 4- c; 5- b; 6- a; 7- b; 8- b; 9- c; 10- b; 11- a; 12- a; 13- a; 14- c; 15- b; 16- c; 17- b; 18- a; 19- a; 20- b.

Tarea 2:
1- b; 2- a; 3- b; 4- c; 5- a; 6- c; 7- b; 8- b; 9- c; 10- b; 11- c; 12- c; 13- c; 14- b; 15- c; 16- b; 17- a; 18- b; 19- c; 20- a.

Sesión 27: Gramática y vocabulario

Seleccionar opciones

En esta Sesión vas a realizar dos tandas de 10 preguntas de vocabulario cada una. Pero para empezar con buen humor esta Sesión de trabajo, y si te gusta leer acerca de la historia de las palabras, aquí tienes este pequeño anecdotario con curiosidades sobre la historia, etimología y uso de algunas palabras.

Tarea 1

El alucinante mundo de las palabras. ¿Sabías que...?

Duro

Algunas palabras del diccionario español están en peligro a raíz del cambio monetario que ha supuesto la llegada del euro. La palabra "peseta" ya no tiene uso. Otras palabras afines como "duro" (que designaba la moneda de 5 pesetas) o "veinte duros" (la moneda de 100 pesetas) han desaparecido de pronto de la vida de los españoles. De un día para otro estas palabras tan cotidianas han quedado convertidas en nada. No es la primera vez que pasa; anteriormente le ocurrió al maravedí o al ducado (monedas de oro), al real (de plata), al vellón (de metal sin valor) y a muchas otras monedas más. De aquella época lejana nos queda la frase *"estar sin blanca"* (por las monedas blancas, de plata) para significar que no tenemos dinero. Ahora le toca a la peseta. Pero la lengua se vuelve a guardar su revancha y será más difícil hacer desaparecer palabras como "pela", el diminutivo afectivo de "peseta", o la palabra "duro". Ambas reaparecen con el significado de **'dinero'**, como en estos ejemplos: *"Me he quedado sin un duro"* ('Me he quedado sin dinero'); *"Tiene un montón de pelas"* ('Tiene mucho dinero'). Han pasado de ser palabras de significado particular a ser palabras de significado genérico. Lo cual les augura una larga vida.

Tirar de la cadena

Algo parecido a lo que le ha pasado a la peseta le ha sucedido también a la cadena del wáter. En los años setenta empezaron a llegar a España los nuevos inodoros con la cisterna abajo y palanca o botón para **accionar el mecanismo de descarga del agua**. Este modelo, aunque ocupa más espacio, resultaba más elegante que el antiguo, el de la cisterna instalada en la pared sobre nuestras cabezas a la altura del techo, y una cadenita colgando que servía para abrir el agua tirando de ella. A esta maniobra se le llamó "tirar de la cadena". Y así seguimos diciendo, a pesar de que ya no hay cadena de donde tirar.

Ministro, míster y maestro

No sabemos si no acabará pasando con *ministro* y con *maestro* lo mismo que pasó con *dominus* y *senior*. Quizás ya esté pasando y estas sean palabras que en cierta manera usamos como forma de tratamiento. Más de una vez hemos visto cómo alguien se ha dirigido a su amigo, una persona vulgar y corriente, con estas palabras de sabor irónico y poco respeto: *"Maestro, vente p'acá"*; o en otro ámbito de cosas: *"El míster nos hace entrenar muy duro"*. Pero ¿de dónde vienen estas palabras? En la Roma imperial un *minister* era lo que para nosotros es ahora un criado, un servidor o ayudante. Y lo que para nosotros es un criado, era para ellos un *sclavus*. En el siglo XI un artesano castellano, o sea un trabajador, era un *ministral* (del latín *ministerialis*) responsable de sus menesteres, es decir, de sus tareas, de su trabajo. Hoy día un ministro es mucho más que un artesano. ¿Y un maestro? Para nosotros, un maestro es sobre todo un maestro de escuela, **encargado de la educación de los niños**, lo que los romanos llamaban *praeceptor*. ¿Y qué era, entonces, un maestro (del latín *magíster*)?: lo que para nosotros es ahora un director, el encargado de dirigir o conducir algo.

En resumidas cuentas, que los ingleses van más adelantado en esto que nosotros, los españoles, y donde nosotros decimos "señor", ellos dicen "mister".

La de...

Es una expresión curiosa que se utiliza a menudo en el registro coloquial para referirse a una **gran cantidad** de algo. Por ejemplo, a una "gran cantidad de veces" en la frase: *"Parece imposible: la de veces que hemos pasado por aquí, y que no hayamos visto antes esa estatua"*. Es una expresión "coja" a la que le falta un elemento sobreentendido. Lo curioso es que precisamente sea la palabra clave ("cantidad") el elemento que ha desaparecido. Otro recurso de la lengua para expresar una cantidad grande de algo es la metáfora o la comparación. Por ejemplo, expresiones como "un montón de...", "un porrón de...", "una pasada de..." en frases como: *"Tiene un montón de problemas"*, *"Hay un porrón de asuntos por atender"*, *"Tiene una pasada de discos en casa"*.

Trajín

Este sustantivo tan eufónico, "trajín", que parece que tuviera música dentro, significa 'ir de un lado a otro llevando cosas' como hacen las hormigas en el interior de un hormiguero. Por extensión se utiliza para designar el **mucho trabajo** de diligencias, encargos, idas y venidas que alguien está realizando. Viene del latín *traginare<trahere*, que, con peor música, significaba 'arrastrar', y está relacionado con palabras como "extracto" y "extracción".

Saludar

La cortesía del saludo y de la despedida exigen en su protocolo un buen deseo para aquel a quien saludamos o de quien nos despedimos. Y parece que esto es algo muy extendido y generalizado en muchas lenguas. En la palabra "saludar" está contenido el deseo de **salud**. Al brindar, muchas lenguas insisten en esta misma idea de que la salud es lo más deseable. Y en las despedidas lo mismo. Los romanos se despedían diciendo *"¡Vale!"*. Nosotros esta palabra la hemos vaciado de significado y reducido a simple fórmula de aceptación o acuerdo. Al decir *"¡Vale!"*, un romano expresaba con gramática de imperativo su buen deseo hacia aquel de quien se despedía. Si tradujéramos literalmente ese *"vale"* al español, sonaría como: *"Sé fuerte"*, *"Ten ánimo"* o algo así. *"¡Agárrate!"* dicen los polacos. Si traducimos con sensatez, ese *"¡Vale!"* no es más que nuestro: *"¡Adiós!"* o *"Que te vaya bien"*. Saludar o despedirse es en definitiva expresar un buen deseo.

Con pelos y señales

La idea de pequeñez está muy ligada a la del detalle y el pormenor, de ahí que cuando queremos dar una explicación o hacer una descripción deteniéndonos en detalles y pormenores, quizá de poca importancia, decimos que lo hacemos "con pelos y señales", como si no quisiéramos olvidarnos de nada, ni siquiera de lo más pequeño, y decirlo todo. Porque el pelo, un pelo, hasta la llegada del microscopio de Robert Hooke en 1665, era lo más pequeño que se podía encontrar.

Tamaño y menudo

...Y relacionada con el tamaño pequeño de las cosas tenemos la palabra "menudo", un adjetivo. Su etimología es latina: *"minutus"*, y está relacionada con el también latino *"minus"*. Hay un cultismo, "diminuto", que todavía conserva la forma original de la palabra. "Menudo" significa 'pequeño'. Pero lo que nos sorprende de esta palabra es que, en su uso más frecuente, que es coloquial, haya tomado exactamente el sentido contrario: **'grande'**, dado el carácter irónico con el que a menudo el pueblo entiende las cosas. Y así, por ejemplo, decimos: *"¡Menudo problema tengo!"* cuando queremos decir que tenemos un problema grande o difícil de resolver; *"¡Menuda suerte!"* cuando es grande y buena; *"¡Menudo coche te has comprado!"* si es bueno y potente. La palabra "menudo" la tenemos también en la expresión de frecuencia "a menudo" que significa 'frecuentemente'. Y hablando del tamaño grande o pequeño de las cosas, la palabra "tamaño" no es otra cosa que la unión de *"tam"* y *"magnus"*, o sea *"tan"* y *"grande"*. En conclusión que ante una mentira tan grande que nadie sería capaz de creer, podríamos exclamar: *"¡Tamaña mentira, no hay quien se la crea!"*, o lo que es lo mismo: *"¡Menuda mentira!"*.

Tesoro

La idea de reunir una cantidad grande de algo y mantener ese algo en reserva, en previsión hacia el futuro o por simple manía de acumulación, se puede expresar de forma simple con el verbo "atesorar", que viene de "tesoro". Entre nosotros, la idea de 'tesoro' nos lleva directamente a la idea de 'riqueza', 'dinero' o 'felicidad'. Entre lo romanos, *"thesaurus"* era el dinero guardado en reserva. Dinero ahorrado, acumulado como fondo. De ahí pasó (todavía en lengua latina), por metonimia, a significar 'almacén'; y después, en una nueva pirueta, a 'diccionario': *el almacén de las palabras y la memoria*. Con este mismo sentido de 'listado' o 'agrupación' se conserva en nuestras actuales antologías, elencos, repertorios y variedades. Para nosotros, la idea de 'tesoro' ha perdido ese sentido original de 'reunir' o 'juntar', que curiosamente renace en el verbo derivado "atesorar".

Tarea 2

Recuerda la consigna del ejercicio: tienes que seleccionar de las tres opciones, la que equivale al fragmento del diálogo seleccionado con letra **negrita**.

Primera tanda

● ● ● ● ● 🕐 Pon el reloj.

1. ▷ ¿Qué tal la inauguración?
   ▶ ¡Ostras!, **la de personas que han venido**. Te lo dije.
   - ☐ a. Ha venido poca gente
   - ☐ b. Ha venido mucha gente
   - ☐ c. No ha venido casi nadie

2. ▷ Qué **trajín tienes,** ¿no?
   ▶ Pues sí, ya ves como ando.
   - ☐ a. ocupado estás
   - ☐ b. dolor de cabeza tienes
   - ☐ c. sueño tienes

3. ▷ Todos los problemas de Pepe se resumen en que **está sin un duro**.
   ▶ Pues no es poca cosa, no.
   - ☐ a. no tiene dinero
   - ☐ b. está sin trabajo
   - ☐ c. no tiene novia

4. ▷ **Date prisa**, que están esperando.
   ▶ Ya voy.
   - ☐ a. Apresúrate
   - ☐ b. Vete
   - ☐ c. Vente

5. ▷ A ver si compran ya de una vez el **dichoso** edificio.
   ▶ Sí porque ya es hora.
   - ☐ a. nuevo
   - ☐ b. importante
   - ☐ c. problemático

6. ▷ Ha **dado a luz** un varón.
   ▶ ¡Aleluya, un varón!
   - ☐ a. parido
   - ☐ b. nacido
   - ☐ c. iluminado

7. ▷ ¿Te has enterado de que han abierto un nuevo restaurante en el barrio?
   ▶ Sí. He estado; y tiene unos precios **abusivos**.
   - ☐ a. muy caros
   - ☐ b. muy baratos
   - ☐ c. muy competitivos

8. ▷ No **aguanto** más esta situación.
   ▶ Pero hombre, si no estás tan mal.
   - ☐ a. permito
   - ☐ b. quiero
   - ☐ c. soporto

9. ▷ Ya estoy harta. Cada vez que **se tira de la cadena** tenemos la misma.
   ► Pues mira, ahí tienes los teléfonos. Ya puedes ponerte a buscar un fontanero.
   ☐ a. se echa el agua por la pila
   ☐ b. se le da a la cisterna
   ☐ c. se quita el tapón del fregadero

10. ▷ ¿Cuántos **bultos** tiene?
    ► Tres.
    ☐ a. hijos
    ☐ b. maletas
    ☐ c. tiestos

● ● ● ● ● 🕐 ¿Cuánto tiempo has tardado? Anótalo aquí: ___

Segunda tanda

Ahora vuelve a hacer lo mismo con esta segunda tanda.

● ● ● ● ● 🕐 Pon el reloj.

1. ▷ Las calles estaban **abarrotadas**.
   ► No me extraña, en Navidad ya se sabe.
   ☐ a. llenas de gente
   ☐ b. decoradas
   ☐ c. animadas

2. ▷ ¿Sabrías dibujar aquí un tigre?
   ► Un tigre. Eso **está chupado**. Dame el lápiz.
   ☐ a. es muy rápido
   ☐ b. es muy fácil
   ☐ c. es muy bonito

3. ▷ Benjamín, siempre lo mismo: cuando traen la cuenta, siempre pone excusas para no pagar.
   ► Es que es bastante **tacaño**, el niño.
   ☐ a. egoísta
   ☐ b. curioso
   ☐ c. agarrado

4. ▷ Te voy a **echar mucho de menos**.
   ► ¡Anda!, tonta, si enseguida estoy aquí.
   ☐ a. Voy a acercarme a ti.
   ☐ b. Voy a estar pensando siempre en ti.
   ☐ c. Voy a enfadarme contigo.

5. ▷ Siempre que la miro **se pone colorada**.
   ► Eso es que te quiere.
   ☐ a. se pone nerviosa
   ☐ b. mira para otro lado
   ☐ c. siente vergüenza

6. ▷ ¿Qué te parece si nos tomamos un pastelito?
   ► Es una idea **magnífica**.
   ☐ a. estupenda
   ☐ b. estrambótica
   ☐ c. que no me gusta mucho.

7. ▷ Compra este, que es algo más caro, pero te regalan un estuche.
   ▶ Sí; pero no me **trae cuenta**.
      ☐ a. convence
      ☐ b. beneficia
      ☐ c. sirve de nada

8. ▷ Me ha **fastidiado** mucho lo que me ha dicho, la verdad.
   ▶ Pero si es un niño...
      ☐ a. molestado
      ☐ b. cansado
      ☐ c. gustado

9. ▷ Mira, al final, **me he quedado con** éste.
   ▶ ¿Y que has hecho con el otro?
      ☐ a. he hablado con
      ☐ b. me he reunido con
      ☐ c. he escogido

10. ▷ ¿Has visto? Era Juan y **ni nos ha saludado**.
   ▶ Es que se ha vuelto muy antipático.
      ☐ a. no nos ha dicho nada
      ☐ b. no nos ha ayudado
      ☐ c. no nos ha insultado

● ● ● ● ● 🕐 **¿Cuánto tiempo has tardado? Anótalo aquí:** ___

Análisis del ejercicio

	SÍ	No
• La comprensión de los diálogos me ha ayudado a resolver el ejercicio.	☐	☐
• He tenido problemas con las opciones.	☐	☐
• Me he dejado llevar por la intuición y ha funcionado.	☐	☐
• He reconocido fácilmente las opciones incorrectas.	☐	☐
• He podido completar el ejercicio en un tiempo aceptable.	☐	☐

   • ¿Qué puedes hacer para mejorar los resultados? Anota aquí tus comentarios.

● ● ● ● ● ❗ Consejos

   ☐ En la primera tanda los diálogos se han diseñado con la intención de que no haya ni la más mínima ayuda del contexto, lo cual la hace más difícil. Ante esta situación, si desconoces la palabra en negrita, solo te queda responder al azar. Debes saber, sin embargo, que puede haberse filtrado un poco de luz, tanto en el diálogo como en los distractores. Pero no siempre pasa.
   ☐ En los exámenes analizados, la falta de información que pueden dar los diálogos es menor, como ocurre en nuestra segunda tanda: la dureza del ejercicio disminuye con respecto a la primera. En el examen muchas veces se da la posibilidad de extraer información del contexto, tal y como están planteadas las preguntas. Estate atento porque quizás puedas aprovechar este hecho.
   ¿Cómo estar atento? Vamos a analizar un par de ejemplos para verlo.

Ej. 1. ▷ ¿Sabrías dibujar aquí un tigre?
   ▶ Un tigre. Eso **está chupado**. Dame un lápiz.
      ☐ a. es muy rápido
      ☐ b. es muy fácil
      ☐ c. es muy bonito

Supongamos que desconoces el significado de la frase "estar chupado". Pero fíjate en que el contexto es en esta ocasión muy transparente: una persona le pide a otra que dibuje un tigre. El hablante 2 acepta la petición y se dispone a dibujar el tigre. ("Dame el lápiz"). Pero antes ha valorado la tarea como de "estar chupado". Si nuestro interlocutor ha aceptado la petición, puede ser porque para él dibujar un tigre no es problemático. De lo contrario, lo más probable es que en el diálogo hubiera aparecido una excusa. ("Es que yo no dibujo muy bien", por ejemplo). Podemos deducir que "estar chupado" se relaciona con que para esa persona es fácil dibujar un tigre. Nuestra hipótesis se confirma en una de las tres alternativas del ejercicio: la "b)", que dice: "Es muy fácil". Si marcas esta respuesta, la "b)", aciertas: "estar chupado" es sinónimo de "ser muy fácil".

Ej. 2. ▷ ¿Cuántos **bultos** tiene?
  ▶ Tres.
      ☐ a. hijos
      ☐ b. maletas
      ☐ c. tiestos

Supongamos que desconoces el significado del sustantivo "bulto". En el diálogo, la réplica es lo único que nos indica: que la palabra "bulto" se refiere a una realidad contable. "Hijos", "maletas" y tiestos" son efectivamente tres realidades que corresponden a conceptos contables. Cualquiera de las tres podría ser la respuesta válida. Si no sabes que significa "bulto", no hay nada que hacer: por el contexto será difícil dar con la solución.

Tarea 3

Sigue ensayando la prueba con esta tanda. Para el posterior análisis de esta tarea, utiliza el cuadro de la tarea 2.

● ● ● ● ● 🕐 Pon el reloj.

1. ▷ **¿Os habéis dado cuenta de** que todos tenemos casi la misma edad?
     ▶ ¡Ah!, pues es verdad.
         ☐ a. Os habéis conocido por
         ☐ b. Habéis visto
         ☐ c. Os han dicho ya

2. ▷ Tenemos que adelantar hoy ya el trabajo para **el día de mañana**.
     ▶ Pues empecemos, entonces.
         ☐ a. a largo plazo
         ☐ b. mañana, por la mañana
         ☐ c. dentro de poco

3. ▷ ¿Se puede poner Juan?
     ▶ Pues es que ha llegado a casa y se ha acostado. **Estaba rendido.**
         ☐ a. Estaba enfermo
         ☐ b. Estaba cansado
         ☐ c. Tenía frío

4. ▷ Hagamos lo que **hemos convenido**.
     ▶ Y cuanto antes, mejor.
         ☐ a. hemos previsto
         ☐ b. hemos decidido
         ☐ c. hemos acordado

5. ▷ ¿Te explicó lo que tienes que hacer?
     ▶ **Con pelos y señales.**
         ☐ a. Por encima
         ☐ b. No
         ☐ c. Detalladamente

6. ▷ ¿Quieres algo de fruta?
    ▶ **De momento**, una mandarina.
    - ☐ a. solamente
    - ☐ b. me comería
    - ☐ c. para empezar

7. ▷ La diferencia **estriba en** que unos son duros y otros blandos.
    ▶ Vale, pero no te enfades, que no es para tanto.
    - ☐ a. explica
    - ☐ b. consiste
    - ☐ c. marca

8. ▷ ¿Te has traído **el portátil**?
    ▶ Sí, pero me lo he dejado en el coche.
    - ☐ a. el maletín
    - ☐ b. el ordenador
    - ☐ c. el teléfono

9. ▷ ¡Vaya una silla **lujosa** que te has comprado!
    ▶ No creas, no es para tanto.
    - ☐ a. de paja
    - ☐ b. original
    - ☐ c. cara

10. ▷ Le he pedido un consejo y me ha salido con una solución **pueril**.
    ▶ Pues déjalo y olvídate del asunto.
    - ☐ a. difícil
    - ☐ b. inútil
    - ☐ c. infantil

● ● ● ● ● 🕐 ¿Cuánto tiempo has tardado? Anótalo aquí: ___

Para seguir preparándote

Mira el apéndice donde hay tres listados diferentes de vocabulario que pueden ayudarte a preparar esta prueba. También hay allí referencias a diccionarios de fraseología en distintos idiomas. Nosotros te recomendamos también el siguiente título de la Editorial Edinumen:

– *Español coloquial. Rasgos, formas y fraseología de la lengua diaria*, de Eugenio Cascón Martín.

Claves

Tarea 2:
 Primera tanda: 1- b; 2- a; 3- a; 4- a; 5- c; 6- a; 7- a; 8- c; 9- b; 10- b.
 Segunda tanda: 1- a; 2- b; 3- c; 4- b; 5- c; 6- a; 7- b; 8- a; 9- c; 10- a.

Tarea 3:
 1- b; 2- a; 3- b; 4- c; 5- c; 6- c; 7- b; 8- b; 9- c; 10- c.

Segunda vuelta

Sesión 28: Gramática y vocabulario
Gramática

En la Sesión de trabajo 13 has trabajado con ejercicios que tienen dos opciones, en esta Sesión vas a trabajar con los ejercicios de cuatro opciones. Como en la Sesión 13 cada ejercicio lleva un subtítulo según el tema de la gramática que se trata. También aquí te vas a encontrar con unas notas o consejos sobre cada tema. Algunas veces sólo hacemos referencia a lo escrito en la Sesión 13. En la Tarea 2 hay 30 ítems como en el examen. Antes de hacer el ejercicio vuelve a mirar la Sesión 13, así tendrás una visión más general de la prueba.

Tarea 1

A. Oraciones con indicativo / subjuntivo

1. ▷ Anoche me encontré con Luis y me pidió por favor que le .... por teléfono.
   ▶ Sí, le tengo que llamar, hace mucho tiempo que no lo veo.
   - ☐ a. llamaste
   - ☐ b. llamarás
   - ☐ c. llamarías
   - ☐ d. llamaras

2. ▷ ¿Por qué no vamos a comer ahora?
   ▶ Hoy hasta que no .... el informe no salgo.
   - ☐ a. había terminado
   - ☐ b. terminara
   - ☐ c. haya terminado
   - ☐ d. terminaba

3. ▷ Mi padre está muy preocupado con aquello que te conté de su trabajo.
   ▶ Dile que no es para tanto. Cuando menos lo .... siempre surge la solución.
   - ☐ a. esperaremos
   - ☐ b. esperamos
   - ☐ c. hemos esperado
   - ☐ d. esperáramos

4. ▷ Aunque ya me .... esta historia mil veces nunca te la podré creer.
   ▶ Pero si es cierto, los vi en el parque besándose.
   - ☐ a. has contado
   - ☐ b. habías contado
   - ☐ c. contarías
   - ☐ d. estabas contando

5. ▷ .... no te tomes toda la leche, no saldrás a jugar al jardín.
   ▶ Mamá, pero ya no quiero más.
   - ☐ a. Como
   - ☐ b. Si
   - ☐ c. Aunque
   - ☐ d. Por si

6. ▷ .... en verano tendremos más dinero, nos quedaremos de vacaciones aquí.
   ▶ Tienes razón, allí el clima y las playas son peores.
   - ☐ a. Aunque
   - ☐ b. Si
   - ☐ c. Hasta que
   - ☐ d. Mientras

7. ▷ El marisco, vale; pero la sopa de pollo, la verdad es que a mí no me gusta demasiado para un día como el de Navidad.
   ▶ A mí tampoco, pero .... pongamos marisco, ya verás cómo los invitados quedan contentos.
   - ☐ a. hasta que
   - ☐ b. si
   - ☐ c. mientras
   - ☐ d. aunque

8. ▷ A mí me parece bien que .... andando al colegio.
   ► Bueno, yo sé lo que pasa, es un poco pequeño todavía y deberíamos llevarlo en coche.
   - ☐ a. iría
   - ☐ b. vaya
   - ☐ c. habría ido
   - ☐ d. va

En general, para la parte relacionada con el subjuntivo puedes mirar el libro *El subjuntivo 1, nivel intermedio*. En lo que se refiere al tema de esta Sesión, sería bueno que miraras las unidades 16, 17 y 18 de ese libro. También en la unidad 3 de *Procesos y Recursos* hay actividades para las oraciones temporales con el verbo en subjuntivo. Además, en *Prisma B1 Progresa*, en la unidad 9 se trabajan los mismos conectores temporales (*cuando, después de que, hasta que,* etc). Por otra parte, en *Prisma B2 Avanza*, en la unidad 1, hay material para el contraste presente/imperfecto de subjuntivo, en la unidad 2 se desarrolla la correlación de tiempos, en la unidad 3 se ven oraciones de relativo con subjuntivo, en la 6 se toca el tema de las condicionales y en la unidad 11 puedes encontrar los usos de "aunque". En *Método de español para extranjeros nivel intermedio*, se dedican a este tema las unidades 10 (oraciones de relativo con el verbo en subjuntivo) y 12 (oraciones condicionales, temporales y adversativas). Todos estos libros son de Editorial Edinumen.

B- Pasados

1. ▷ Manuel, ¿sabes cómo quedó el partido anoche?
   ► Ni idea, no .... el periódico.
   - ☐ a. hube leído
   - ☐ b. leía
   - ☐ c. había leído
   - ☐ d. he leído

2. ▷ Juan, que me parece que se ha terminado el plazo para pagar los impuestos.
   ► Sí, pero yo .... antes de que se acabara.
   - ☐ a. fui
   - ☐ b. he estado yendo
   - ☐ c. iba
   - ☐ d. habré ido

3. ▷ Me contaron que te fuiste de viaje a unas islas paradisíacas.
   ► No te creas lo de paradisíaco, no .... muy diferentes a otras.
   - ☐ a. eran
   - ☐ b. habían sido
   - ☐ c. hayan sido
   - ☐ d. sean

4. ▷ Al final tenías tú razón, llamó mi padre y me pidió que le ayudara.
   ► Y dime: qué ...., ¿ayudarle?
   - ☐ a. hubieras hecho
   - ☐ b. habrás hecho
   - ☐ c. has hecho
   - ☐ d. habías hecho

5. ▷ La verdad, esta colección es preciosa, ¿no te parece?
   ► Bueno, yo ya la ....
   - ☐ a. haya visto
   - ☐ b. había visto
   - ☐ c. veía
   - ☐ d. veo

Mira en el recuadro de la Sesión 13 donde aparece el contraste *imperfecto / indefinido*.

C. Preposiciones

1. ▷ La verdad, no sé si nos dará tiempo a pasar .... buscar a Juan por la estación.
   ► No te preocupes demasiado, en cualquier caso, se toma un taxi.
   - ☐ a. a
   - ☐ b. por
   - ☐ c. de
   - ☐ d. en

2. ▷ No te quejes tanto, ya cambiará de actitud.
   ► Pero si yo no me quejo .... lo que hace, lo que le digo es simplemente por su bien.
   - ☐ a. para
   - ☐ b. a
   - ☐ c. de
   - ☐ d. en

3. ▷ Hazlo .... mucho cuidado, ¿eh?
   ► Sí, sí, porque no podemos equivocarnos otra vez.
   - [ ] a. con
   - [ ] b. a
   - [ ] c. por
   - [ ] d. de

4. ▷ ¿Te parece que esto está bien?
   ► No lo sé, lo mejor sería preguntárselo al redactor .... quitarnos de problemas.
   - [ ] a. sobre
   - [ ] b. por
   - [ ] c. para
   - [ ] d. contra

5. ▷ Me dijeron los chicos que fuisteis a ver a los payasos al circo.
   ► Sí, cuando estuvimos .... vacaciones en el verano.
   - [ ] a. de
   - [ ] b. a
   - [ ] c. con
   - [ ] d. en

6. ▷ ¿Sabes algo de Ana? Hace mucho que no hablo con ella.
   ► La verdad es que no. Pero la última vez que la vi estaba metida .... un lío grande.
   - [ ] a. de
   - [ ] b. a
   - [ ] c. en
   - [ ] d. por

7. ▷ Luis, si ya hablamos .... este asunto mucho, para qué hablar más.
   ► Está bien, lo que pasa es que tenía algunas dudas.
   - [ ] a. con
   - [ ] b. en
   - [ ] c. sobre
   - [ ] d. para

8. ▷ Al final, ¿............... qué quedamos?
   ► Pues mira, las cosas están tan poco claras, que no lo sabe nadie.
   - [ ] a. a
   - [ ] b. sobre
   - [ ] c. de
   - [ ] d. en

El tema de las preposiciones es algo que se va trabajando desde que empiezas a estudiar español. En todos los manuales encontrarás algo al respecto. Sin embargo, el problema muchas veces reside en saber qué preposiciones van con cada verbo, y cómo las preposiciones modifican el significado de los verbos. Por ejemplo, *ir a*, no es lo mismo que *ir en*, o *ir por*, aunque en todos los casos signifique trasladarse de un lado a otro. Por eso, lo mejor es tener un pequeño cuaderno, donde puedas anotar los verbos que ya conoces más los que vayas aprendiendo con su correspondiente preposición y su significado. Si quieres ver algo más, en *Método de español para extranjeros nivel intermedio*, en la unidad 8 se hace un repaso de las preposiciones *de, desde, a, en, para* y *por*. Es un libro de Editorial Edinumen.

D- Pronombres

1. ▷ Anoche salimos con esa pareja de .... te hablé, ¿te acuerdas?, los que tocaban la guitarra.
   ► Ah, sí, ahora me acuerdo
   - [ ] a. la que
   - [ ] b. qué
   - [ ] c. cual
   - [ ] d. cuya

2. ▷ Han llamado de la empresa constructora y quieren que les mandemos el pedido hoy.
   ► ¡Pero si ya les mandamos .... nos pidieron!
   - [ ] a. que
   - [ ] b. cual
   - [ ] c. lo cual
   - [ ] d. lo que

3. ▷ ¿Por qué no .... dijiste la verdad?
   ► No es tan fácil como crees.
   - [ ] a. la
   - [ ] b. lo
   - [ ] c. le
   - [ ] d. se

4. ▷ A mí no me parece justo que hagas eso por ellas.
   ► Tienes razón, ¿pero cómo se .... digo?

   ☐ a. le   ☐ c. la
   ☐ b. lo   ☐ d. las

Para las oraciones de relativo mira la unidad 3 de *Prisma B2 Avanza* (usos con subjuntivo y con indicativo), la unidad 8 de *Prisma B1 Progresa* y la unidad 2 de *Procesos y Recursos*. En *Método de español para extranjeros nivel intermedio*, en la unidad 10, se trabajan las oraciones de relativo con subjuntivo y los pronombres personales en la unidad 6. Todos estos libros son de Editorial Edinumen.

E- Futuro

1. ▷ No seas impaciente, ya te lo ....
   ► Haz lo que quieras, ya no me interesa.

   ☐ a. contaría   ☐ c. habré contado
   ☐ b. contaré   ☐ d. cuente

2. ▷ ¿Te gusta la película?
   ► No, nada. Yo me .... porque me estoy aburriendo como una ostra. ¿Tú te quedas?

   ☐ a. vaya   ☐ c. habré ido
   ☐ b. iré   ☐ d. voy a ir

3. ▷ ¿Qué le .... a esta chica, que no llega?
   ► Ya sabes como es, seguro que se ha quedado dormida.

   ☐ a. irá a pasar   ☐ c. va a pasar
   ☐ b. habría pasado ☐ d. habrá pasado

El futuro se desarrolla en la unidad 4 de *Procesos y Recursos* y en la unidad 4 de *Prisma B1 Progresa*. En *Método de español para extranjeros nivel intermedio*, en la unidad 4 también. Estos libros son de Editorial Edinumen.

Tarea 2

A continuación tienes los 30 ítems como podrían aparecer en el examen. No te olvides de controlar el tiempo.

● ● ● ● ● 🕐 Pon el reloj.

1. ▷ ¿Qué le pasa a Martín?
   ► Nada, ... un poco nervioso por los exámenes.
   ☐ a. está   ☐ b. es

2. ▷ ¿Me podría decir dónde .... el festival de rock?
   ► Sí, no muy lejos de aquí, todo recto.
   ☐ a. está   ☐ b. es

3. ▷ ¿Crees que te podría pasar eso a ti?
   ► ¿A mí? Pero si yo .... muy precavida, eso les pasa a los desprevenidos.
   ☐ a. soy   ☐ b. estoy

4. ▷ ¿Me puedes decir qué pasó con el coche?
   ► Nada, ... sólo un raspón, papá, nada más.
   ☐ a. fue   ☐ b. estuvo

5. ▷ ¿Te parece que .... todo bien?
   ► Sí, hombre, no te preocupes más.
   ☐ a. salía   ☐ b. salió

6. ▷ ¡Ah!, pero al final te dio tiempo a terminar el trabajo.
   ► Bueno, lo terminé en el último momento, mientras .... Juan, y se lo di.
   □ a. llegó □ b. llegaba

7. ▷ Yo no sé cómo aguantas así desde hace tanto tiempo.
   ► En realidad yo tampoco, en algún momento las cosas .... a mal y...; pero yo espero que mejoren.
   □ a. cambiaron □ b. cambiaban

8. ▷ ¿El fútbol? Creo que .... algunos es demasiado importante.
   ► Sí, se pasan un poco.
   □ a. por □ b. para

9. ▷ Fue un espectáculo único, tendrías que haber ido.
   ► No sé, yo ya no estoy .... esas cosas.
   □ a. por □ b. para

10. ▷ ¿Que el cantante no puede venir? Pues habrá que buscar a ....
    ► Sí, ya lo estamos haciendo.
    □ a. alguien □ b. algo

11. ▷ ¿Qué te pasa? ¿Te encuentras mal?
    ► No, no me pasa nada; antes me .... un poco mareado, pero ya está, ya se me ha pasado.
    □ a. hube sentido □ c. sentiré
    □ b. sentía □ d. sintiera

12. ▷ Si .... comiendo así, te pondrás como una vaca.
    ► Pero si todavía no he probado bocado.
    □ a. sigues □ c. seguirás
    □ b. sigas □ d. has seguido

13. ▷ ¿Por qué hace esos gestos cuando habla por teléfono?
    ► No lo sé. Cuando .... de hablar le preguntamos.
    □ a. termina □ c. hubiera terminado
    □ b. haya terminado □ d. ha terminado

14. ▷ Estoy un poco preocupado por la actitud de María en la reunión.
    ► Mira, a veces es así, ya .... pasará.
    □ a. se lo □ c. se le
    □ b. se les □ d. se la

15. ▷ Lo siento Luis, pero no te entiendo. ¿Por qué no me lo has explicado antes?
    ► Bueno, mi intención .... decírtelo el otro día pero...
    □ a. fuera □ c. era
    □ b. sería □ d. había sido

16. ▷ Señora, ... no funcione ahora, no sé qué vamos a hacer.
    ► Seguro que ya funciona, hay que ser optimista.
    □ a. como □ c. aunque
    □ b. si □ d. mientras

17. ▷ La discusión ha sido muy dura.
    ► Sí, pero no pienses mal .... José, él es así.
    □ a. a □ c. para
    □ b. de □ d. en

18. ▷ Lo cierto es que no tenemos tiempo para nada.
   ▶ Otra vez .... lo mismo, ¿no tienes un tema mejor?
       ☐ a. de   ☐ c. por
       ☐ b. con   ☐ d. para

19. ▷ Lo compramos hoy mismo, ¿no?
   ▶ ¡Yo qué sé! No corre tanta prisa. Si no lo compramos hoy, ya lo ....
       ☐ a. habremos comprado   ☐ c. vamos a comprar
       ☐ b. compramos   ☐ d. compraremos

20. ▷ Cuando cierra las puertas de esa manera es que me crispa los nervios.
   ▶ Sí, a mí también, pero creo que .... hace sin pensar.
          ☐ a. la   ☐ c. lo
          ☐ b. le   ☐ d. las

21. ▷ Me parece que .... no hagamos esto, no tendremos vacaciones.
   ▶ Bueno, es lo que dice siempre para asustarnos.
          ☐ a. si   ☐ c. aunque
          ☐ b. mientras   ☐ d. a no ser que

22. ▷ Esta mujer duerme siempre muchísimo, es increíble.
   ▶ Déjala, que está muy cansada. Trabaja .... tarde.
       ☐ a. desde   ☐ c. por
       ☐ b. a   ☐ d. hasta

23. ▷ Fernando no quería que .... las estanterías de verde.
   ▶ ¿Y por qué las has pintado entonces?
       ☐ a. pintara   ☐ c. pintaría
       ☐ b. haya pintado   ☐ d. pintaba

24. ▷ Esta tarde nos vamos a encontrar con unos amigos .... conocimos en la playa.
   ▶ ¡Qué bien! ¿Puedo ir con vosotros para conocerlos?
       ☐ a. cuyos   ☐ c. cuales
       ☐ b. quienes   ☐ d. que

25. ▷ ¿Por qué no puedes grabarme esos discos que te pedí?
   ▶ Porque .... presté a Santiago.
       ☐ a. se las   ☐ c. se lo
       ☐ b. se los   ☐ d. le los

26. ▷ Bueno, no es que .... molestarte, pero no tenía a quién llamar.
   ▶ Hombre, para eso están los amigos, ¿no?
       ☐ a. quiera   ☐ c. querría
       ☐ b. quiero   ☐ d. quise

27. ▷ El tiempo es lo de menos, lo importante es hacerlo bien.
   ▶ Vale, pero .... nos dieran más días, lo haríamos con más tranquilidad.
       ☐ a. mientras   ☐ c. porque
       ☐ b. si   ☐ d. aunque

28. ▷ ¡Qué alegría .... verte, Ramón!, ¿hace cuántos años no nos veíamos?
   ▶ No sé, cinco, seis, desde que terminamos la universidad.
       ☐ a. para   ☐ c. de
       ☐ b. a   ☐ d. con

29. ▷ Siempre llegas tarde a todas partes, Sergio.
    ► Perdona, pero se me descargó el móvil, ... te pudiera avisar.
        ☐ a. por eso no   ☐ c. porque no
        ☐ b. de ahí que no   ☐ d. la verdad no

30. ▷ ¿Por qué no invitas también a Alicia?
    ► No .... venir, porque vienes tú, ya lo sabes.
        ☐ a. quiera   ☐ c. querrá
        ☐ b. había querido   ☐ d. quisiera

● ● ● ● ● 🕐 ¿Cuánto tiempo has tardado? Anótalo aquí: ___

Análisis del ejercicio

	Sí	No
• La comprensión de los diálogos me ha ayudado a resolver el ejercicio.	☐	☐
• He tenido problemas con las opciones.	☐	☐
• Me he dejado llevar por la intuición y ha funcionado.	☐	☐
• Las tareas previas me han servido para resolver el ejercicio.	☐	☐
• He reconocido fácilmente las opciones incorrectas.	☐	☐

• ¿Qué puedes hacer para mejorar los resultados? Anota aquí tus comentarios.

....
....
....

Claves

Tarea 1:
A. Oraciones con indicativo / subjuntivo: 1- d; 2- c; 3- b; 4- a; 5- a; 6- a; 7- c; 8- b.
B. Pasados: 1- d; 2- a; 3- a; 4- c; 5- b.
C. Preposiciones: 1- a; 2- c; 3- a; 4- c; 5- a; 6- c; 7- c; 8- d;
D. Pronombres: 1- a; 2- d; 3- c; 4- b.
E. Futuro: 1- b; 2- d; 3- d.

Tarea 2:
1- a; 2- b; 3- a; 4- a; 5- b; 6- b; 7- a; 8- b; 9- b; 10- a; 11- b; 12- a; 13- b; 14- c; 15- c; 16- a; 17- b; 18- b; 19- d; 20- c; 21- b; 22- d; 23- a; 24- d; 25- b; 26- a; 27- b; 28- c; 29- b; 30- c.

Sesión 29: Expresión oral
Descripción de viñetas

En la Sesión 14 has trabajado la descripción de fotos y de las viñetas. En esta Sesión te proponemos algo más activo. Que vayas a diferentes sitios donde haya personas y las describas. También, como habrás notado, en las últimas viñetas aparecen personas con diferentes estados de ánimo. Aquí hay algunas actividades al respecto.

Tarea 1

Seguramente en tu ciudad hay muchos lugares en los que puedes encontrar personas para describir. Coge la grabadora y empieza a realizar descripciones de 3 ó 4 minutos cada una. Puedes ir a la estación de trenes, de autobuses, al aeropuerto, a tu clase de español, a un parque, puedes observar desde la ventana de tu casa, etc. También puedes ir a una calle muy transitada, o a un centro comercial. Seguramente tendrás más ideas que nosotros para realizar descripciones. No te olvides de que la descripción tiene que ser espontánea. A continuación te proponemos una posible lista y un espacio para que después de haber hecho la descripción puedas anotar las cosas más importantes que hayas visto y el vocabulario que has usado. Para el análisis de las grabaciones, utiliza el cuadro que está debajo.

La estación de trenes o autobuses: ....

....

El aeropuerto: ....

....

Un parque: ....

....

Una calle importante de tu ciudad: ....

....

Desde la ventana de tu casa o piso: ....

....

Tu clase de español: ....

....

La casa de un amigo: ....

....

Un centro comercial: ....

....

Otros lugares: ....

Análisis de la actividad

	Sí	No
• ¿He mencionado la mayoría de las cosas que he visto?	☐	☐
• He puesto más atención en la gente que en otros detalles.	☐	☐
• He puesto más atención en las cosas que pasaban y el sitio.	☐	☐
• No me ha costado mucho contar las cosas que he visto.	☐	☐

- Ahora que lo he escuchado, me doy cuenta de que no he cometido tantos errores de gramática. ....□ ......□
- Me gusta mi descripción a pesar de los posibles errores porque es clara. ....□ ......□
- Me falta seguridad cuando hablo. Me pongo nervioso/a. ....□ ......□
- Estoy tranquilo/a cuando hablo, es como hablar en mi lengua. No siento presión. ....□ ......□

Tarea 2

- Completa los siguientes párrafos con alguna palabra o expresión de la lista.

1. Últimamente los chicos han mejorado mucho en la escuela. La semana pasada trajeron las notas y me puse muy .... porque de verdad que eran buenas.

2. ¿Sabes que he aprobado el examen de literatura? Me he quedado muy .... porque me salió fatal.

3. ¿El hotel? Un desastre. El primer día nos despertaron a las 8 por la mañana para limpiar, el segundo día tocaron a la puerta a medianoche, al final, fui a hablar con el jefe de personal y me quejé .... Pero como si nada, al día siguiente nos despertaron a las 8 y media.

4. Ah, perdona, el sábado no fui a la fiesta porque tenía un dolor de muelas tremendo. Al final tuve que ir al dentista, ¿y sabes qué? Me atendió con unas técnicas nuevas. Me llamó la .... No las había visto nunca. Y ahora estoy bien.

5. Es lógico, cuando te dan una noticia tan mala, lo único que puedes hacer es ponerte ....

6. A mí me parece que los jóvenes han cambiado para mal. Mira, un día vino uno de nuestros hijos y me dice "mamá, puedes cuidar a tus nietos una tarde", y yo claro, los cuidé toda la tarde. Y hasta hoy no me ha dado las gracias. .... mal, pero no se lo he dicho, total, así son los jóvenes ahora.

7. Uff, esa tienda es de las peores. Encargué unas tonterías para navidad y me trajeron otra cosa. La verdad me sentí .... e hice una reclamación en la oficina del consumidor.

8. ¿Que por qué no fui el sábado a bailar? Pues porque mis padres no me dejaron, y ya sabes, como siempre, mi padre se enfadó un montón y yo también, y al final .... mucho.

9. Sí, bueno, estábamos todos cuando discutieron. Lo que pasa que Juan levantó la voz y empezó a gritar. Fueron unos segundos. Después se levantó de la mesa y fue hacia donde estaba Carlos. La verdad ...., aunque no pasó nada. Al final, se pusieron de acuerdo.

10. ¿Pablo? Es muy falso, no quiero hacer nada más con ese chico. La semana pasada nos dijo que tenía todo preparado, y antes de la conferencia nos dice "pero si ese tema lo teníais que preparar vosotros". .... mucho, menos mal que Alberto sabía del tema, que sí no, hubiéramos pasado un papelón.

A. sorprendido/a

B. triste

C. me asusté

D. engañado/a

E. me chocó

F. contento

G. atención

H. me quedé

I. por el servicio

J. discutimos

1. ☐; 2. ☐; 3. ☐; 4. ☐; 5. ☐; 6. ☐; 7. ☐; 8. ☐; 9. ☐; 10. ☐

- Muchas veces, ante diferentes situaciones reaccionamos de manera muy diversa. Piensa cómo te pondrías si te pasaran estas cosas.

Se me ha roto el coche: ....

....

Encuentro en un hotel a un amigo que hace mucho tiempo que no veo: ....

....

Se me cae una olla con la comida al suelo: ....

....

Mi jefe me grita en la oficina: ....

....

Me ponen una multa por pasar un semáforo en rojo: ....

....

Me venden algo que está en mal estado: ....

....

Me dan una noticia buena: ....

....

No entiendo algo que explica mi profesor: ....

....

Mi casa se queda sin luz: ....

....

Hay una tormenta eléctrica: ....

....

Saco malas notas en la universidad: ....

....

Tarea 3

Intenta imaginarte frente al espejo unos posibles diálogos sobre las situaciones que tienes a continuación. Graba lo que dices. Luego, busca un amigo que hable español o que se esté preparando para el examen e intenta representar las mismas situaciones. Graba también estas conversaciones. Las conversaciones pueden ser de 2 ó 3 minutos.

Situación uno: Se te ha roto el coche y lo llevas al taller mecánico. El mécanico no te lo quiere arreglar para hoy y tú lo necesitas para esta noche.

Situación dos: En la tienda te han vendido algo que está en mal estado. Te das cuenta en casa, y por eso vuelves a ir a la tienda a reclamar. El dependiente te atiende de malos modos.

Situación tres: Hay una tormenta eléctrica y estás en casa de un/a amigo/a. Tienes mucho miedo, por suerte está tu amigo/a para tranquilizarte.

Situación cuatro: Tu madre te ha pedido que le ayudes a llevar la comida a la mesa, pero se te ha caído la olla al suelo con toda la comida. Y tu madre se ha enfadado.

Análisis de la actividad

	Sí	No
• He sido poco claro en las respuestas.	☐	☐
• No he contestado adecuadamente, no entendía lo que me decía mi amigo/a.	☐	☐
• El planteamiento de las situaciones no me ha podido ayudar porque me faltaban palabras.	☐	☐
• He tenido suficiente fluidez, he hablado con soltura.	☐	☐
• Ahora que lo he escuchado, me doy cuenta de que no he cometido demasiados errores de gramática.	☐	☐
• Mi amigo/a (compañero/a) me ha puesto nervioso/a.	☐	☐

A continuación tienes dos series de viñetas. Elige una y haz el ejercicio como en la prueba del examen, es decir, primero tienes que describir las viñetas y al final hacer una conversación. Para eso, habla con un amigo antes de empezar. Luego, haz también la otra serie. En total, cada una de las actividades tiene que durar unos seis minutos.

Para seguir preparándote

- Aquí tienes algunas referencias para continuar con la preparación de esta parte del examen. Son viñetas con las que puedes practicar la descripción y que aparecen en publicaciones de la Editorial Edinumen.
  - *Prisma B1 Progresa:* págs. 25, 59, 72, 111, 112, 136.
  - *Prisma B2 Avanza:* págs. 59, 147.
  - *Método de Español para Extranjeros* (Nivel intermedio): págs. 12, 58, 62, 81, 94, 120.
- También te puede servir toda clase de cómics e historietas que encuentres, no es necesario que el material esté en español, simplemente que hagas lo que hemos practicado con las viñetas de esta Sesión y en la Sesión 14.

Claves

Tarea 2:
1- F; 2- A ; 3- I; 4- G; 5- B; 6- H; 7- D; 8- J; 9- C; 10- E.

Sesión 30: Expresión oral

Tema preparado

En la Sesión 15 has trabajado el modelo que te encontrarás en el examen y cómo organizar los quince minutos que tienes para preparar la prueba. En esta Sesión queremos remarcar el uso de los conectores de discurso de la lengua hablada. Aunque no encontrarás todos aquí, seguro que algunos te serán útiles. Además, para la preparación de la prueba oral te proponemos que hagas algunos de los temas que han aparecido en las sesiones anteriores de *El cronómetro*.

Tarea 1

Lee la transcripción de la presentación del tema "Coincidencias" que ha hecho un nativo a partir de la Sesión 3.

Tema: **Casualidades, coincidencias, el azar, el destino**

- ¿Existe realmente?
- ¿Qué cree usted al respecto?
- Explique su opinión apoyándose en experiencias personales.

Bueno, he elegido el tema de las casualidades, el tema que trata de, bueno, casualidades, coincidencias, el azar, el destino, si existe o no existe algo como el destino, que influye en que sucedan cosas que no podemos explicar, casualidades, coincidencias, encontrarse en el mismo sitio, a la misma hora, que otra persona, y después volverse a encontrar a esa persona en un sitio muy alejado, y, bueno. A mí me han pasado algunas cosas que... que algunas personas quizá puedan interpretar como que, eso, que es el destino. Por ejemplo, pues, yo hice una vez un curso en un... en una casa en un pueblito perdido en... en la provincia de La Rioja, y después pues me fui de aquella provincia, me fui a vivir a otro país, bastante lejos, y años después acabé viviendo en Sevilla. Y empecé a estudiar Filología y un día hablando con compañeros de clase sobre viajes, conocí a un chico que había vivido en La Rioja, y hablando hablando pues resulta que él estaba exactamente en el mismo curso en aquel sitio perdido en la provincia de La Rioja e... muchos muchos años antes, y después cada uno siguió su camino, yo me fui a... eso a otro país, y luego volví, y acabamos exactamente en la misma clase, en la misma.. en el mismo grupo, estudiando la misma carrera y además hablando ese día de este tipo de cosas, y nos pareció una casualidad tan... tan curiosa, tan impactante, tan sorprendente que, bueno, a partir de ahí iniciamos una amistad que dura hasta hoy, por la sorpresa, la casualidad de... que... que se dio en aquel momento.

O por ejemplo pues... encontrarme muchos años después... en el trabajo, pues dos personas más que habían coincidido también en dos países en los que yo había estado. Yo viví en Venezuela durante algún tiempo y después también viví en Alemania y... y esas dos personas también. Acabamos los tres trabajando en el mismo sitio, en... en.. en la misma profesión, claro que no coincidimos en el tiempo, sí en el espacio, pero no coincidimos en el tiempo.

Yo no creo que estas casualidades tengan un sentido oculto, un significado sideral, o un significado universal. Creo que las vidas recorren muchos caminos, que dan... que la vida da muchas vueltas y como hoy en día la capaci... la posibilidad de moverse, no sé, de viajar, es mucho mayor que antes pues es lógico que la gente se reencuentre sin saberlo, insospechadamente. Que unos se... pues coincidan en la calle con las mismas personas sin darse cuenta, y que lo único sorprendente es que nos demos cuenta de vez en cuando de que eso sucede, ¿eh?, y que lo que pasa es que vamos con la mente más o menos cerrada y no... no lo percibimos, eso es lo que pasa. No que no se dé, se da mucho más de lo que creemos, y es una cosa normal, lógica, ¿eh? Si pensamos en la combinatoria de todos los... lugares y momentos y cambios posibles de toda la gente, encuentros en aeropuertos, encuentros en aviones, encuentros de... sobre todo en medios de comunicación, en medios de transporte. Es lógico, es absolutamente lógico y normal.

- Fíjate bien en las instrucciones. ¿Las sigue? Recuerda que son sólo orientaciones.

....

....

- ¿Crees que la persona habla con naturalidad, o tiene una manera de hablar artificial y demasiado formal?

....

....

- Escribe los conectores de discurso que ha usado. No te olvides que es un texto oral. Luego anótalos para una futura exposición.

....

....

Tarea 2

Completa el siguiente texto con los conectores que tienes en la lista. Entre paréntesis está la cantidad de veces que aparece ese conector. El texto es una transcripción de un relato de una película.

☐ Bueno (2)	☐ ¿no? (2)	☐ cuando	☐ pues (4)
☐ o sea	☐ entonces	☐ pero	☐ lo que pasa es que
☐ por lo menos (2)	☐ y es como que		

.... 1 .... era pequeño me, me pasaba toda la vida en el cine, porque mi padre trabajaba en el cine, ... 2 ...., no exactamente en el cine, mi padre trabajaba..., ... 3 ...., eeeh era acomodador, era acomodador. [pausa] Y recuerdo por ejemplo .... 4 ...., verle sentado en la última fila de las butacas,[ ] recuerdo que no me gustaba porque yo era un niño y prefería pensar como todos los niños que su padre estaba allá arriba en la pantalla y era un héroe como el de las películas, ... 5 .... [ ] .... 6 .... mi padre [ ] fue un héroe de verdad, porque..., ... 7 ...., ... 8 .... una espectadora se atragantó con una golosina, se cayó al suelo, se empezó a ahogar [ ] y mi padre se levantó rápidamente y luchó por salvarla, no sé cuánto tiempo, si mucho o poco, hasta que le salvó [ ] le salvó la vida, [ ] .... 9 .... nadie de los que estaba en ese momento lo vio, sólo yo, sólo lo vi yo. [ ] .... 10 ...., ... 11 .... yo siempre he pensado que si .... 12 .... mi padre [ ] hubiera tenido la oportunidad de salvar a esa mujer en una gran película .... 13 .... todo el mundo se habría enterado de que existe. .... 14 .... [ ] que eso me hace pensar que el cine es mágico, el cine es magia, y yo por eso quiero ser actor, quiero ser actor porque..., para que .... 15 ...., sepan que existo, ... 16 ....

(Adaptado de la película *Boca a boca* de Manuel Gómez Pereira)

Tarea 3

- Vuelve a mirar los textos de Comprensión de lectura y de Comprensión auditiva. Luego, prepara algunas exposiciones sobre los que más te interesen. No te olvides de que la preparación debe durar 15 minutos. Aquí te damos un ejemplo de instrucción sobre el tema de los museos (Sesión 2). Tampoco te olvides de que tienes que realizar una conversación con un amigo, o alguna persona que hable español. Graba las exposiciones y las conversaciones.

Tema: **Museos**

- En tu ciudad seguro que hay algún museo importante y seguro que lo conoces. Haz una exposición de tres o cuatro minutos contando:
  - por qué te gusta o no te gusta ese museo.
  - qué obras y colecciones se pueden ver.
  - si es igual o se parece a otro museo.
  - qué opinión tiene la gente del mismo.
  - ¿Se lo recomendarías a los turistas?

- Analiza las grabaciones. Debajo tienes dos cuadros que te pueden ayudar.

Exposición

	SÍ	No
1. He seguido las preguntas que se proponen en el tema.	☐	☐
2. He logrado exponer el tema claramente.	☐	☐
3. Los errores gramaticales no le han permitido a mi amigo entender lo que he dicho.	☐	☐
4. He hecho algunas pausas para poder entrelazar una frase con la otra.	☐	☐

Conversación

	SÍ	No
1. A pesar de los errores gramaticales que he cometido, mi amigo ha entendido lo que he dicho.	☐	☐
2. He contestado sin problemas, me esperaba ese tipo de preguntas.	☐	☐
3. Las pausas que he hecho son porque me faltaba vocabulario sobre el tema.	☐	☐
4. Cuando no he sabido o no he recordado una palabra la he explicado.	☐	☐
5. Cuando me ha faltado una palabra me he bloqueado y he vuelto a empezar.	☐	☐

Para seguir preparándote

Debajo hay una serie de posibles temas para el examen. En todos los casos, sigue la misma mecánica de trabajo que en la tarea anterior.

Tema: **Los medios de locomoción en las ciudades**

- ¿No le parece que los medios de locomoción, especialmente los coches, contaminan?
- ¿Qué se podría hacer para utilizar los coches racionalmente?
- ¿No sería bueno utilizar otros medios de locomoción alternativos, como la bicicleta?
- ¿Qué propuestas haría usted sobre el tema?

Tema: **El futuro y la sociedad**

- ¿Cuál es su opinión sobre el futuro? ¿Se puede prever el futuro?
- ¿Tenemos un futuro común los habitantes de la Tierra?
- ¿Cree que se puede predecir el futuro? ¿De qué manera?
- ¿Lee el horóscopo? ¿Por qué?

Tema: **El crecimiento de la población en la Tierra**

- ¿Cuáles son los motivos de la sobrepoblación?
- ¿No le parece que se podría habitar zonas prácticamente desiertas?
- ¿Acaso las riquezas se agotarán? ¿Están bien distribuidas ahora?
- Ya hay gente que cree que la solución está en irse a vivir a otro planeta. ¿Le parece que llegará ese día? ¿Por qué?

Tema: **Dormir**

- En el mundo actual dormir bien es un problema, ¿por qué hemos llegado hasta este punto?
- ¿Cuál sería la solución para dormir más y mejor?
- ¿Le parece una buena solución tomar pastillas para dormir?
- ¿Qué es lo que hace usted para dormir bien?

Claves

Tarea 1:
Conectores: Bien; pues; pero; depués; por ejemplo; lo que pasa es que.

Tarea 2:
1- Cuando; 2- bueno; 3- o sea; 4- pues; 5- ¿no?; 6- lo que pasa es que; 7- bueno; 8- pues; 9- pero; 10- entonces; 11- pues; 12- por lo menos; 13- pues; 14- y es como que; 15- por lo menos; 16- ¿no?

Segunda vuelta

Línea de meta

Última sesión de trabajo:
Recapitulación y procedimientos de examen

En esta Sesión vas a hacer una recopilación de ideas y consejos, así como a tratar algunas cuestiones de procedimiento que conviene que sepas.

Aquí tienes algunos de los consejos aparecidos en las sesiones de trabajo. Algunos se refieren al examen y otros a la preparación. Marca los que te parezcan más útiles para cada una de las pruebas de examen. Añade los tuyos después de cada lista.

Prueba 1: Comprensión de lectura

1. Ten en cuenta el reloj pero sin estresarte.
2. Empieza por las preguntas en vez de empezar por el texto. Realiza una lectura selectiva. No tienes que entenderlo todo, sino responder a las preguntas.
3. Localiza y marca la palabra, frase o párrafo donde esté la información necesaria para responder.
4. Intenta deducir el significado de las palabras desconocidas a través del contexto.
5. Si no está claro cuál es la respuesta correcta aunque entiendas la pregunta y el texto, compara la falsedad o veracidad relativa de las tres, y localiza las dos más alejadas del sentido original del texto, eligiendo la que quede.
6. Lee con frecuencia en español (artículos de prensa, noticias, folletos, etc.)
7. Trabaja el vocabulario para ser capaz de entender tipos de textos diferentes, agrupando las palabras según determinados criterios, haciendo mapas de vocabulario, etc.
8. Escribe una pregunta de opción múltiple o de Verdadero / Falso en relación con una palabra, un párrafo o ideas del texto que hayas leído.

    ....
    ....

Prueba 2: Expresión escrita

1. Lee bien las instrucciones, pues debes seguirlas escrupulosamente. Además, pueden servirte como esquema para armar tu texto.
2. No olvides que el tiempo pasa.
3. En el examen vas a tener una hoja de borrador. Puedes hacer dos cosas en ella: escribir una lista de ideas siguiendo el orden de las instrucciones, o una primera redacción.
4. Intenta visualizar a la persona a la que quieres escribir la carta.
5. No olvides elementos de la carta como el saludo, la despedida, la fecha y la firma.
6. Haz una lista de palabras y expresiones útiles relacionadas con el tema. Usa palabras que realmente conozcas.
7. No formules frases demasiado largas ni textos complicados.
8. Escribe tú unas instrucciones.

    ....
    ....

Prueba 3: Comprensión auditiva

1. Lee el título del texto, aprovecha tu conocimiento del tema para anticipar el vocabulario.

2. Lee muy bien las preguntas para saber qué tienes que contestar. Marca en las preguntas la parte de las frases que te están preguntando.

3. Detecta durante la audición palabras o frases clave, y reconoce la palabra o frase equivalentes en la pregunta.

4. Piensa por qué una opción no es correcta aunque las palabras sean parecidas.

5. Aprovecha el tiempo entre las audiciones, de manera que no pierdas la concentración.

6. Si sabes la respuesta de las preguntas antes de terminar una audición, no esperes a que acabe la audición en curso, sino concéntrate en las preguntas de la siguiente audición.

7. Habitúate a repetir mentalmente frases e incluso párrafos.

8. Redacta preguntas a partir de audiciones que puedas encontrar en libros de español, en la red, etc.

....

....

Prueba 5: Expresión oral

1. Haz una descripción de una viñeta o serie de viñetas, no por escrito, sino grabándola.

2. Recrea el diálogo que podrían mantener los personajes. Graba la recreación, si puedes, con un interlocutor.

3. Haz un esquema general que englobe las ideas, las preguntas y el vocabulario del tema de la exposición.

4. Graba la exposición y analízala. Para ello, sigue el cuadro de la Sesión 15.

5. Controla el tiempo necesario para preparar la exposición.

6. Ponte por un momento en el papel del entrevistador e incluye en el esquema de la exposición las posibles preguntas que éste realizará.

....

....

Algunas cuestiones de procedimiento

- **Centro examinador:** Es el que organiza la celebración del examen. A él te debes dirigir para solicitar información, inscribirte o hacer reclamaciones.

- **Hoja de inscripción:** Para participar en el examen, tienes que inscribirte dentro del plazo de tiempo que establece el Instituto Cervantes. Hay dos condiciones básicas: no ser hablante nativo de español, ni ser ciudadano de un país donde la lengua española es lengua oficial. Hay otras condiciones que puedes consultar en la página del Instituto Cervantes: http://diplomas.cervantes.es.

- **Cita de la prueba oral:** La prueba de Expresión oral (número 5), se puede realizar un día diferente y en un lugar diferente al del resto de las pruebas. El Centro examinador te enviará una carta con la hora, lugar y día de la cita.

- **Documentos:** Tienes que llevar un documento de identidad y la hoja de inscripción. Si has indicado en la inscripción alguna minusvalía, tienes que llevar el documento acreditativo correspondiente.

- **Cuadernillos:** Los textos, las preguntas y las instrucciones de los distintos ejercicios están en unos documentos llamados "cuadernillos". En total son dos: uno para las pruebas 1 y 2, y otro para las pruebas 3 y 4. Los textos y las preguntas cambian en cada convocatoria. La prueba número 5 no tiene cuadernillo.

- **Hojas de respuesta:** Las respuestas se marcan sobre unas hojas especiales y de una manera especial: hay unos cuadritos que hay que rellenar a lápiz. Para la prueba de Expresión escrita también te proporcionarán una hoja de borrador.

- **Bolígrafo y lápiz:** Sólo necesitas llevar un bolígrafo, lo demás te lo proporciona el Centro examinador, en concreto un lápiz del número 2 para las hojas de respuestas, una goma y un sacapuntas. El bolígrafo lo necesitarás sólo para realizar la prueba de Expresión escrita.

- **Diccionario:** No se puede usar en ningún momento del examen.

- **Candidatos con discapacidades:** Si un candidato tiene una discapacidad concreta, es conveniente notificarlo antes al Centro examinador para que tome las medidas oportunas.

- **Información:** Si necesitas saber algo, dirígete al Centro examinador, consulta la página Web del Instituto Cervantes, o dirígete directamente a éste. La información de personas no vinculadas al examen puede no corresponder a la realidad.

El testimonio de un candidato

Para terminar, te ofrecemos un texto escrito por un candidato a propósito del examen. El texto ha sido corregido.

Yo hice el examen

Decidí presentarme al examen porque quería añadir a mi currículum un documento oficial que certificara mi nivel de español. Pensaba que de esta manera tenía más posibilidades de encontrar trabajo al terminar la carrera. En mi país se valora mucho el conocimiento de idiomas. Además, ya tenía uno de inglés, y pensé que el examen podía ser parecido.

No me preparé mucho para hacerlo, por eso me encontré con muchas sorpresas. En realidad no era como me lo había imaginado. Ahora pienso que me lo tenía que haber preparado mejor, no porque mi español no fuera suficiente para aprobar, sino porque no me lo esperaba.

Una cosa que me sorprendió fue que los ejercicios no eran exactamente como en las clases de español. La principal diferencia, me parece, es que son muchas tareas en poco tiempo. Es decir, que está todo muy concentrado y cansa mucho. Por eso creo que es bueno ir bien descansado, dormir bastante los días antes.

Otra cosa fue que las pruebas me parecían ir muy rápido. En la primera parte todo fue bien hasta la parte escrita. Me faltó tiempo para completar la carta a mi gusto. Escribí dos borradores, cambié cosas al pasarlos a limpio, y casi no pude terminar. Sí, me faltó tiempo, y eso que a mí me gusta bastante escribir en español y lo hago con frecuencia. Me puse bastante nervioso.

Durante la pausa no dejaba de pensar en que iba a suspender por la carta, y luego recibí una llamada de mi novia que me puso aún más nervioso. Por eso después, en la audición, casi no podía concentrarme. Me parece que es muy importante estar tranquilo y no hacer cosas que le pongan a uno más nervioso. Por otro lado, creo que prepararse ayuda también a mantener la tranquilidad porque sabes con lo que te vas a encontrar.

De la prueba de gramática no puedo hablar mucho porque casi no la recuerdo. En cambio, recuerdo bien la entrevista. Fue al día siguiente y en otro sitio. Tuve suerte porque la chica con la que hablé fue súper simpática conmigo y creo que trató de llevar una conversación amena. El ambiente era bastante agradable, y había confianza para hablar. El otro chico del tribunal no dijo ni una palabra en todo el tiempo. Afuera había otros candidatos esperando que parecían más nerviosos que yo.

En resumen, que aunque tengas un buen nivel de español, no es suficiente, y prepararse y estar bien informado es igual de importante para aprobar.

Espero que tengas mucha suerte y que consigas tú también el diploma.

Marek Sz., 25 años, estudiante de arquitectura, Varsovia, Polonia.

Instrucciones de la prueba de examen

Como ya sabes, en esta última fase te proponemos realizar un examen completo. Para que este ejercicio sea efectivo, es muy importante reproducir lo más fielmente posible las condiciones del examen. Te recordamos lo más importante:

■ Realiza todas las pruebas en su orden. Recuerda que las pruebas 1 y 2 las recibirás juntas de modo que puedes empezar por la que tú quieras y dedicar a cada una el tiempo que necesites, siempre que el total no supere las 2 horas.

■ Utiliza las hojas de respuestas que tienes en la página 186 para marcar las respuestas de las pruebas 1, 3 y 4. Te recomendamos que uses una fotocopia y marques sobre ella, pues es más o menos lo que vas a tener en el examen: los cuadernillos por un lado y las hojas de respuestas sueltas por otro. La prueba 2 no necesita un formato concreto, puedes escribir en hojas en blanco el borrador y el texto definitivo.

■ Utiliza un lápiz del número 2 para anotar las respuestas en la hoja de respuestas, y un bolígrafo para escribir los textos definitivos de la prueba de Expresión escrita.

■ No utilices ningún material de apoyo (libros, diccionarios, programas informáticos, consultas a nativos, amigos o profesores, etc.). Te recomendamos que lo hagas con tranquilidad y en silencio.

■ Respeta los tiempos que hay asignados a cada parte, así como sus pausas. Si puedes dedicar una mañana entera a hacer la prueba, tendrás una idea más aproximada de la situación del examen. Aquí tienes de nuevo los tiempos y horarios que aparecían en la Sesión 0. Lo importante, en todo caso, es seguir los tiempos establecidos para cada prueba.

Pruebas 1 y 2	Comprensión de lectura y Expresión escrita	120 min.	Horario recomendado: de 9:00 a 11:00
Descanso de 30 minutos			
Prueba 3	Comprensión auditiva	30 min.	Horario recomendado: de 11:30 a 12:00
Prueba 4	Gramática y vocabulario	60 min.	Horario recomendado: de 12:00 a 13:00
Prueba 5	Expresión oral	Unos 15 min. de preparación De 10 a 15 min. de conversación	

■ Respecto a la prueba de Comprensión auditiva, todo lo que tienes que hacer es poner en tu equipo de sonido la pista correspondiente y seguir las instrucciones que oigas sin detener en ningún momento la grabación, que durará aproximadamente unos 30 minutos*.

■ La prueba más difícil de reproducir es la de Expresión oral. Sabes lo que tienes que hacer con los dibujos y los temas de exposición. Lo que necesitas es un interlocutor que pueda desarrollar una conversación. Puede ser algún amigo nativo, un profesor de español o incluso otro compañero de tus clases de español u otro candidato. Recuerda que en total la conversación no debe durar más de 15 minutos.

* En el examen real dispondrás de 2 minutos después de cada texto para contestar a las preguntas. En esta prueba, el tiempo disponible es de minuto y medio.

¡Buena suerte!

Prueba 1:
Comprensión de lectura

Instrucciones

A continuación encontrá usted cuatro textos y una serie de preguntas relativas a cada uno de ellos. Hay dos modalidades de pregunta:

Primer tipo:

a) Verdadero.

b) Falso.

Segundo tipo. Selección de una respuesta entre tres opciones:

a) ...

b) ...

c) ...

Marque la opción correcta en la **Hoja de Respuestas, Prueba 1.**

Texto 1

La piel

La piel no sólo es nuestra carta de presentación, sino que funciona como un órgano que refleja con facilidad todas las anomalías que puede padecer el organismo. Son muchos los factores que afectan gravemente a su salud y a su belleza.

Nuestra piel controla la pérdida de agua y sales minerales, regula la temperatura del cuerpo y nos defiende de agresiones externas. Su cuidado y protección son muy importantes y han de ir más allá de la pura estética. Seguir una dieta equilibrada será fundamental para tener una piel sana. La fruta y la verdura deben abundar en las comidas y, ante todo, el agua. Beber dos o más litros al día será el mejor remedio para mantenerla hidratada. Por otra parte, llevar unos hábitos sanos como, por ejemplo, practicar regularmente deporte, evitar el alcohol, la cafeína y el tabaco nunca está de más. Otra de las reglas generales en la rutina diaria es su higiene. Limpiarla a conciencia todos los días y eliminar el maquillaje con lociones y jabones es tan valioso como elegir los productos adecuados para cada tipo de piel. Y, por último, resulta imprescindible que antes de aplicar cualquier tratamiento cutáneo, conozcas a qué tipo pertenece.

Enfermedades de la piel

Alergias, acné, espinillas, sabañones, o verrugas son algunas de las anomalías más comunes que trastornan su correcto funcionamiento, y los principales peligros que amenazan su integridad son la pérdida de agua y grasa. Pero también hay otros factores importantes que hay que tener en cuenta, como son el estrés o la historia familiar, que predeterminará en gran medida si nuestra piel es propensa a desencadenar algunas anomalías. En este sentido, la dermatitis atópica se perfila como un claro ejemplo de enfermedades cutáneas que afectan gravemente la salud de la piel provocada por el funcionamiento defectuoso del sistema inmunitario. Se trata de un proceso hereditario que se caracteriza, sobre todo, por lesiones eczematosas en pacientes con una historia familiar o personal de asma, rinitis alérgica o dermatitis atópica. La piel seca es el resultado habitual de esta enfermedad, sobre todo en invierno, cuando expuesta a estímulos como el frío, los cambios de temperatura, y la baja humedad ambiental, se agravan las afecciones eczematosas y se agudiza el riesgo a sobreinfección secundaria.

(Adaptado de *Salud y Vida*)

Línea de meta

1. **En el texto se dice que la piel no necesita una atención constante para mantener un perfecto estado de salud.**
   - ☐ a. Verdadero.
   - ☐ b. Falso.

2. **Según el texto, lo normal es que la piel empiece a dañarse al perder agua y sales minerales, entre otros compuestos.**
   - ☐ a. Verdadero.
   - ☐ b. Falso.

3. **Según el texto, el estado de los pacientes con dermatitis atópica suele empeorar en ambientes secos.**
   - ☐ a. Verdadero.
   - ☐ b. Falso.

La movida de Buenos Aires

Se le pueden encontrar varios padres. Para algunos, tiene genes en el pub inglés. Otros dicen que nació de una particular historia de amigos con ganas de verse. Y hasta hay quienes encuentran en su linaje rastros del viejo hábito de cafetín. Todos tienen algo de razón. Más allá de sus orígenes, esta moda de la tarde-noche porteña fue bautizada: *after office*. Y logró que miles de personas se hayan acostumbrado, al salir de la oficina, a ir a tomar algo o a bailar, pero los miércoles o los jueves, movidos por el deseo de adelantar un par de días el siempre escaso fin de semana.

No se le puede poner una fecha cierta de nacimiento, pero todos coinciden en que la tendencia se consolidó hace unos dos años. Los conocedores afirman que el negocio rinde porque encontró una oportunidad como pocas: el *after office* surgió para los jóvenes de veintipico a treintaypico, profesionales o estudiantes, de clase media o media-alta, con ingresos aceptables y ganas de gastarlos, cansados de trasnochar pero a su vez amantes de la diversión y la vida social.

Pero, ¿cómo es el *after office*? En primer lugar, no se lo puede entender sin enmarcarlo en una zona de la ciudad. Si bien hay bares que lo proponen en muchos barrios, el epicentro de la tendencia se da en Puerto Madero a las seis o siete de la tarde, después de la jornada laboral. Luego están los estilos, y aquí las ramas se abren un poco. El inicio se dio en los pubs irlandeses, reinos de la cerveza importada y la música pop, a los que la gente va en grupos, toma cerveza o tragos, se junta a charlar y aprovecha para escuchar música. Otra clase de locales propone algo similar, pero se los podría definir como más coquetos, más *cool*, donde los cócteles y el vino le empatan el juego a la cerveza entre sillones de cuero negro, pizarras con ofertas de tapas y una luz tenue de velas. Por último, el tercer estilo de *after office* tiene rasgos más diferenciados. Va más allá de sentarse a tomar algo; allí la gente quiere bailar.

(Adaptado de *Clarín*)

4. **Según el texto, el *after office***
   - ☐ a. tienen su origen principalmente en los tradicionales pubs ingleses.
   - ☐ b. se inspiró básicamente en los antiguos cafetines.
   - ☐ c. es el resultado de una mezcla de hábitos y tradiciones.

5. **Según el texto, el *after office***
   - ☐ a. está pensado para jóvenes que quieren divertirse pero no acostarse demasiado tarde.
   - ☐ b. va destinado a jóvenes de 18 ó 19 años en adelante.
   - ☐ c. triunfó ya hace bastantes años.

6. **Según el texto, el *after office***
   - ☐ a. es un fenómeno rural.
   - ☐ b. está pensado para que la gente baile.
   - ☐ c. es diferente según el local al que se vaya.

El horno y el microondas

Si los cálculos no me fallan, el próximo fin de semana habrá un nuevo cambio de horario. A los jóvenes quizá les parezca que eso de adelantar o atrasar el reloj cada seis meses es lo más normal del mundo, pero recuerdo una infancia en la que los relojes no se tenían que adelantar o atrasar nunca. Aunque ya antes se había cambiado de horario en diversas ocasiones, fue en 1984 cuando una directriz europea instauró la costumbre de forma definitiva. Como la gente se liaba, los periódicos empezaron a insertar infogramas de relojes en los que se describía la acción que había que realizar aquella noche en concreto: atrasar o avanzar una hora, de forma que, a veces, a las tres de la madrugada volvían a ser la dos. Y te alegrabas: ¡una hora más de noche y copas! Los sábados que la cosa se acortaba eran más tristes: una hora menos de noche y copas. Ya entonces, los cambios de horario presentaban problemas: ¿cuándo ajustar las manecillas de los relojes, por ejemplo? ¿Antes o después de ir a dormir?

Ahora, años después de aquel 1984, los cambios de horario traen cada vez más trabajo. Antes, en cada casa había un par de relojes y ya está. Ahora, en cambio, la cantidad de relojes que hay que avanzar o atrasar es mucho mayor. El caso es que, los días de cambio de horario, cada vez dedicas más tiempo a avanzar y a atrasar relojes. Y eso lleva a un interrogante. Vale que el contestador sepa la hora que es para decirte a qué hora ha telefoneado tal o cual persona. Vale que el video sepa la hora en que vive para ponerse en marcha en función del programa que te interesa grabar. Vale que el fax sepa la hora para que quede constancia de ella en los mensajes que envías... Pero el horno y el microondas ¿para qué quieren saber la hora exacta que es, si nunca los programo con antelación? Con uno de esos relojes que a los treinta o cuarenta minutos de cocción te avisa de que quizá el asado ya está a punto tendrían suficiente. ¿Qué necesidad tienen de saber si aso a las dos de la tarde o a las siete de la mañana?

(Adaptado de *Magazine*)

Línea de meta

7. **Según el texto, los ciudadanos:**
   - ☐ a. sólo empezaron a cambiar la hora a partir de 1984.
   - ☐ b. cuando eran niños no tenían que cambiar la hora.
   - ☐ c. recibían explicaciones en los periódicos sobre cómo cambiar la hora.

8. **Según el texto, antes, cuando había que atrasar la hora:**
   - ☐ a. la gente se ponía muy contenta y se iba de copas toda la noche.
   - ☐ b. la gente no sabía exactamente en qué momento cambiarla en sus relojes.
   - ☐ c. la gente seguía al pie de la letra las indicaciones de los periódicos.

9. **Según el texto, en la actualidad:**
   - ☐ a. la gente compra muchos más relojes para sus casas que antes.
   - ☐ b. algunos electrodomésticos llevan incorporados relojes innecesarios.
   - ☐ c. a la gente le sigue costando mucho trabajo entender el cambio de hora.

Geografía humana

Mi madre cambió de religión, cambió de ideología, y hasta de piel, para convertirse en la mujer de mi padre y adorarle sólo a él. Hasta donde yo recuerdo, su docilidad se asomaba al mismísimo borde de la tontería, pero si me hubiera atrevido a decir esto alguna vez en voz alta, nadie habría estado de acuerdo conmigo. Para los demás, mi padre el primero, mi madre ha sido siempre una diosa. Bella, perfecta, misteriosa... Admirable como una estatua. Y silenciosa como el mármol, también, porque no solía opinar en público. Supongo que no tendría gran cosa que decir pero, no sé por qué, la gente interpretaba su permanente ausencia como una muestra más de su ilimitada capacidad de seducción, otra contraseña de un carácter fascinante. No se equivocaba nunca, claro, nunca fallaba porque sólo intervenía en el preciso segmento de las conversaciones donde su ingenio podía brillar sin ningún riesgo. Estaba específicamente dotada para ironizar acerca de los demás, interpretar maliciosamente cualquier comentario, sugerir el mejor mote, hacer juegos de palabras... Todavía es su gran especialidad. Los dioses, ya se sabe, son crueles, nadie debe reprocharles su naturaleza. Y en definitiva, este rasgo de brillantez estaba al servicio de mi padre tanto al menos como la elegancia de su vestuario o la impecable organización de las fiestas al aire libre que celebraban en verano, en la casa de la playa. Él la había fabricado, y ella parecía feliz en aquel vestido que no acababa de ceñirla del todo, o por lo menos, eso pensaba yo, porque yo conocía también en ella misma a otra mujer que seguramente ninguno de sus adoradores se habría atrevido a sospechar que existiera. Hasta que la decepcioné, y perdió cierta clase de interés en mí para ganar a la vez un determinado tipo de confianza, mi madre me inculcó una educación muy parecida a la que había recibido de su propia madre, una rigidez que no aplicó ni remotamente a mis hermanos varones, aunque ellos también tuvieron ocasiones suficientes para reconocer la silueta del embudo que gobernaba nuestras vidas...

(Adaptado de *Atlas de geografía humana* de Almudena Grandes)

10. **Según la narradora del texto, su madre:**
    - ☐ a. era una mujer digna de admiración.
    - ☐ b. era una mujer de firmes convicciones.
    - ☐ c. estaba sometida a la voluntad de su marido.

11. **Según la narradora del texto, su madre nunca cometía errores en público porque:**
    - ☐ a. era una diosa.
    - ☐ b. sólo opinaba sobre seguro.
    - ☐ c. era una mujer brillante.

12. **Según el texto, la narradora:**
    - ☐ a. recibió una educación muy parecida a la de sus hermanos.
    - ☐ b. fue educada de manera muy similar a su madre.
    - ☐ c. sentía que su madre era el modelo a seguir.

Prueba 2:
Expresión escrita

Parte 1: Carta personal

Instrucciones

- Redacte una carta de 150-200 palabras (15-20 líneas).
- Escoja sólo una de las dos opciones que se le proponen.
- Comience y termine la carta como si fuera real.

Opción 1
- Usted acaba de volver muy descontento de un viaje organizado. Escríbale una carta a la agencia de viajes. En ella deberá:
  - Presentarse.
  - Expresar los motivos de la carta.
  - Explicar con detalle lo que la agencia le había prometido y lo que realmente recibió.
  - Reclamar.

Opción 2
- Usted ha encontrado el trabajo de sus sueños. Escriba una carta a un amigo en la que:
  - Exprese el motivo por el que le escribe.
  - Explique cómo encontró el trabajo.
  - Describa en qué consiste su nuevo trabajo.
  - Hable de lo que más le gusta del mismo.

Parte 2: Redacción

Instrucciones

- Escriba una redacción de 150-200 palabras (15-20 líneas).
- Escoja sólo una de las dos opciones que se proponen.

Opción 1
- Cuando viajamos a otros países, siempre nos suceden situaciones curiosas causadas por las diferencias culturales. Cuéntenos por escrito una de esas anécdotas que usted recuerde indicando:
  - Dónde y cuándo sucedió.
  - Qué pasó exactamente.
  - Cómo reaccionó usted.
  - Cómo se siente ahora al recordarlo todo.

Opción 2
- Todos tenemos alguna opinión sobre el tabaco. "El tabaco debería estar prohibido en todos los lugares públicos, bares incluidos". Escriba un texto en el que exprese su opinión a favor o en contra de esta afirmación. En él deberá:
  - Exponer su punto de vista.
  - Dar ejemplos que lo apoyen.
  - Hablar de su experiencia personal.
  - Elaborar una breve conclusión.

Prueba 3:
Comprensión auditiva

Instrucciones

Usted va a oír cuatro textos. Oirá cada uno de ellos dos veces. Al final de la segunda audición de cada uno de los textos, dispondrá de tiempo para contestar a las preguntas que se le formulen.

Hay dos modalidades de pregunta:

Primer tipo:

a) Verdadero.

b) Falso.

Segundo tipo. Selección de una respuesta entre tres opciones:

a) ...

b) ...

c) ...

Marque la opción correcta en la **Hoja de Respuestas, Prueba 3.**

Texto 1

18 DOS FIESTAS ARAGONESAS

A continuación escuchará un texto en el que se habla de dos fiestas aragonesas: Los tambores de Calanda y el Cipotegato.

(Adaptado de *Geoplaneta*)

Preguntas

1. **Según la grabación, los tambores de Calanda sólo tocan a las doce de la mañana del Viernes Santo.**
   ☐ a. Verdadero.
   ☐ b. Falso.

2. **Según la grabación, el *cipotegato* es en la actualidad un preso vestido con un traje de colores al que los jóvenes tiran tomates.**
   ☐ a. Verdadero.
   ☐ b. Falso.

3. **Según la grabación, antes de la Guerra Civil ser *cipotegato* no estaba bien visto socialmente.**
   ☐ a. Verdadero.
   ☐ b. Falso.

Texto 2

LLEGAN LOS FASCÍCULOS

A continuación escuchará un texto sobre los fascículos coleccionables.

(Adaptado de Revista *Consumer*)

Preguntas

4. **Según la grabación, algunas personas:**
   - ☐ a. hace 50 años coleccionaban las historias de Asterix y Obelix.
   - ☐ b. empezaron a crear su propia biblioteca gracias a los coleccionables.
   - ☐ c. conocieron toda la obra de Dickens gracias a los fascículos coleccionables.

5. **Según la grabación, las editoriales:**
   - ☐ a. en ocasiones vuelven a lanzar una misma colección aunque la edición anterior aún no ha acabado.
   - ☐ b. siempre suministran una colección hasta su conclusión.
   - ☐ c. lanzan sus fascículos coleccionables sólo en septiembre.

6. **Según la grabación, las editoriales:**
   - ☐ a. basan la mayor parte de sus ingresos en los fascículos coleccionables.
   - ☐ b. después de las primeras entregas de una colección basan su distribución en los pedidos de los libreros y kiosqueros.
   - ☐ c. siempre lanzan el primer y el segundo ejemplar juntos.

Texto 3

ANIMACIÓN A LA LECTURA INFANTIL

A continuación escuchará un texto sobre unas jornadas de animación a la lectura infantil.

(Adaptado de *Un idioma sin fronteras* de REE)

Preguntas

7. **Según la grabación, el programa de animación a la lectura del Ayuntamiento de Vitoria pretende:**
   - ☐ a. demostrar que la lectura es la mejor forma de pasar el tiempo libre.
   - ☐ b. promocionar el teatro a través de la lectura.
   - ☐ c. descubrir a los niños el placer de la lectura.

8. **Según la grabación, las Jornadas de animación a la lectura tendrán lugar en:**
   - ☐ a. las once bibliotecas municipales de la ciudad.
   - ☐ b. las once bibliotecas municipales de la ciudad y en un teatro.
   - ☐ c. en la sede del Ayuntamiento de Vitoria.

9. **Según la grabación, recuperar la figura del narrador de cuentos es importante:**
   - ☐ a. porque los libros son en definitiva la memoria de la narración oral.
   - ☐ b. porque los niños no leen.
   - ☐ c. para competir con los juegos electrónicos y audiovisuales.

Línea de meta

Texto 4

LA PRESENTADORA DE MODA

A continuación escuchará una entrevista con Julia Otero, periodista.

(Adaptado de *Lecturas*)

Preguntas

10. **Según la grabación, Julia Otero:**
    - ☐ a. se hizo famosa presentando un concurso de televisión.
    - ☐ b. está casada con un hombre que tiene celos profesionales de ella.
    - ☐ c. se ha especializado en la presentación de concursos televisivos.

11. **Según la grabación, Julia Otero, tras hacerse popular:**
    - ☐ a. es vista de una forma diferente por los demás.
    - ☐ b. invita a cenar a sus amigos a su casa cuando ella no sale los fines de semana.
    - ☐ c. ha cambiado radicalmente sus hábitos.

12. **Según la grabación, Julia Otero:**
    - ☐ a. hizo la carrera de periodismo.
    - ☐ b. quería ser cirujana para ser pionera en esa especialidad.
    - ☐ c. decepcionó a su padre al no hacerse música.

Prueba 4:
Gramática y vocabulario

Sección 1: Texto incompleto

Instrucciones:

Complete el siguiente texto eligiendo para cada uno de los huecos una de las tres opciones que se le ofrecen. Marque la opción correcta en la **Hoja de Respuestas, Prueba 4.**

Miguel Bosé regresa al panorama musical con un nuevo disco

El cantante Miguel Bosé regresa al panorama musical con "Por vos muero", su octavo disco, en el que se .... 1 .... más sereno que nunca. .... 2 .... un largo período de intenso y arduo trabajo, el cantante ha hecho realidad el sueño de publicar un álbum "especial", tal y como él lo califica, en el que usa referencias cinematográficas y pone banda sonora a diez nuevas canciones. Vestido completamente .... 3 .... negro y con un físico envidiable, como si por él no pasara el .... 4 ...., Miguel, que acaba de .... 5 .... cuarenta y ocho años, hizo su aparición en el madrileño cine Doré, sede de la Filmoteca Española, escenario idóneo para presentar este nuevo proyecto dotado de importantes referencias cinematográficas. Tal y como aseguró .... 6 .... su comparecencia .... 7 .... los medios, este disco .... 8 .... de una charla con el realizador mexicano Alejandro González, autor de películas como *Amores perros* y *21 gramos*. "Me gusta contar .... 9 .... canto, por eso este disco tiene mucho de banda sonora y cada canción lleva consigo una interpretación", señaló el artista, que por primera vez ha asumido las tareas de producción. Grandes maestros como Alejandro Sanz, compositor de *El ilusionista*, ... 10 .... de los temas del álbum, han colaborado en la elaboración del octavo trabajo discográfico del artista. Los discos los hago .... 11 .... necesidad, porque de repente me entusiasmo con una fórmula, los trabajo mucho y sé que cuando los .... 12 ...., por el .... 13 .... de gente que me rodea, la calidad es extraordinaria".

La idea de cantar a dúo con el cantante mexicano Alejandro Fernández surgió porque "somos muy amigos y desde hace mucho tiempo nos .... 14 .... la idea de hacer algo juntos. .... 15 .... difícil, ... 16 .... los dos teníamos estilos completamente diferentes y voces distintas, pero .... 17 .... propuse el tema "Habana", le gustó mucho y ha quedado muy bien.

.... 18 .... realizar este trabajo, "nos encerramos todos en mi casa y fue como si volviéramos a la Universidad, porque para todos supuso el volcarnos en la investigación de los clásicos", destacó Miguel Bosé, ... 19 .... ha utilizado música de Beethoven y sonetos de Garcilaso de la Vega para la canción que da título al álbum. A su .... 20 .... muestra claras influencias de clásicos como Bach y Haendel, e incluso de los Beatles y Elton John, entre otros.

Texto adaptado de Hola

1. ☐ a. aparece   ☐ b. muestra   ☐ c. está
2. ☐ a. después   ☐ b. luego   ☐ c. tras
3. ☐ a. en   ☐ b. de   ☐ c. con
4. ☐ a. tiempo   ☐ b. periodo   ☐ c. edad
5. ☐ a. haber   ☐ b. tener   ☐ c. cumplir
6. ☐ a. durante   ☐ b. mientras   ☐ c. a la vez de
7. ☐ a. enfrente de   ☐ b. ante   ☐ c. delante
8. ☐ a. surgió   ☐ b. surgía   ☐ c. surja
9. ☐ a. el que   ☐ b. cuyo   ☐ c. lo que
10. ☐ a. un   ☐ b. uno   ☐ c. algún

Línea de meta

11. ☐ a. para	☐ b. por	☐ c. porque
12. ☐ a. acabe	☐ b. acabaré	☐ c. acabo
13. ☐ a. tipo	☐ b. clase	☐ c. estilo
14. ☐ a. divertía	☐ b. disfrutaba	☐ c. pasaba bien
15. ☐ a. Fuese	☐ b. Fue	☐ c. Será
16. ☐ a. porque	☐ b. como	☐ c. así
17. ☐ a. se	☐ b. le	☐ c. lo
18. ☐ a. Por	☐ b. Con el fin	☐ c. Para
19. ☐ a. el que	☐ b. qué	☐ c. quien
20. ☐ a. tiempo	☐ b. vez	☐ c. igual

Sección 2: Selección múltiple. Ejercicio 1

Instrucciones:

En cada una de las frases siguientes se ha marcado con letra negrita un fragmento. Elija, de entre las tres opciones de respuesta, aquella que tenga un significado equivalente al del fragmento marcado. Marque la opción correcta en la **Hoja de Respuestas, Prueba 4.**

21. ▷ ¿Te va bien pasarte por casa a recoger los libros?
   ▶ Sí, me paso **sobre** las siete.
      ☐ a. después de las siete
      ☐ b. antes de las siete
      ☐ c. a las siete más o menos

22. ▷ Últimamente Carmen está muy triste.
   ▶ Sí, **echa mucho de menos** a su novio.
      ☐ a. nota su ausencia
      ☐ b. lo quiere menos
      ☐ c. ya no están juntos

23. ▷ Yo creo que Luis tiene razón.
   ▶ **En absoluto.**
      ☐ a. Tiene razón
      ☐ b. No tiene razón
      ☐ c. Tiene parte de razón

24. ▷ ¿Van a venir Ignacio y Javier a cazar también?
   ▶ No, no los he llamado. Ya sabes que **se llevan como el perro y el gato.**
      ☐ a. discuten continuamente
      ☐ b. son ecologistas
      ☐ c. tienen un perro y un gato

25. ▷ ¿Cuánto cuesta un apartamento de un dormitorio en el centro?
   ▶ **Vienen a ser** 250.000 €.
      ☐ a. Cuesta menos
      ☐ b. Cuesta exactamente
      ☐ c. Cuesta aproximadamente

26. ▷ Últimamente no **soporto** a Federico.
   ▶ ¡Pobre! Es que está muy estresado. Tiene mucho trabajo.
      ☐ a. Aguanto
      ☐ b. Me gusta
      ☐ c. Ayudo

27. ▷ ¿Y qué problema tiene su ordenador?
   ► Pues que se apaga **cada dos por tres**.
     - ☐ a. dos o tres veces
     - ☐ b. continuamente
     - ☐ c. algunas veces

28. ▷ ¡Pobre Pepe!, **tiene una mala pata**.
   ► ¿Qué le ha pasado?
     - ☐ a. se ha roto la pierna
     - ☐ b. tiene mala suerte
     - ☐ c. está malo

29. ▷ ¿Qué tal Marieta en el colegio?
   ► Regular. Con tantos niños en la clase la profesora no **le hace mucho caso**.
     - ☐ a. le presta mucha atención
     - ☐ b. le habla mucho
     - ☐ c. le gusta mucho

30. ▷ ¿Y el informe?
   ► **Está listo**.
     - ☐ a. Es muy bueno.
     - ☐ b. Está preparado.
     - ☐ c. Tiene muchos errores.

Sección 2: Selección múltiple. Ejercicio 2

Instrucciones

Complete las frases siguientes con el término adecuado de los dos o cuatro que se le ofrecen. Marque la opción correcta en la **Hoja de Respuestas**, **Prueba 4**.

31. ▷ ¿Ya has hablado con el profesor de Derecho Mercantil?
   ► Fui a verlo ayer al despacho, pero me dijeron que .... fuera. No volveré hasta el martes.
     - ☐ a. era   ☐ b. estaba

32. ▷ ¿Fuiste al último concierto de Sabina?
   ► Sí, ... muy bien.
     - ☐ a. fue   ☐ b. estuvo

33. ▷ ¿Quién es tu jefe?
   ► Mira, ... aquel del jersey rojo.
     - ☐ a. es   ☐ b. está

34. ▷ Estoy preocupada por Isabel. Últimamente siempre .... nerviosa.
   ► Sí, creo que tiene problemas en el trabajo.
     - ☐ a. es   ☐ b. está

35. ▷ ¿Dónde .... la exposición de Goya?
   ► En el Museo del Prado.
     - ☐ a. es   ☐ b. está

36. ▷ ¿Saliste ayer?
   ► No, ... todo el día en casa estudiando. Mañana tengo un examen.
     - ☐ a. me pasaba   ☐ b. me pasé

37. ▷ ¿Cuánto te ha costado el coche?
   ► Baratísimo. Me ha salido .... sólo 6.000 €.
     - ☐ a. por   ☐ b. para

38. ▷ He suspendido el examen.
   ► Claro, eso te pasa .... no estudiar.
      ☐ a. por   ☐ b. para

39. ▷ Tengo que ir a hacer la compra. No hay .... en la nevera.
   ► No te olvides de comprar queso, ¿vale?
      ☐ a. algo   ☐ b. nada

40. ▷ No sé qué jersey quedarme.
   ► Coge .... Todos te quedan muy bien.
      ☐ a. cualquier   ☐ b. cualquiera

41. ▷ ¿Por qué no llamas a Juan y hablas con él?
   ► No creo que .... una buena idea. No quiere saber nada de mí.
      ☐ a. es   ☐ c. será
      ☐ b. sea   ☐ d. sería

42. ▷ Pedro, dile a Nacho que .... el pan al volver del colegio.
   ► Vale, mamá.
      ☐ a. compra   ☐ c. compre
      ☐ b. comprara   ☐ d. compraría

43. ▷ No sé qué hacer con mi jefe. Últimamente está de muy mal humor conmigo.
   ► Yo, en tu lugar, ... con él.
      ☐ a. hablase   ☐ c. habla
      ☐ b. hablaré   ☐ d. hablaría

44. ▷ ¿Ya te vas a la fiesta? Que te lo .... fenomenal.
   ► Gracias. Mañana te cuento.
      ☐ a. pases   ☐ c. pasarías
      ☐ b. pasas   ☐ d. pasarás

45. ▷ Para mí, García Márquez es el mejor escritor vivo .... mundo.
   ► Hombre, a mí me gusta mucho, pero el mejor...
      ☐ a. en el   ☐ c. del
      ☐ b. al   ☐ d. por el

46. ▷ .... vayas a España, tráeme un poco de jamón serrano, ¿vale?
   ► Vale. Te traeré jamón serrano de Teruel, que está muy rico.
      ☐ a. como   ☐ c. hasta que
      ☐ b. si   ☐ d. cuando

47. ▷ ¡Qué raro! Llevo una hora llamando por teléfono a Luisa y no contesta.
   ► No te preocupes. .... a hacer la compra.
      ☐ a. habrá ido   ☐ c. iría
      ☐ b. irá   ☐ d. habría ido

48. ▷ ¡Qué bien conoce Pablo España!, ¿no?
   ► Sí, desde los 15 años .... a España de vacaciones todos los veranos.
      ☐ a. fue   ☐ c. iría
      ☐ b. ha ido   ☐ d. iba

49. ▷ Me jubilo el mes que viene.
   ► ¿Con sólo 55 años? ¡Qué suerte! Yo, desgraciadamente, no podré jubilarme .... cumpla los 65. Pero ese mismo día, dejo de trabajar, lo juro.
      ☐ a. hasta   ☐ c. cuando
      ☐ b. hasta que   ☐ d. en cuanto

50. ▷ .... sales a la calle, cómprame el periódico, por favor.
    ► ¿Cuál? ¿*El País*?
        ☐ a. Porque   ☐ c. Mientras
        ☐ b. Ya que   ☐ d. Cuando

51. ▷ Yo no he dicho que el informe no sirva. .... yo he dicho es que hay que modificar algunos apartados.
    ► Perdona, te había entendido mal.
        ☐ a. Lo que   ☐ c. Lo cual
        ☐ b. El que   ☐ d. El cual

52. ▷ Es evidente que el gobierno no .... nada al respecto.
    ► Hombre, no seas tan pesimista.
        ☐ a. haga   ☐ c. va a hacer
        ☐ b. vaya a hacer   ☐ d. hacer

53. ▷ Pero, Juan, esa casa es carísima.
    ► Ya, pero me gusta tanto que me la pienso comprar, ... me quede sin dinero.
        ☐ a. pues   ☐ c. porque
        ☐ b. como   ☐ d. aunque

54. ▷ ¿Ya le has dicho a tu madre lo de la moto?
    ► No, todavía no .... he dicho. No he tenido tiempo.
        ☐ a. lo   ☐ c. se le
        ☐ b. se lo   ☐ d. le

55. ▷ ¿Qué van a tomar de postre?
    ► La verdad es que no sabemos. ¿Qué .... recomienda?
        ☐ a. nos   ☐ c. lo
        ☐ b. se   ☐ d. le

56. ▷ ¿Qué tal la conferencia de ayer?
    ► Al final no pude ir. Salí tarde de trabajar y .... perdí.
        ☐ a. la   ☐ c. lo
        ☐ b. se la   ☐ d. me la

57. ▷ Todo el mundo dice que me parezco mucho .... mi abuelo materno.
    ► Yo creo que no. A mí me recuerdas más a tu padre.
        ☐ a. a   ☐ c. con
        ☐ b. de   ☐ d. como

58. ▷ Es que Belén es tan buena.
    ► Sí, siempre está pensando .... los demás.
        ☐ a. en   ☐ c. de
        ☐ b. con   ☐ d. a

59 ▷ ¿Sabes por dónde se va?
    ► Claro, me sé este camino .... memoria.
        ☐ a. a   ☐ c. de
        ☐ b. por   ☐ d. con

60. ▷ ¿Qué le pasa a Jorge?
    ► No sé, pero se comporta como si .... enfadado con nosotros.
        ☐ a. esté   ☐ c. está
        ☐ b. estaría   ☐ d. estuviera

Línea de meta

Prueba 5:
Expresión oral

Primera parte

A continuación tiene tres temas para la exposición de la prueba oral. Elija uno de los tres y prepárese durante 15 minutos.

Tema: **Escribir**

- ¿Cree que la gente ya no le dedica tiempo a la escritura? ¿Por qué?
- ¿Piensa que la educación debería enseñar a escribir mejor? ¿Por qué?
- ¿Le parece que han cambiado los hábitos de escribir? En caso afirmativo, ¿en qué sentido?
- ¿A quién le escribe? ¿Para qué? ¿Cuándo?

Tema: **Descansar**

- ¿Cree que en el mundo contemporáneo la gente descansa lo suficiente?
- ¿Le parece que las actividades de ocio son una forma diferente de descansar o son la continuación del trabajo?
- En su opinión, ¿cuáles son las maneras más eficaces para descansar?
- ¿Qué otras fórmulas de descanso cree que aparecerán en el futuro?

Tema: **Los videoclips**

- ¿Cree que son una expresión de arte contemporáneo? ¿Por qué?
- ¿Le parece que está cambiando la forma de escuchar música de los jóvenes? ¿De qué manera?
- ¿Piensa que los videoclips favorecen la promoción de nuevos grupos?
- Seguro que hay algún videoclip que le ha impresionado. Háblenos de él.

Segunda parte

Instrucciones:

Mire las dos series de viñetas, elija una de ellas. Descríbalas. Al final, desarrolle la conversación que se representa en la última viñeta.

Claves

Hoja de respuestas

APELLIDO (S)	NOMBRE

 ## Prueba 1: Comprensión de lectura

TEXTO NÚMERO 1

01. A B
02. A B
03. A B

TEXTO NÚMERO 2

04. A B C
05. A B C
06. A B C

TEXTO NÚMERO 3

07. A B C
08. A B C
09. A B C

TEXTO NÚMERO 4

10. A B C
11. A B C
12. A B C

 ## Prueba 3: Comprensión auditiva

TEXTO NÚMERO 1

01. A B
02. A B
03. A B

TEXTO NÚMERO 2

04. A B C
05. A B C
06. A B C

TEXTO NÚMERO 3

07. A B C
08. A B C
09. A B C

TEXTO NÚMERO 4

10. A B C
11. A B C
12. A B C

 ## Prueba 4: Gramática y vocabulario

1. A B C
2. A B C
3. A B C
4. A B C
5. A B C
6. A B C
7. A B C
8. A B C
9. A B C
10. A B C

11. A B C
12. A B C
13. A B C
14. A B C
15. A B C
16. A B C
17. A B C
18. A B C
19. A B C
20. A B C

21. A B C
22. A B C
23. A B C
24. A B C
25. A B C
26. A B C
27. A B C
28. A B C
29. A B C
30. A B C

31. A B
32. A B
33. A B
34. A B
35. A B
36. A B
37. A B
38. A B
39. A B
40. A B

41. A B C D
42. A B C D
43. A B C D
44. A B C D
45. A B C D
46. A B C D
47. A B C D
48. A B C D
49. A B C D
50. A B C D

51. A B C D
52. A B C D
53. A B C D
54. A B C D
55. A B C D
56. A B C D
57. A B C D
58. A B C D
59. A B C D
60. A B C D

Nota: Para la prueba 2 no necesitas una hoja con un formato concreto. La prueba 5 no tiene hoja de respuestas.

Apéndices

Apéndices
Vocabulario 1. Vocabulario por temas

Esta lista de vocabulario se ha confeccionado a partir de los temas propuestos en la página del Instituto Cervantes y algunos otros que nos han parecido útiles. Puede servirte de referencia en cuanto al nivel óptimo de lengua necesario para realizar las pruebas del DELE (Nivel Intermedio). No se trata de que aprendas todas, sino de que uses este vocabulario como otra herramienta de trabajo. En cualquier caso, ten en cuenta que se trata sólo de una propuesta, y corresponde a un nivel óptimo, no al nivel mínimo.

El número de palabras que se incluye aquí, unas 600, tiene relación con la cantidad de palabras que un hablante estándar maneja en su lengua cotidiana si no trata temas especializados. No son tantas como podría parecer, de modo que si aprendes unas 500 palabras nuevas, el progreso será notable. Sin embargo, no tienen por qué ser estas 600 palabras.

¿Qué puedes hacer con las palabras de esta lista?

- No trabajes toda la lista al mismo tiempo. Tenla cerca cuando leas o escuches textos en español para marcar palabras o hacer anotaciones. Insistimos, úsala como una herramienta de trabajo.
- Puedes ampliar la lista todo lo que quieras con las palabras que tú conozcas. Se presentan palabras de un nivel intermedio / avanzado, pero las de nivel inicial no aparecen. Por ejemplo, en el tema de los alimentos, está la palabra *legumbres*, pero no hay nombres de alimentos como *tomate* o *pan*. También puedes ampliarla con palabras de los textos que leas o que oigas.
- Con las palabras que no conozcas confecciona tarjetas en las que puedes poner su traducción, sinónimos, ejemplos, etc.; juega con las tarjetas aprovechando que tienen dos lados. Por ejemplo, poniendo la palabra en un lado, y un ejemplo o una traducción en el otro.
- Busca el significado de las que más te interesen en un diccionario monolingüe. En este sentido, te recomendamos que tengas a mano alguno de los siguientes diccionarios:
  - *Diccionario para la enseñanza de la lengua española*, Universidad de Alcalá de Henares, Madrid, España.
  - *Diccionario Salamanca de la lengua española*, editorial Santillana, Madrid, España.
  - *Diccionario didáctico del español (Intermedio)*, editorial SM, Madrid, España.
  - *Diccionario de español para extranjeros*, editorial SM, Madrid, España.
  - *Diccionario actual de la lengua española (secundaria)*, editorial SM, Madrid, España.

  También puedes consultar la página de la Real Academia Española (RAE): www.rae.es

A. Identificación personal. Nombre y apellidos; dirección; número de teléfono; sexo; estado civil; fecha y lugar de nacimiento; documentación legal; idioma; nacionalidad; profesión u ocupación; aspecto físico; carácter y estado de ánimo.

▪ maduro	▪ valiente	▪ cordial	▪ preocupado
▪ cobarde	▪ activo	▪ (in)feliz	▪ despierto
▪ cruel	▪ severo	▪ mudo	▪ enfadado
▪ despectivo	▪ arrogante	▪ ciego	▪ amargado
▪ (in)fiel	▪ tímido	▪ sordo	▪ aburrido
▪ sarcástico	▪ sincero	▪ cojo	▪ agobiado
▪ avaro	▪ suave	▪ manco	▪ anticuado
▪ (im)prudente	▪ comprensivo	▪ genial	▪ borracho
▪ (in)capaz	▪ exigente	▪ irónico	▪ sobrio
▪ hábil	▪ inconsciente	▪ generoso	▪ emocionado
▪ torpe	▪ minucioso	▪ serio	▪ sorprendido
▪ (in)cansable	▪ austero	▪ mandón	▪ decepcionado
▪ vago	▪ chismoso	▪ atento	▪ entusiasmado

B. Casa y alojamiento. Tipo, situación y dimensión de la vivienda; tipo de habitaciones; muebles y ropa de casa; instalaciones y útiles de hogar; reparaciones; alquiler; alojamiento en hotel, campismo, el barrio, la ciudad.

- doméstico
- casero
- departamento
- apartamento
- ático
- grieta
- portal
- planta baja
- sótano
- fachada
- hogar
- calefacción
- azotea

- manta
- sábana
- colcha
- almohada
- pared
- techo
- tejado
- recámara
- cuarto
- habitación
- interruptor
- enchufe
- cable

- arreglo
- reformas
- cortocircuito
- piso compartido
- alquiler
- inquilino
- propietario
- pensión
- tarifas
- habitación doble
- habitación individual
- temporada alta
- temporada baja

- recepción
- reserva
- servicio de habitaciones
- tienda de campaña
- mochila
- barrio
- pasaje
- paseo
- callejero
- mobiliario urbano
- señal de tráfico
- cabina telefónica
- buzón

C. Trabajo, estudios, ocupación. Características, horario, actividad diaria y vacaciones; salario; cualificación profesional; perspectivas de futuro; tipos de enseñanza.

- dedicarse a
- desempeñar
- oficio
- trabajar de
- empleado
- jefe
- trabajador

- labor / tarea
- cargo / funciones
- contratar
- despedir
- laboral
- puesto de trabajo
- oficina de empleo

- sueldo, remuneración
- dar de alta / de baja
- incentivos
- curso de formación
- currículum
- anuncio de trabajo
- subsidio de desempleo

- entrevista de trabajo
- contrato
- (estar) en paro
- enseñanza secundaria
- enseñanza superior
- técnico especializado
- licenciado

D. Tiempo libre. Aficiones; intereses personales; deporte; prensa; radio; televisión; actividades intelectuales y artísticas (cine, teatro, conciertos, museos, exposiciones).

- pasatiempo
- afición
- ocio
- diversión
- el editorial
- quiosco
- semanario
- diario
- revista
- suplemento
- columnista
- reportero
- reportaje
- secciones

- prensa sensacionalista
- navegar por Internet
- salir de copas
- quedar con amigos
- sesión golfa
- campo de fútbol
- entrenador
- equipo
- partido
- árbitro
- jugador
- pelota / balón
- estadio
- pista / cancha de tenis

- fila de butacas
- versión doblada
- cartelera
- sala
- pantalla
- guión
- patio de butacas
- sesión
- argumento
- acomodador
- protagonista
- función
- palco
- telón

- versión original subtitulada
- hacer un curso (cursillo)
- escena
- escenario
- actuar
- hacer de
- representar un papel
- jugar al /de
- entrada
- reventa
- espectador
- taquilla
- día del espectador

E. Viajes y transporte. Transporte público y privado (garaje, estaciones de servicio, talleres); billetes y precios; vacaciones; aduanas; documentos de viaje; equipaje.

- autobús / autocar
- pasajero
- empresa de transportes
- bonobús
- revisor
- maletas
- aparcamiento
- plaza de garaje

- parabrisas
- frenos
- taller mecánico
- agencia de viajes
- guías locales
- asiento
- guías acompañantes
- estrellas

- retraso
- pasaporte
- embarcar
- tarjeta de embarque
- maletero
- compañía aérea
- aterrizar
- lista de espera

- oficina de objetos perdidos
- despegar
- zona libre de impuestos
- facturar
- equipaje
- red de transporte público
- cinta de equipajes

- gasolinera
- repostar
- reparación
- motor

- reserva
- itinerario
- folletos informativos
- lugares de interés

- aduana
- azafata
- ayudante de vuelo
- tripulación

- reclamación
- derechos del viajero
- descuento
- suplemento

F. Relaciones personales. Parentesco; amistad; presentaciones; fórmulas sociales (invitaciones, citas, saludos, despedidas, etc.); correspondencia.

- cliente
- paciente
- socio
- jefe
- empleado
- colega
- ciudadano
- súbdito
- votante

- candidato
- conductor
- peatón
- pasajero
- vecino
- población
- habitante
- boda
- aniversario

- bautizo
- ceremonia
- misa
- cumpleaños
- comunidad
- compañero
- partidario
- desear suerte
- dar el pésame

- celebrar
- felicitar
- apreciar
- animar
- maltratar
- acoger
- enamorarse de
- casarse con
- separarse de

G. Salud y estado físico. Partes del cuerpo, higiene, percepciones sensoriales; estados de salud; enfermedades; accidentes; medicinas; servicios médicos.

- lengua
- pecho
- puño
- sangre
- vientre
- mente
- cara
- cerebro
- cintura
- frente
- garganta

- arruga
- picar
- herir
- estornudar
- marearse
- soplar
- temblar
- olfato
- gusto
- vista
- tacto

- digerir
- vomitar
- sudar
- respirar
- emborracharse
- sudor
- picor
- sed
- tos
- embarazo
- aliento

- resaca
- jaqueca
- masticar
- morder
- chupar
- salud
- enfermedad
- medicina
- tratamiento
- curarse
- contagiarse

H. Compras. Tiendas; grandes almacenes; precios; moneda; pesos y medidas; alimentación; ropa; artículos del hogar.

- centros comerciales
- consumidores
- comercios
- cadenas de tiendas
- productos
- compra y venta
- a plazos
- de segunda mano
- clientela
- servicio a domicilio
- grandes superficies

- firma
- consumo
- restauración
- horarios de apertura
- tarjetas
- franquicias
- rebajas
- ofertas
- ocasión
- cinturón
- tirantes

- prenda
- traje
- vestido
- complementos
- uniforme
- vestirse
- desnudarse
- ponerse / quitarse
- cambiarse de
- lana
- algodón

- seda
- cuero
- coser
- calzarse
- atarse
- abrocharse
- joya
- collar
- manga
- botón
- cremallera

I. Comidas y bebidas. Gastronomía; locales de comidas y bebidas; recetas (preparación, ingredientes...).

- cáscara
- bollo
- cereal
- crema
- dulce
- vinagre
- tenedor
- copa
- jarra

- legumbres
- loncha
- rebanada
- sabor
- verdura
- sal
- especias
- ajo
- hierbas

- freír
- cocinar
- hervir
- cuchara
- cuchillo
- grasa
- harina
- hortaliza

- taza
- grano
- pelar
- cortar
- aceite
- zumo / jugo
- comestible
- crudo

J. Edificios de servicios públicos. Correos; teléfonos; bancos; policía; oficinas de información turística.

- oficina de correos
- ministerio
- comisaría de policía
- agente
- caja de ahorros
- tarjeta de crédito
- cuenta corriente

- transferencia
- envío urgente
- telegrama
- giro postal
- contra reembolso
- acuse de recibo
- certificado

- mapa
- oficina de información
- folleto turístico
- esquina
- muro
- rotonda
- paseo

- túnel
- paso (de) cebra
- glorieta
- pasaje
- acera
- callejón
- cruce

K. Tiempo y clima.

- lluvia
- aguacero
- tormenta
- diluvio
- chubasco
- nieve

- hace frío
- hace viento
- hace calor
- bochorno
- humedad
- presión atmosférica

- sequía
- inundación
- incendio
- granizo
- ventisca
- huracán

- clima tropical
- clima continental
- clima mediterráneo
- clima monzónico
- terremoto
- maremoto

L. Problemas de comunicación. Comprensión; corrección; aclaración; repetición; rectificaciones.

- eufemismo
- mentira
- tontería
- noticia
- malentendido
- insistir en
- avisar
- agradecer
- secreto
- mensaje

- consejo
- comentar
- saludar
- despedir
- discutir
- enterarse de
- explicar
- negar
- prevenir
- quejarse de

- recomendar
- solicitar
- gritar
- invitar a
- ofrecer
- rechazar
- pedir
- disculpa
- asegurar
- prometer

- aconsejar
- ponerse de acuerdo
- acusar de
- quedar en
- rogar
- mentir
- exagerar
- comentar
- exigir
- negarse a

Otros temas útiles

• **Genéricos**
Se trata de palabras de carácter general que se pueden usar para definir otras palabras.

- ambiente
- acción
- categoría
- clase / tipo
- cualidad
- detalle
- diferencia
- especie

- estructura
- instrumento
- medio
- nivel
- modo / manera
- posición
- proceso
- actitud

- experiencia
- origen
- sensación
- objeto / cosa
- conclusión
- unión
- efecto
- reacción

- impresión
- aspecto
- dificultad
- estado
- estilo
- característica
- ventaja
- desventaja

• **Descripción**

- estéril
- productivo
- puro
- involuntario
- subordinado
- común
- útil

- oportuno
- recíproco
- diverso
- amargo
- claro
- oscuro
- pálido

- maduro
- artificial
- anticuado
- pegajoso
- salado
- áspero
- húmedo

- efectivo
- grave
- favorable
- ilimitado
- intenso
- local
- agrio

- **Tecnología**
  - método
  - truco
  - emplear / usar
  - enchufar
  - pulsar
  - apretar
  - atornillar
  - red
  - pieza
  - combustible
  - cable
  - botón
  - rueda
  - vehículo
  - arma
  - tubo
  - cuerda
  - mecanismo
  - recipiente
  - instrumento
  - herramienta
  - utensilio
  - juguete
  - lata
  - caja
  - pantalla
  - tecla, teclado
  - ordenador

- **Sentimientos**
  - alegría
  - ánimo
  - asco
  - cariño
  - culpa
  - orgullo
  - rabia
  - ira
  - desesperación
  - arrepentimiento
  - sufrimiento
  - (des)preocupación
  - (im)paciencia
  - pereza
  - (des)interés
  - remordimiento
  - locura
  - despecho
  - amargura
  - (in)gratitud
  - angustia
  - (des)ilusión
  - (des)esperanza
  - (des)vergüenza
  - decepción
  - alivio
  - renunciar a
  - disfrutar de
  - divertirse
  - pretender
  - atreverse
  - asustarse

- **Acontecimientos**
  - acción
  - acontecimiento
  - acto
  - asunto
  - suerte
  - azar
  - caso
  - asesinato
  - robo
  - delito
  - espectáculo
  - fenómeno
  - juicio
  - nacimiento
  - peligro
  - misterio
  - vida
  - solución
  - obstáculo
  - principio
  - muerte
  - circunstancia
  - crimen
  - ocasión
  - pasar
  - acontecer
  - suceder
  - ocurrir

Apéndices
Vocabulario 2. Verbos

En este segundo apéndice te presentamos una lista de verbos (en el primero había casi básicamente sustantivos y adjetivos). Los grupos están definidos por el significado de los verbos y no por las situaciones en las que pueden aparecer. El cuadro de abajo, además de ser un índice, te puede dar una idea de esa organización.

●●●●● ⚠ ¡Advertencia!
La inclusión de los verbos en los grupos tiene un valor orientativo, y se ha realizado sobre el significado primario del verbo, sin los cambios posibles que motivan, en especial, el uso de preposiciones, o el mismo verbo en forma reflexiva. Dos ejemplos: no es lo mismo *tirar* y *tirar de*, no es lo mismo *llamar* y *llamarse*. En ambos casos aparecerían sólo *tirar* y *llamar*. Tampoco se incluyen expresiones compuestas por más de una palabra, como *darse cuenta de* o *estar de acuerdo con*. Además hay verbos que aparecen así: *(re)surgir*, eso significa que, aunque son del mismo grupo, no significan lo mismo: es el caso de *surgir* y *resurgir*. Si no son del mismo grupo, como *repartir* y *partir*, el prefijo no aparece entre paréntesis, y los dos verbos aparecen en distintos grupos.

¿Qué puedes hacer con esta lista?
Son válidos los mismos consejos que en el apéndice anterior. Los grupos no están cerrados, puedes añadir (y te lo aconsejamos) todos los que quieras. Insistimos en que no se trata de palabras imprescindibles para aprobar el examen, sino de un vocabulario que te puede ayudar, por ejemplo, a dar un tono algo más formal a tu modo de hablar o de escribir, en especial mediante dos mecanismos:
– usando mayor variedad y exactitud de palabras;
– usando los sustantivos que corresponden a estos verbos.

Verbos
1. De cambio
2. De aumento y disminución
3. De creación y desaparición
4. De recuperación y mantenimiento
5. De inclusión
6. De apertura y cierre
7. De movimiento
8. De unión y separación
9. De iniciativa, logro y obstáculo
10. De acción y reacción
11. De distribución e intercambio
12. De influencia
13. De percepción
14. Intelectuales
15. De manipulación y uso

1. De cambio
- cambiar
- aclarar
- adaptar
- adecuar
- ajustar
- deshacer
- congelar
- deformar
- desnudar
- doblar
- encoger
- enrollar
- estirar
- limpiar
- lavar
- manchar
- reformar
- reducir
- secar
- torcer
- triturar
- variar
- hervir
- invertir
- progresar
- evolucionar
- convertir
- transformar
- volverse
- hacerse
- derretir
- descuidar

2. De aumento y disminución

- llenar
- absorber
- adquirir
- acumular
- aumentar
- alimentar
- añadir
- alargar
- tomar
- crecer

- recoger
- completar
- desarrollar
- sumar
- multiplicar
- reproducir
- descargar
- arrancar
- consumir
- cortar

- dañar
- desnudar
- descomponer
- desgastar
- despegar
- desprender
- disminuir
- encoger
- estrechar
- gastar

- restar
- retirar
- agotar
- robar
- rozar
- sacar
- suprimir
- vaciar
- eliminar
- rascar

3. De creación y destrucción

- (des) aparecer
- componer
- conformar
- (re)producir
- copiar
- corregir
- arder
- brotar
- constituir
- esculpir

- instalar
- generar
- nacer
- formar
- inventar
- provocar
- realizar
- (re)surgir
- elaborar
- estropear

- inflamar
- pudrirse
- abandonar
- acabar
- ahogar
- quemar
- aniquilar
- destruir
- borrar

- morir
- matar
- perder
- romper
- vaciar
- reventar
- estallar
- explotar
- construir

4. De recuperación y mantenimiento

- recuperar
- arreglar
- curar
- devolver
- renovar
- rescatar

- restituir
- sanar
- remediar
- continuar
- aguantar
- criar

- cuidar
- conservar
- durar
- resistir
- cultivar
- proteger

- mantener
- permanecer
- reservar
- sostener
- sujetar
- retener

5. De inclusión y exclusión

- atraer
- atrapar
- aceptar
- incluir
- coincidir

- guardar
- introducir
- invadir
- meter
- bastar

- caber
- abarcar
- pertenecer
- excluir
- rechazar

- expulsar
- echar
- alejar
- apartar
- desterrar

6. De apertura y cierre

- abrir
- destapar
- originarse
- proceder
- comenzar
- empezar
- emprender

- prender
- fundar
- encender
- iniciar
- poner en marcha
- activar
- inaugurar

- concluir
- apagar
- callar
- calmar
- (en)cerrar
- cumplir
- detener

- abandonar
- interrumpir
- clausurar
- suspender
- terminar
- parar
- acabar

7. De movimiento

- moverse
- adelantarse
- aproximarse

- resbalar
- temblar
- retroceder

- detenerse
- pararse
- frenar

- empujar
- hundir
- escapar

- arrastrarse
- asomarse
- atravesar
- botar

- sacudir
- colocarse
- chocar
- descender

- girar
- arrodillarse
- recorrer
- saltar

- lanzar
- tropezar
- equilibrar
- inclinar

8. De unión y separación

- (re)unir
- juntar
- mezclar
- remover
- atar
- revolver
- disolver

- enganchar
- pegar
- enchufar
- purificar
- combinar
- componer
- echar

- separar
- partir
- enroscar
- fundir
- liar
- aglutinar
- dispersar

- aislar
- dividir
- sacar
- quitar
- (re)tirar
- soltar
- enviar

9. De iniciativa, logro y obstáculo

- explorar
- buscar
- intentar
- luchar
- procurar

- averiguar
- alcanzar
- conseguir
- encontrar
- lograr

- superar
- llevar la contraria
- acertar
- hallar
- descubrir

- afrontar
- enfrentarse
- impedir
- oponer
- obstaculizar

De acción y reacción

- actuar
- evitar
- defender
- fingir

- imitar
- operar
- activar
- salvar

- obedecer
- revelarse
- rendirse
- fracasar

- seguir
- derivar
- (re)accionar
- responder

11. De distribución e intercambio

- entregar
- regalar
- recoger
- compartir
- esparcir

- repartir
- distribuir
- rechazar
- resultar
- alternar

- dar
- obsequiar
- (inter)cambiar por
- recibir
- proporcionar

- canjear
- organizar
- sustituir
- dejar
- contribuir

12. De influencia

- favorecer
- fastidiar
- esforzar
- estimular
- corresponder
- comprometer
- impulsar
- dominar
- ejercer

- dirigir
- autorizar
- permitir
- influir
- prohibir
- asustar
- atacar
- atraer
- ayudar

- amenazar
- apoyar
- calmar
- mandar
- depender
- intervenir
- limitar
- permitir
- someter

- provocar
- obligar
- desviar
- cansar
- repercutir
- proteger
- agitar
- animar
- encargar

13. De percepción

- presenciar
- registrar
- presentar
- mostrar
- iluminar
- prestar atención

- vigilar
- ver
- ocultar
- descubrir
- disimular
- destacar

- escuchar
- observar
- desvelar
- sobresalir
- tapar
- cubrir

- distraer
- parecer
- revelar
- exponer
- esconder
- reflejar

Apéndices

14. Intelectuales

- saber
- revisar
- admitir
- aprobar
- basar
- calificar
- dudar
- elegir
- reconocer
- tener en cuenta
- perdonar

- admirar
- escoger
- juzgar
- sospechar
- disponer
- conceder
- considerar
- decidir
- equivaler
- establecer
- atribuir

- representar
- solucionar
- analizar
- adivinar
- aceptar
- comparar
- comprobar
- fijar
- imaginar
- marcar
- desconocer

- demostrar
- describir
- determinar
- distinguir
- enterarse de
- calcular
- subrayar
- prever
- proyectar
- referirise a
- enfatizar

15. De manipulación y uso

- aprovechar
- aplicar
- dedicar
- destinar
- realizar
- equivocar
- fallar

- manejar
- ocupar
- preparar
- usar
- servir
- enrollar
- envolver

- utilizar
- soltar
- apretar
- (des)hacer
- (des)enchufar
- (des)montar
- (des)ordenar

- (des)colgar
- (des)conectar
- poner
- quitar
- meter
- sacar
- recoger

Apéndices
Vocabulario 3. Frases hechas

La lista completa de frases hechas y expresiones idiomáticas o coloquiales es muy larga, hay diccionarios especializados, algunos con traducción a distintas lenguas (inglés, francés, alemán, italiano, polaco, portugués, ruso, etc.). Puedes informarte en una buena librería de español o en una escuela de idiomas. Las bibliotecas de los Institutos Cervantes suelen tener este tipo de diccionarios. Al final de este apéndice encontrarás algunos títulos. Esta lista es sólo una muestra que podría serte útil.

Cómo usar esta lista:

- No intentes aprender de memoria todas las expresiones que no sabes, puede provocar bastante confusión.
- Cuando encuentres alguna en un texto o en una audición, márcala en la lista si está (o añádela). Define el contexto en el que aparece para comprender bien su uso y añádelo a su significado.
- Marca las que conoces y profundiza tu conocimiento de ella con un ejemplo (una frase, un diálogo).
- [escribe tus ideas] ....
  ....

- ir de maravilla
- ser algo una lata
- vivir del aire
- ir con pies de plomo
- a pan y agua
- ir al grano
- ¡a vivir, que son dos días!
- dejarse llevar por la corriente
- (tener, pasar) una mala racha
- un sinfín de
- vivir al día
- estar chupado
- (estar) a un paso
- hacerse un lío
- llover sobre mojado
- dar la nota
- ni a tiros
- estar rendido
- cortarse
- así se habla
- (estar todo) patas arriba
- salir ganando
- tirar la toalla
- dar de lado a alguien
- de carne y hueso
- no tener pelos en la lengua
- estar sin blanca
- poner verde a alguien

- tocar madera
- estar hecho polvo
- el tiempo vuela
- dejar colgado
- (salir) el tiro por la culata
- (estar) en el aire
- quedarse colgado
- (estar) con el agua al cuello
- ni fu ni fa
- estar como una vaca
- comer como un cerdo
- estar tirado de precio
- (dos horas) y pico
- estar hecho un lío
- dar igual
- de tarde en tarde
- (ser) un rollo
- fumar como un carretero
- no pegar ojo
- dejar a alguien sin palabras
- ir de mal en peor
- traer cuenta
- no tener pelos en la lengua
- hacer el ridículo
- por si las moscas
- valer la pena
- pasar la noche en blanco
- ir de punta en blanco

- recibir con los brazos abiertos
- de la noche a la mañana
- tener los pies en el suelo
- ser de lo que no hay
- a mi-tu-su aire
- estar en las nubes
- chocar algo a alguien
- dejar con la boca abierta
- estar hasta arriba
- hacer el primo
- (ser) pan comido
- echar de menos
- (hacer algo) en un abrir y cerrar de ojos
- no dar un palo al agua
- llevar la contraria
- estar loco/a por alguien
- (hacer algo) de un tirón
- pasar la noche en vela
- llover a mares / a chuzos / a cántaros
- (volver a/llegar a/hacer algo hasta) las tantas
- (hablar, tratar un tema) sin rodeos
- hacer números
- tomarle el pelo a alguien
- en cuerpo y alma
- echar una cana al aire
- llamar a las cosas por su nombre
- ponerse morado
- tener un corazón de oro

Apéndices

- (ponerse) la piel de gallina
- conocer algo al dedillo
- hacer la vista gorda
- hacer castillos en el aire
- estar sin un duro
- dormir como un tronco
- aburrirse como una ostra
- beber como un cosaco
- punto por punto
- empinar el codo
- meter baza
- estar en el limbo

- (costar algo) un ojo de la cara
- no tener ni un pelo de tonto
- cambiar de aires
- ir de capa caída
- echar algo a perder
- echar una mano
- estar sordo como una tapia
- hacerse el sueco
- ir todo sobre ruedas
- consultar con la almohada
- marchar como la seda

- poner la mano en el fuego
- estar como un tren
- atar perros con longanizas
- (estar) de bote en bote
- estar más claro que el agua
- tener ojos de lince
- llevarse como el perro y el gato
- conocer algo como la palma de la mano
- echar raíces
- no casarse con nadie
- escurrir el bulto

- **Diccionarios de fraseología**
  - *Diccionario de dichos y frases hechas*. Alberto Buitrago Jiménez, Madrid, Espasa Calpe, 1996.
  - *Gran diccionario de frases hechas*, editorial Larousse, Barcelona, 2001.
  - *Diccionario del español actual*, Manuel Martínez Sánchez, editorial Tellus, Madrid, 1997.
  - *Diccionario Akal del español coloquial*, Ediciones Akal, Madrid, 2000.
  - *Diccionario de locuciones verbales para la enseñanza del español*, Madrid, editorial Arco libros, 2002.
  - *Diccionario fraseológico del español moderno*, Fernando Varela y Hugo Kubhart, editorial Gredos, Madrid, 1994.

- **En inglés:**
  - *Spanish Language-Terms and Phrases-Exercise books*, Stanley.
  - *Diccionario fraseológico, inglés-castellano, castellano-inglés: frases, expresiones, modismos, dichos, locuciones, idiotismos, refranes, etc.*, Delfín Carbonell, Barcelona: Ediciones del Serbal, D.L. 1995.

- **En polaco:**
  - *1500 idiomów hiszpaskich*, Abel Murcia y Kamila Zagórowska, Warszawa: editorial Langenscheidt, 2004.

- **En italiano:**
  - *Dizionario fraseologico completo: italiano-spagnolo e spagnolo-italiano*, Sebastián Carbonell, Milán. 1986.

- **En ruso:**
  - *Ispansko-russki frazeologuicheski slovar: 30000 frazeologuicheskij edinits*, Érnestina Iosifovna Levintova, Moscú, Russki Iazyk, 1985.

- **En alemán:**
  - *Diccionario de refranes, frases hechas: español-alemán, alemán-español*, Elena Méndez-Leite Serrano, Madrid: Editorial de Cabo a Rabo, 2003.
  - *1000 Spanische Redensarten*, Werner Beinhauer, Berlin/München/Wien/Zurcích: editorial Langenscheidt.

- **En francés:**
  - *Dictionnaire d'usage d'espagnol contemporain (français-espagnol)*, editorial Ellipses.
  - *Lexiques français-espangol des clichés de presse et expressions au quotidien*, Michel Bénaben, Ellipses marketing, 1996.

- **En árabe:**
  - *Refranes egipcios de la vida familiar comentados y comparados con refranes españoles*, Rosa María Ruiz Moreno, Granada, 1998.

- **En varios idiomas:**
  - *Refranes españoles con su correspondencia catalana, gallega, vasca, francesa e inglesa*, Julia Sevilla Muñoz, Madrid: Ediciones Internacionales Universitarias.
  - *Proverbios españoles: traducidos al inglés, al francés, al alemán y al italiano*, María-Leonisa Casado Conde, Madrid: Sgel, 1998.

Transcripciones
de las audiciones

Pista 1. Sesión 7, texto número 1
A continuación escuchará una descripción de una página web sobre la infancia.

Vamos a hablar hoy de una página que se define como el sitio para el recuerdo, www.teacuerdas.com. Trata los años comprendidos entre 1940 y 1989. Son recuerdos de lo que era la vida de los niños de aquellas cuatro décadas.

La información, bastante curiosa, se estructura en varios bloques. Hay capítulos dedicados a la radio, al cine, a la televisión, a los juguetes, a los tebeos, en fin, al mundo de la infancia. En el dedicado a la televisión, hay un apartado que trata programas y series de televisión, y otro gran bloque que está dedicado al cine, donde hay información sobre el NODO, personajes del cine, carteles de películas, biografías de actores y directores, y películas que marcaron una época.

Otro gran bloque muy bonito trata sobre los cromos que coleccionábamos. Aquí hay muchas colecciones, por ejemplo una que parece que fue muy famosa, *Vida y color*, del año 66. El tema de esta colección son las ciencias naturales y las razas, una combinación curiosa. Parece ser que tuvo mucho éxito, hay varias series y era, como tantas otras, muy didáctica. El capítulo dedicado a la escuela trae mucha información sobre los juegos de recreo y sobre los cuadernos de caligrafía de la casa Rubio. Es interesante que estos cuadernos Rubio siguen con la misma vigencia y siguen vendiéndose igual que se vendían hace 50 años, es decir, que era un producto de calidad ya entonces. El apartado dedicado a los libros está en construcción.

Por otro lado hay un apartado dedicado a la publicidad, donde encontramos cientos de carteles publicitarios de todos estos años, lo cual es también un buen recuerdo porque algunos no parecen que sean tan antiguos, cuando los miras están tan cerca en la memoria que te sorprende que tengan ya 50 años. El capítulo dedicado a la música tiene una sección llamada *Recuerdos musicales*, donde cada día se incluye un disco nuevo. Hay también información sobre cantantes y conjuntos musicales.

Otro apartado quizás también muy interesante es el que llaman *Este año*. Aquí encontramos información de cada uno de estos años, pinchas el año correspondiente y hay una lista de acontecimientos que ocurrieron en aquel momento. Desde cosas como los programas de televisión famosos hasta acontecimientos políticos, de novela, culturales, un poco de todo, bastante amplio. La página incluye enlaces a otras páginas de temática parecida, y como siempre suele haber en casi todas las páginas de este tipo, hay un chat nostálgico, un foro nostálgico y está en preparación también un tablón de anuncios donde va a ser posible hacer intercambios, compra, venta, donaciones de productos que cada uno tenga en su casa de esta época. Como digo, está en preparación, se anuncia como una cosa próxima.

En definitiva, es una página con muchas novedades, una ampliación continua y que está abierta a las aportaciones de cualquier persona.

Pista 2. Sesión 7, texto número 2
A continuación escuchará una descripción de una página web sobre la infancia.

Vamos a hablar hoy de la página www.teacuerdas.com. Esta es una página que se define como el sitio para el recuerdo, y concretamente se refiere a los años comprendidos entre 1940 y 1989. Es una página para pasarse horas y horas. Son los recuerdos esos que tenemos todos, sobre todo de la infancia, de lo que era la vida de aquellas cuatro décadas.

La información que se encuentra es bastante interesante, bastante curiosa, y está estructurada en varios bloques. Hay, por ejemplo, uno dedicado a la radio, donde hay una breve historia de la radio, muy breve ciertamente, desde los años 40. Otro capítulo está dedicado a programas y series de televisión, donde están las españolas, como *Crónicas de un pueblo*, y otras más recientes como *Fortunata y Jacinta*, y también están las extranjeras como *Bonanza*, *Rintintín*, o *El Santo*. O sea una página para meterse ahí y disfrutar. Es una pena que no tenga imágenes en movimiento o videos, sólo podemos encontrar fotografías y la historia.

Otro gran bloque es el dedicado a los dibujos animados, y otro también muy bonito trata de los cromos que coleccionábamos. Aquí están todas las colecciones. Otro capítulo está dedicado a la escuela, con mucha información sobre los libros que se utilizaban, juegos de recreo o los cuadernos y caligrafías Rubio que fueron muy famosos y que curiosamente siguen con la misma vigencia y siguen vendiéndose igual que se vendían hace 50 años, lo cual quiere decir que era un producto de calidad ya entonces.

En el apartado dedicado a la publicidad encontramos cientos de carteles publicitarios de todos estos años, lo cual es también un buen recuerdo porque algunos no parecen que sean tan antiguos. El capítulo dedicado a la música tiene una sección, *Recuerdos musicales,* en la que cada día se incluye un disco nuevo. Hay también información sobre cantantes y conjuntos, desde Joselito, a Manolo Escobar o Los tres sudamericanos, por poner ejemplos. Otro capítulo es el de los juguetes, donde están los

Apéndices

clásicos, y también hay un apartado dedicado a los recortables. Eran juguetes importantes de aquella época, pues resultaban muy baratos, lo cual era una ventaja.

Otro apartado muy interesante es el que llaman *Este año*. Aquí encontramos información de lo que ocurrió en cada uno de estos años. Hay también unas direcciones recomendadas para nostálgicos, que son enlaces a otras páginas, y como siempre suele haber en páginas de este tipo, hay un chat nostálgico, un foro nostálgico y está en preparación también un tablón de anuncios donde va a ser posible hacer intercambios, comprar, vender, hacer donaciones de productos de esa época que cada uno tenga en su casa. Esto está en preparación, se anuncia como una cosa próxima.

En resumen, es una página con muchas novedades, una ampliación continua y que está abierta a las aportaciones de cualquier persona que quiera colaborar con ellos y contar sus experiencias o, por ejemplo, mandarles una foto de un cromo curioso.

Pista 3. Sesión 8, texto número 1
A continuación escuchará una nota sobre un libro de alimentación.

Consejos sobre cómo seguir una dieta sana; sobre qué y dónde comprar; sobre qué comer a cada edad y una nueva versión de algo tan conocido como la pirámide alimentaria. De todo esto y más trata la *'Guía de la alimentación saludable'*, editada por la Sociedad Española de Nutrición Comunitaria (SENC).

Entre las recomendaciones que ofrece, esta guía deja claro qué productos deben tomarse a diario (lácteos, frutas, verduras, hortalizas, cereales, preferiblemente integrales, y agua), cuáles han de alternarse durante la semana (carnes con poca grasa, aves, frutos secos, pescado, legumbres y huevos) y los que, finalmente, deben tomarse sólo a veces y en cantidades no muy grandes (embutidos, dulces, carne roja, bollería, mantequilla, margarina y refrescos).

Además, los autores insisten en la necesidad de hacer cinco comidas ligeras al día (desayuno, media mañana, comida, merienda y cena), en lugar de dos o tres más fuertes, y de llevar a cabo alguna actividad física habitual acorde a las calorías que tomamos (lo ideal es hacer deporte moderado unos 30 minutos diarios).

La pirámide alimentaria que incluye este manual es otra de sus novedades. En ella aparecen por primera vez las bebidas fermentadas con pocos grados –vino, cerveza y sidra– ya que parece ser que tienen propiedades beneficiosas. Lo que sí dejan claro sus autores, todos expertos en nutrición, es que no hay que tomar en exceso sino con cuidado, sin exagerar. Además, excluyen del consumo a mujeres embarazadas o en periodo de lactancia, niños, adolescentes y los que sufren enfermedades como el alcoholismo.

La elección de este tipo de bebidas se debe a dos causas, principalmente. En primer lugar se toman normalmente acompañadas de comida o 'tapeo'. En segundo lugar, tienen una graduación alcohólica mucho menor que los destilados (ron, ginebra, whisky, etc.). Además, contienen algunas vitaminas y elementos procedentes de los cereales y frutas con las que se producen, que son beneficiosos para la salud.

En breve, la guía estará a la venta pero, entre tanto, los interesados pueden acceder a ella a través de Internet en la dirección 'nutricioncomunitaria.org'.

Pista 4. Sesión 8, texto número 2
A continuación escuchará una nota sobre un libro de alimentación.

Una de las novedades de la *'Guía de la alimentación saludable'*, editado por la Sociedad Española de Nutrición Comunitaria (SENC), de próxima aparición, es que la pirámide alimentaria incluye las bebidas fermentadas de baja graduación –vino, cerveza y sidra– por sus cualidades beneficiosas. Eso sí, sus autores (más de 20 expertos en nutrición) quieren dejar muy claro que su consumo debe ser «opcional y moderado en adultos sanos», lo cual excluye a mujeres embarazadas o en periodo de lactancia, niños, adolescentes y los que sufren enfermedades como el alcoholismo.

¿Por qué bebidas fermentadas y no otras? Por un lado, tienen una graduación alcohólica mucho menor que los destilados (ron, ginebra, whisky y otros licores similares), y por otra parte, se suelen tomar acompañadas de comida o 'tapeo'. Además, contienen algunas vitaminas y elementos procedentes de los cereales y frutas con las que se elaboran, que son beneficiosos para la salud.

Otros puntos de interés que ofrece esta guía giran en torno a las recomendaciones de una dieta sana. En este sentido, no existe ningún alimento prohibido y hay que regirse por la variedad y la moderación. «Todos tienen cabida en su justa cantidad», comenta uno de los autores.

Finalmente, los responsables de la guía hacen un llamamiento para recuperar la cocina tradicional mediterránea y las recetas 'de toda la vida'. Los padres deben hacer un esfuerzo por organizar menús adecuados para toda la familia a pesar de estar inmersos en un frenético ritmo de vida social y laboral. También los más pequeños de la casa deben participar en las tareas de compra e, incluso, en la elaboración de los alimentos (siempre que éstas no tengan peligro para su seguridad). Han de comer en compañía de los adultos, sin prisas y sin la televisión. De esta manera se sientan las bases de unas buenas costumbres en lo que se refiere a la alimentación. Exige una estricta planificación, pero el resultado a corto, medio y largo plazo merece la pena.

En breve, la guía estará a la venta pero, entre tanto, los interesados pueden acceder a ella a través de Internet en la dirección 'nutricioncomunitaria.org'.

Pista 5. Sesión 9, texto número 1

A continuación escuchará una noticia sobre la gripe.

Se calcula que, durante este otoño e invierno, más de dos millones de trabajadores sufrirán la gripe, lo que representa aproximadamente el 15% de la población activa española. Los expertos consideran que los gastos directos, como consultas y consumo de medicamentos, e indirectos, como baja productividad y absentismo laboral, son muy elevados.

Cada vez más estudios constatan que la vacuna antigripal va perdiendo eficacia a partir de los 35 años, pues la respuesta inmunológica va disminuyendo con la edad. Por otra parte, la gripe es una infección producida por un virus con una gran variabilidad genética, de ahí que los preparados de vacunas tengan que cambiar de una temporada a otra. En una persona adulta sin otras patologías de base, el proceso gripal suele durar de tres días a una semana, y el virus actúa debilitando sus defensas. Pero los expertos advierten que cuando los afectados padecen otras dolencias crónicas, como problemas respiratorios, alteraciones cardiovasculares o insuficiencia renal, pueden aparecer otras infecciones bacterianas o víricas, y complicaciones que podrían conducir incluso a la muerte.

La Asociación Española de Especialistas de Medicina del Trabajo ha realizado un estudio sobre procesos infecciosos en la población laboral sobre una población de 3.355 trabajadores y ha llegado a la conclusión de que a partir de la treintena, la eficacia de la vacuna antigripal se reduce. Esta asociación aconseja la vacunación contra la gripe en la población laboral mayor de 18 años e insta a las empresas a que la ofrezcan gratuita y voluntariamente. Recomienda igualmente complementar la vacuna, en muchos casos, con medicamentos que potencien las defensas del sistema inmunológico.

En el estudio desarrollado por la Asociación Española de Especialistas de Medicina del Trabajo se establecieron tres grupos. En el primero, conocido como control, no se administró la vacuna; en el segundo, todos los integrantes fueron vacunados, y en el tercero, además de administrarse la vacuna, se asoció un agente inmunomodulador. En el tercer grupo fue en el que se observó un descenso más significativo de las infecciones por gripe y procesos catarrales, tras comprobarse los tres grupos al cabo de tres y seis meses de la vacunación.

De acuerdo con estas conclusiones, los especialistas recomiendan que se complemente la vacuna antigripal con medicamentos que potencien las defensas del sistema inmunológico, para reducir así la incidencia de la gripe y el absentismo laboral que de ella deriva.

Pista 6. Sesión 10, texto número 1

A continuación escuchará una entrevista en la que se habla de la violencia en el fútbol.

▷ El deporte en general y el fútbol en particular es un espectáculo de masas. Desgraciadamente, esconde grupos de aficionados que recurren a la agresión. El fútbol es un deporte que levanta pasiones y por eso mismo favorece este tipo de comportamientos. Para hablar de la violencia en el deporte tenemos con nosotros a Francisco Alonso Fernández, catedrático de Psiquiatría y presidente de la Asociación Europea de Psiquiatría Social. Buenos días, señor Alonso.

► Hola, buenos días.

▷ ¿Cuáles son las causas de la violencia en el deporte y, en concreto, qué se esconde detrás de la agresividad que recorre los campos de fútbol?

► La violencia en el deporte es un fenómeno que ha existido siempre, pero hoy en día se ha acentuado. Nos encontramos en el marco de una cultura y de una sociedad muy violentas, además hay unos elementos en torno al fútbol, como las federaciones, que parecen alimentar la violencia, y por otro lado los protagonistas de la violencia son jóvenes que actúan en grupo. Es imprescindible conocer la psicología de masas para entender lo que está pasando.

▷ ¿Cuáles son las consecuencias de este fenómeno, de la violencia que reina en los campos de fútbol y en otros espectáculos deportivos?

► Bueno, se ha perdido el espíritu deportivo, hoy en día parece reinar la ley del más fuerte y no del mejor. Sin duda los casos que más impactan en la sociedad son los casos de heridos graves y muertos. Desde 1982 se ha producido en España más de una decena de muertes, que es una cifra muy alta, y entre ellas destaca la de un niño que falleció por el impacto de una bengala y el de un joven de 16 años que fue apuñalado.

▷ A raíz de la última muerte, sucedida tras el enfrentamiento de fanáticos de dos equipos adversarios, el gobierno va a reformar el código penal con el propósito de endurecer los castigos. ¿En qué consisten exactamente estos cambios?

► Bueno, el más importante es quizás el hecho de que por primera vez se introduce como tipo penal específico, es decir, como una conducta con consecuencias penales, ya no como algo genérico. Y otra reforma importante afecta a las penas, porque se castiga este delito con penas muy graves, que van de los 3 a los 4 años y seis meses y medio de prisión y el alejamiento de los estadios de fútbol durante un máximo de 3 años.

Pista 7. Sesión 10, texto número 2

A continuación escuchará una entrevista en la que se habla de la violencia en el fútbol.

▷ ¿Cuál es el perfil de los hinchas? ¿Cómo es el típico ultra?

► Bueno, la verdad es que aunque pueda parecer que son personas anormales, pues lo que señalan los estudios que se han realizado sobre ese tema es que en general son personas bastante normales, pero que dentro del colectivo realizan acciones antisociales, actos agresivos que empiezan con un insulto y que pueden acabar con la muerte de alguien.

▷ ¿Cuál es el momento de mayor peligro en un partido?

► En realidad, todos son peligrosos porque los hinchas pasan por distintos momentos. Por ejemplo, antes del partido, y durante el partido también, tratan de infundir terror a los adversarios, al árbitro, a los futbolistas, a los aficionados del otro equipo... y después del espectáculo... pues es quizá ese el momento más peligroso, porque hay que pensar que el hincha se encuentra embargado por emociones muy fuertes, a veces bajo los efectos de las drogas o del alcohol, y todo eso es un cóctel explosivo, porque si su equipo ha ganado, trata de destruir aún más al adversario, y si ha perdido, pues trata de vengarse, de compensar esta frustración, y lo hace de forma violenta.

▷ Se están haciendo muchos esfuerzos en la lucha contra la violencia en el deporte, pero la brutalidad persiste, y la única herramienta válida parece ser la prevención basada en el endurecimiento de la legislación y en la educación. En esa línea de prevención, se han oído voces que defienden que se aumenten las sanciones relacionadas con la violencia no sólo para los hinchas que atacan a los demás aficionados, sino también para los deportistas y los responsables de los equipos.

► Sí, es cierto que es algo necesario, y la nueva ley del deporte lo tiene en cuenta, se prevén también sanciones para federativos. Hay que tener en cuenta que en un estadio, en determinadas circunstancias, es difícil calentar un ambiente, y los grupos ultradeportivos, los hinchas cumplen en teoría, en origen, una función, digamos, de animadores. El problema es que esa función ha ido derivando hacia la agresión, y, en ese sentido, hay que enseñarles a los dirigentes que no sólo son los gestores de un club, de un importante negocio, sino también de un grupo de seguidores. Por ello tienen que aprender a comportarse y manifestarse de forma clara en lo que a la violencia se refiere, tienen que tener una actitud que sirva de ejemplo, de modelo a esos seguidores, a esos grupos.

Pista 8. Sesión 22: descripciones

Conceptos y procedimientos

Uno. Procedimiento por el que se envía una carta o paquete de manera que el servicio de correos asegura que se va a entregar en la dirección anotada como destinatario. El remitente dispone de un comprobante que indica que ha solicitado el servicio, consistente en un papel en el que se indican los datos del envío (remitente, destinatario, fecha, etc.).

Dos. Procedimiento por el que se envía una carta o paquete de manera que, una vez realizado el envío, el servicio de correos notifica al remitente que en efecto la carta o paquete ha llegado al destino. La notificación se realiza por escrito.

Tres. Pago de una cuenta o de un dinero que se debe, y con cierta frecuencia asociado a pagos regulares, como suscripciones a revistas, servicios, asociaciones, etc.

Cuatro. Modo por el que se realiza de forma automática, normalmente a través de una orden dada a un banco, un pago que se ha de realizar regularmente, ya sea de un importe invariable, o variable. Por ejemplo, la cuenta del gas o el teléfono, una cuota de suscripción, o los gastos de comunidad de una casa.

Cinco. Significa Impuesto sobre el Valor Agregado (en América Latina) o sobre el Valor Añadido (en España). Es un impuesto indirecto que recae sobre las transacciones económicas, y que los contribuyentes no pagan directamente sino que lo trasladan o cobran a una tercera persona y quien lo paga realmente es el consumidor o el servicio final.

Seis. Es quien usa habitualmente una cosa o se sirve de ella, y se puede tratar de una persona, una empresa, un organismo, una institución, etc. La idea de usuario se contrapone en cierta medida a la de productor o generador de esa cosa, ya sea un producto o un servicio.

Siete. Procedimiento administrativo por el que se entra a formar parte de un cuerpo, grupo o empresa, o se deja de formar parte. Puede referirse tanto a personas como a empresas o instituciones.

Ocho. Cantidad exacta de dinero que hay que pagar por una cosa, y que queda reflejada en el documento correspondiente, por ejemplo, en la factura.

Pista 9. Sesión 22, texto número 1

A continuación escuchará una noticia sobre la subida de las tarifas telefónicas.

► Si las facturas del teléfono nos parecen caras, puede que a partir de enero nos parezcan un poco más. Telefónica va a subir su Línea Básica. Precisamente estos días con la última factura la compañía telefónica está enviando a sus clientes una información donde se nos dicen cosas como "Ahora hablar te costará menos", o "Telefónica vuelve a bajar sus tarifas". Es una verdad pero sólo una verdad en parte. Lo único que bajará será una media del 1% las llamadas de fijo a móvil, mientras que el resto no bajan. Hay que recordar que desde abril de 2004 los usuarios pagamos casi 17€ mensuales por la línea básica, más el IVA correspondiente. A esto posiblemente en los próximos meses le tendremos que sumar un incremento del 2% que el Gobierno ha propuesto a las cuotas de abono.

Como sabrán, la llamada Línea Básica incluye la cuota de abono, lo que nos cobran porque nos llegue a nuestro domicilio la conexión telefónica, además del alquiler del teléfono y de servicios que van aparejados como el desvío inmediato de llamadas y la llamada a tres.

Rubén Sánchez es el portavoz de la Asociación de Consumidores en Acción. Buenos días. Ustedes se quejan de que la propuesta del gobierno perjudica nuevamente a las economías domésticas.

▷ Sí. La cuota de abono, la cuota fija que cada dos meses estamos pagándole a Telefónica sigue experimentando subidas. Es inaceptable que otra vez se nos plantee una nueva subida en la cuota de abono, mientras que en España tenemos unas llamadas de fijo a móvil que son totalmente desproporcionadas. Nosotros entendemos que desde que se liberalizaron las telecomunicaciones, las tarifas están evolucionando muy mal, no estamos viendo una competencia real en el sector que suponga que ahora todo está más barato. Llamar de fijo a móvil, o hacer una llamada metropolitana, cuesta muy caro.

▶ Si alguien quiere darse de baja en la línea básica, y pagar únicamente la cuota de abono, ¿qué pasos debe seguir?

▷ Bueno, eso el consumidor se lo tiene que plantear como una pequeña inversión, porque deberá comprarse su propio aparato telefónico. Lo que tiene que hacer primero es darse de baja bien, no llamar al número de teléfono de la compañía, el 1004, y pedir la baja, sino mandar un escrito con acuse de recibo a Telefónica, explicando que solamente quiere mantener lo que es el pago habitual de la cuota de abono. Después, la compañía tendrá que recogerle el aparato, es decir, no hace falta que él se desplace, por ejemplo, desde su domicilio, es la empresa la que tiene que recogerle el terminal, y por supuesto desde la cuota siguiente sólo pagaría la cuota de abono y la verdad es que la diferencia de precio es abismal.

▶ Rubén Sánchez, portavoz de FACUA, muchas gracias por su participación en *Revista del consumidor*, y muy buenos días.

▷ Buenos días.

Pista 10. Sesión 23, texto número 1
A continuación escuchará una noticia sobre el inicio de una emisora de radio especializada.

El 18 de abril de 1994 salió al aire *Radio 5 Todo Noticias*, la primera emisora de cobertura nacional dedicada a ofrecer 24 horas de noticias sin interrupción.

Todo esto se hizo posible gracias a la información internacional, nacional, regional y municipal que, además de la realizada en su propia redacción, le facilitaban los 17 Centros Territoriales de RNE y sus 63 emisoras locales repartidas por todo el territorio español, así como de los Servicios Informativos de Radio 1, sus 11 corresponsalías y Radio Exterior de España. *Radio 5 TN* podía así alcanzar con esta importantísima infraestructura la más amplia cobertura informativa.

La nueva *Radio 5 TN* cubrirá de esta forma un vacío existente en la radiodifusión española, el de una emisora "todo noticias" que ofreciera en todo momento las noticias actualizadas con los últimos acontecimientos. Este sistema tenía un único precedente en España, aunque sólo de cobertura local, que era la emisora autonómica *Catalunya Informació*, nacida en 1992 con el lema "24 horas de información inmediata y permanente", en catalán, y varios antecedentes en los países europeos de nuestro entorno en los que, en aquella época, se estaba imponiendo este tipo de radio especializada.

Efectivamente, Francia contaba desde hacía seis años con la emisora pública *France-Info*, perteneciente a Radio France, y que tenía como objetivo "24 horas de información continua". Realmente, este formato, junto a los de las emisoras "all news" estadounidenses puede considerarse como el antecedente más claro de *Radio 5 Todo Noticias*. También en Gran Bretaña comenzó a emitir la cadena *BBC Radio 5 Live*, que nació pocos días antes que su homóloga española, concretamente el 28 de marzo de 1994. Asimismo, en Portugal, Italia y Alemania se empezó a estudiar la puesta en antena de emisiones similares.

Pista 11. Sesión 23, texto número 2
A continuación escuchará una noticia en la que se habla de *Radio 5 Todo Noticias*.

Desde que el 18 de abril de 1994 apareciera *Radio 5 Todo Noticias*, muchos radioyentes han podido disfrutar de las noticias que ofrece sin interrupción durante 24 horas.

Este modelo de radio especializada en dar sólo noticias tiene su origen más remoto en las emisoras "all news" estadounidenses. Un paso intermedio lo constituye la emisora francesa *France-info*, del grupo Radio France, cuyo objetivo era "24 horas de información continua". Se trata de lo que puede considerarse como el antecedente más claro de *Radio 5 Todo Noticias*.

En España, Radio 5 no ha sido totalmente pionera en ofrecer noticias de hechos y sucesos de máxima actualidad durante todo el día. En efecto, desde 1992 existe en Catalunya una emisora, *Catalunya Informació*, que se dedica igualmente en exclusividad a dar noticias, en catalán, pero cuyo radio de alcance era, y sigue siendo, sólo el territorio autonómico. *Radio 5* se puede escuchar con un receptor normal desde todo el territorio nacional, y a través de Internet en cualquier punto del Planeta.

También en Gran Bretaña comenzó a emitir la cadena *BBC Radio 5 Live* pocos días antes que su homóloga española, concretamente el 28 de marzo de 1994. Asimismo, en Portugal, Italia y Alemania se empezó a estudiar la puesta en antena de emisiones similares.

Esta radio se nutre de las notas de prensa, noticias, reportajes, investigaciones, etc., procedentes de redacciones de radio del mismo grupo radiofónico, que abarcan un gran espectro informativo, desde emisoras nacionales y regionales, a las que cubren la información que llega del extranjero o las que la envían fuera, como Radio Exterior de España. De esta manera, *Radio 5 Todo Noticias* dispone de fuentes muy variadas de información.

Pista 12. Sesión 24, texto número 1

A continuación escuchará una descripción de un lugar muy turístico de México.

Es uno de los lugares favoritos de los capitalinos para excursionar, especialmente los domingos. Ubicado al sureste del Distrito Federal, Xochimilco, "*Lugar de flores*", cuenta con un atractivo que le ha dado fama internacional por ser único en el mundo: las chinampas. Su distribución ha formado canales que son utilizados como vías de tránsito para comercializar las flores, legumbres y verduras cultivadas ahí. Actualmente existen 176 km de canales, de los cuales 14 de ellos son turísticos y se pueden recorrer en embarcaciones que los lugareños decoran con arreglos florales de singular belleza. A lo largo del trayecto se puede disfrutar del encanto de los vendedores que se deslizan en sus pequeñas canoas ofreciendo toda clase de antojitos, y de otras embarcaciones con mariachi que amenizan el recorrido.

Muy cerca de aquí se encuentra el Parque Ecológico de Xochimilco. Se inauguró en 1993 con una extensión aproximada de 1.737 hectáreas y fue ideado como uno de los proyectos de recuperación y mantenimiento más ambiciosos de esta singularidad agrícola y ecológica. El vivero que alberga cuenta con modernas y amplias instalaciones, es el más grande de América Latina, y aquí el visitante puede adquirir una rica variedad de flores a precios accesibles.

El parque es perfecto para hacer deporte, y si es su intención remar, se pueden rentar lanchas; también es posible andar en bicicleta, correr o sencillamente ir de día de campo. Los atractivos del parque incluyen un pequeño museo y un tren que recorre el área a manera de una visita guiada. En una sala del centro de información se proyecta un interesante video sobre el rescate ecológico del parque y en la tienda se ofrecen a la venta folletos, libros y carteles.

Pista 13. Sesión 24, texto número 2

A continuación escuchará una explicación de un problema ecológico de la ciudad de México.

Por todos es conocida la naturaleza lacustre del Valle de México, en donde se asentaba la gran ciudad de Tenochtitlán. Prácticamente, desde cualquier punto de ese gran valle se podía llegar al centro utilizando alguna vía fluvial. A partir de la conquista, el proyecto urbanístico español hizo que uno a uno los amplios lagos fueran desecados para obtener 'tierra firme' sobre la que asentar la nueva ciudad. Desde entonces, la zona no ha hecho sino perder agua. Es apenas en la década de 1970 cuando se toma cierta conciencia del riesgo de esta pérdida, de la gravedad del hundimiento de la Ciudad de México y del efecto de desertificación producido en los antiguos lagos. El lago de Xochimilco es uno de los proyectos de recuperación a destacar.

La región de Xochimilco está formada actualmente por tres microregiones que incluyen las chinampas: La primera es la más cercana al D.F. y también la más débil ecológicamente ya que a ella llegan muchos de los desechos de la ciudad (basura y agua contaminada) así como una gran cantidad de habitantes que ponen sus casas en lugares de poca seguridad. En esta región se encuentra la zona turística, y las chinampas están dedicadas primordialmente a la producción de plantas de vivero o de ornato. Otra de las pequeñas regiones es la que se ubica en la zona de los pequeños cerros, en la que se asientan las poblaciones más antiguas. La tercera zona está conformada por pequeños pueblos ribereños que se extienden sobre las chinampas y que se dedican al cultivo de flores, hortalizas y amaranto.

Aunque a partir de 1989 ha sido declarada como Patrimonio Histórico y Cultural de la Humanidad por la UNESCO, la región no ha sido protegida adecuadamente, cada año se invaden terrenos para la construcción de viviendas y con ello, la calidad del agua del lago ha empeorado.

Por otra parte, muchos de sus habitantes nativos han salido hacia otros lugares para obtener empleo y medios de subsistencia, con lo cual han quedado abandonadas o subutilizadas muchas chinampas, antes muy productivas. Sólo la decisión de algunos grupos de pobladores nativos puede oponerse a la tendencia destructiva de la zona. Algunos de ellos están adaptando nuevas tecnologías para rescatar los viejos sistemas de producción chinampera, tratando de lograr un desarrollo al que llaman sustentable, que permita a las familias obtener un sustento digno sin deteriorar su medio ambiente: las chinampas.

Pista 14. Sesión 24, texto número 3

A continuación escuchará una noticia sobre una zona de México.

Hace cuatro siglos, lo que hoy conocemos como Ciudad de México, fue la Venecia del para nosotros Nuevo Mundo. Estos canales, en Xochimilco, son hoy testimonio del pasado azteca. Los canales fueron un medio de defensa, y también un medio de vida, y un ecosistema muy particular.

Pero aquí la población ha crecido tanto, el 100% en 20 años, que ha puesto en peligro el ecosistema. Ya no se ven tantos pájaros ni reptiles como antes. El axolote, un raro tipo de anfibio, vivía a sus anchas en las aguas del canal. Ahora sólo queda media docena.

La mano del hombre está acabando con los cultivos aztecas de chinampas. Coches y camiones atraviesan ahora lo que un día fue un campo virgen. Científicos mexicanos luchan para que los agricultores utilicen las técnicas aztecas que convirtieron un día el agua en tierra, una tierra fértil que daba hasta cinco cosechas al año. La técnica, dicen, consiste en tapar con cañas, tierra y juncos la humedad, pero sin eliminar el agua que hay debajo. Lo malo es que ahora muchos campesinos utilizan fertilizantes químicos, y consiguen lo contrario de lo que buscaban. Por ejemplo, en muchas plantas, como en el ahuejote, se inserta la plaga, que es el muérdago, que es un parásito que se forma en la rama de la planta.

El gobierno mexicano dice que necesita ayuda para salvar estos canales. Xochimilco es de lo poco que nos queda de una era en que esta tierra era próspera.

Pista 15. Sesión 24, texto número 4
A continuación escuchará una descripción de las chinampas del valle de México.

Las chinampas son una antigua y muy productiva técnica agrícola utilizada por los xochimilcas desde la época prehispánica y que consiste en islotes artificiales creados sobre el lago mediante la superposición de capas de troncos, tierra, lodo y raíces aseguradas por lianas y en cuyas orillas se plantan estacas vivas de ahuejote que al desarrollar sus raíces fijan las chinampas.

La chinampa es una alternativa tecnológica para la producción de alimentos con el menor deterioro ecológico. Para la producción, estas áreas proveen de su propio fertilizante natural mediante la acción de microorganismos en los canales y en el humus del suelo y la vegetación que crece profusamente tanto en el agua como en el suelo. En las chinampas se produce regularmente maíz y hortalizas (col, rábano, betabel, cebolla, frijol, lechuga, nabo, calabaza, nopal, etc.), plantas de ornato y animales de corral.

Pista 16. Sesión 25, texto número 1
A continuación escuchará una conversación entre tres personas en las que se habla de decisiones vitales.

▶ Cuando empezó la guerra, estaba terminando mi tesis sobre gramática española. Tuve que dejarla. Todo el mundo quería hacer algo por la patria, yo también, así que me hice traductora de los periodistas que iban a transmitir al mundo las injusticias que se estaban produciendo en mi país. Y ahora, no sé si algún día volveré a tener país o si acabaré mi tesis.

▷ Esta guerra es como todas, absurda. Me gustaría saber cuántos soldados profesionales hay en Bosnia, es un ejército de carteros, profesores, electricistas...

▶ ¿Y por qué te hiciste fotógrafa de guerra?

▷ ¿Por qué? No lo sé. Te puedo asegurar que no fue una decisión meditada. Trabajaba con organizaciones humanitarias hasta que en un momento dado sentí que por ese camino no estaba llegando a ningún sitio. Empecé a hacer fotos simplemente para que quedara constancia de lo que veía, y acabé trabajando para una agencia de noticias. Ahora ya no me puedo ir. Estoy enganchada.

▶ ¿Os conocéis todos desde hace mucho tiempo?

▷ Por lo general, sí, pero siempre hay gente nueva, gente que quiere conocer la guerra, otros buscando fortuna. A algunos los matan antes de que sepamos sus nombres, como a aquel pelirrojo de la semana pasada, ¿te acuerdas?

▶ No llegué a saber su nombre.

▷ Llegó en el avión de las 9, y a las 11 ya se lo habían cargado.

▶ O sea, que os vais encontrando en todas las guerras.

▷ Sí, es como una tribu, un circo ambulante, siempre las mismas caras, salvo los que se hartan, o los matan. Los jefes están lejos, lo importante es la foto, la crónica de hoy.

Pista 17. Sesión 25, texto número 2
A continuación escuchará una entrevista con el escritor chileno Luis Sepúlveda.

▶ ¿Le gustan los hoteles?

▷ Nací en un hotel, en Ovalle, fruto de una historia de amor muy bonita. Mi padre se enamoró de una menor de edad y el abuelo lo demandó por corrupción de menores. Huyeron.

▶ ¿Y no ha escrito la historia de sus padres?

▷ Se la debo. Mi madre era enfermera. Mi padre, un aventurero que se metía en líos espantosos intentando hacer el negocio de su vida: tuvo caballos de carreras que jamás ganaron, fue padrino de boxeadores que nunca fueron campeones y tuvo acciones de ferrocarriles que nunca se construyeron. Han estado juntos hasta la muerte. ¿Sabe?, a los 40 años volví a aquel hotel. Me di el lujo de dormir en la cama en la que había nacido. Creo que la vida es un constante cerrar círculos.

▶ ¿Qué otros círculos ha cerrado?

▷ Casi todos, menos el de la abuela italiana, una señorita muy fina que se enamoró de un indio mapuche y fue todo un escándalo. De niño vivía con el terrible viejo Gerardo y con mi abuela vasca, que cada noche me contaba historias. Le debo palabras mágicas como "pinpilinpausa", mariposa en vasco. El viejo Gerardo era un famoso bandolero andaluz. Le condenaron a prisión de por vida, pero se fugó de la cárcel un par de veces y acabó en el desierto de Atacama donde se hizo sindicalista y conoció a mi abuela. Hablaba ocho idiomas y acompañaba a una millonaria que daba la vuelta al mundo. Yo crecí con ellos.

▶ Su vida tampoco está mal...

▷ Siempre quise escribir, empecé en el diario "Clarín" haciendo crónica policial. Luego pasé a la radio, contaba historias de amor a las amas de casa y narraba las películas de estreno que no llegaban a las provincias. También, fui miembro de la escolta personal de Allende y eso me llevó a una pena de 28 años. Amnistía Internacional me salvó y cumplí sólo dos años y medio y 8 de exilio. Al salir de la cárcel comencé una peregrinación: Uruguay, Brasil, Paraguay, Bolivia, Perú. Me quedé en Ecuador un par de años y allí nació mi hija.

► ¿Encontró el amor en Ecuador?

▷ Me había casado en Chile con una mujer extraordinaria y tuvimos un hijo, pero una estupidez nos separó: la militancia política. Entonces decidí que no quería ataduras. Luego me fui a Nicaragua. Y más tarde viví unos años en Alemania, donde nacieron mis otros hijos.

► ¿Por fin ha encontrado su lugar?

▷ Sí, Gijón, aquí en España. Cada gusanito de mi jardín es mi compañero. Es un territorio a salvo.

► Y después de todo ese recorrido, ¿qué queda?

▷ La gente que he encontrado. Mi gran orgullo es tener muchos amigos. El abuelo bandolero me enseñó que de las situaciones difíciles el único que podía salir era yo. El intentarlo te hace estar en paz con la vida.

► Bueno, pues Luis Sepúlveda, muchas gracias por sus comentarios y sus respuestas, y mucho éxito en sus próximas obras.

▷ Muchas gracias a usted.

18. Examen final

Texto número 1

A continuación escuchará un texto en el que se habla de dos fiestas aragonesas: Los tambores de Calanda y el Cipotegato.

Los tambores de Calanda.

Acercarse a Calanda en el Bajo Aragón el Viernes Santo permitirá al viajero gozar de una tradición inolvidable: escuchar el redoble de los tambores calandinos. Nadie mejor que Buñuel ha expresado el sentimiento que se siente ante el redoble de los tambores de Calanda. Dice el genial director en su libro de memorias *Mi último suspiro*: "Cuando el reloj de la torre del Pilar inicie la cuenta de las doce en la mañana del viernes santo calandino, la hora quedará rota".

Parece ser que la utilización del tambor tiene su origen en el siglo XI, cuando sirvió para avisar a la población de Calanda de una inminente invasión árabe. Sea cual sea el origen de esta tradición, lo que es seguro es que quien visite Calanda por Semana Santa quedará profundamente impresionado por el sonido de los miles y miles de tambores y bombos que suenan sin tregua.

El *cipotegato*.

Tarazona es muy conocida por "*el cipotegato*", una curiosa farsa burlesca que se desarrolla todos los años durante las fiestas de san Atilano. Para no perderse todo lo que le acontece al *cipotegato*, el visitante tendrá que estar el día 27 de agosto al mediodía en la plaza del ayuntamiento. Allí tiene lugar la salida de este singular personaje, vestido de la cabeza a los pies con un traje de colores al que los jóvenes lanzarán tomates maduros.

Pero, ¿cuál es el origen del *cipotegato*? Según algunos, su origen se remonta a los tiempos en que la ciudad soltaba a un preso y se le llevaba a la plaza para tirarle ladrillos y piedras. Si el reo era listo y fuerte y lograba salir de la plaza, ya estaba libre.

Esto sucedió por lo menos hasta 1925. Fue después de la Guerra Civil cuando al *cipotegato* se le empezaron a tirar tomates. Antes, nadie quería ser *cipotegato*, ya que se consideraba una deshonra. Hoy, en cambio, cada año hay cientos de candidatos y se celebra un riguroso sorteo.

Texto número 2

A continuación escuchará un texto sobre los fascículos coleccionables.

Septiembre, el mes de la vuelta a la normalidad doméstica y profesional para la mayoría de nosotros, es el momento estratégicamente elegido para iniciar las colecciones. En formato de fascículos fueron presentadas algunas inmortales obras de Charles Dickens, o conocimos las vicisitudes del famoso detective Sherlock Holmes. Quienes ya cumplieron 50 años pueden recordar que gracias a los coleccionables de los domingos disfrutaron de El Capitán Trueno, se divirtieron con Asterix y Obelix, e incluso los hay que asentaron los cimientos de su futura biblioteca.

Las diversas editoriales ofrecen, en nuestro país y a lo largo del año, en torno a 200 colecciones distintas, lo que supone aproximadamente el 10,5% de los beneficios totales. Las ofertas especiales de lanzamiento, reforzadas por una intensa campaña de publicidad, inclinan a muchos consumidores a hacerse con el primer ejemplar, que normalmente viene acompañado del segundo, gratuito. De los compradores iniciales, pocos seguirán adelante o superarán los tres números.

Conocedoras de esta tendencia del mercado, las editoriales distribuyen una gran cantidad de ejemplares del primer (y, en su caso, segundo) número. La cantidad inicial queda reducida a la mitad en la segunda entrega y a partir de ahí el suministro se efectúa bajo demanda del librero o kiosquero, que realiza el pedido una vez calculada la clientela de la próxima entrega del coleccionable.

Aunque muy pocos consumidores adquieren todos los fascículos de una colección, quienes mantienen la constancia cuentan con la garantía editorial de que podrán concluir la colección. De todas formas, si la editorial decidiera cesar las entregas, se advierte a los compradores de la intención de suspender la colección en las carátulas de los dos últimos números puestos en circulación. En el otro extremo del éxito se sitúan las colecciones que, por su buena acogida, vuelven a la carga en septiembre, y se da la paradoja de que una segunda colección (a veces, idéntica) convive con la edición anterior que todavía no ha concluido.

Texto número 3
A continuación escuchará un texto sobre unas jornadas de animación a la lectura infantil.

Leer un libro puede convertirse en una aventura fascinante independientemente del contenido, del estilo literario en que esté realizado. Pero la lectura debe competir con muchos factores y con otros alicientes que ofrece el tiempo libre. Las bibliotecas suelen ser lugares mágicos en el que se encuentran guardadas miles de historias que cobran vida en cuanto alguien abre las páginas de un libro, pero no es menos cierto que suelen dar miedo a más de un ciudadano y especialmente a los niños. Para evitar ese posible miedo y para acercar a los chavales a la lectura el Ayuntamiento de Vitoria, a través del Departamento de Cultura, va a poner en marcha unas jornadas de animación a la lectura. En once días distintos y en las once bibliotecas municipales repartidas por toda la ciudad muchos niños van a descubrir las historias que los libros escritos especialmente para ellos les van a ofrecer. Un grupo de teatro les va a facilitar la tarea proponiéndoles dos curiosas actividades: teatro y cuentacuentos.

Estas once jornadas de animación a la lectura ofrecerán la oportunidad a niños de 5 a 11 años de conocer juegos y fantasías alrededor de un libro. Vuelve la figura del narrador de cuentos. Contar un cuento, después del boom de los juegos electrónicos y audiovisuales vuelve a adquirir importancia. Un mismo cuento transmitido por diferentes narradores cobra diferentes matices que los niños y no tan niños saben apreciar. Pero en esta experiencia también se hace teatro, aunque una biblioteca pueda parecer que no es el lugar más adecuado, pero lo es. Narrar, contar y escenificar rodeado de libros tiene un matiz importante ya que los libros son la memoria de la narración oral.

En cualquier caso, esta experiencia no quiere demostrar que la lectura es la única forma de ocupar el ocio infantil y adulto. Cuando algo se vuelve exclusivo deja de tener efectos beneficiosos. Cada cosa en su justa medida. Televisión, juegos electrónicos o libros. Son múltiples formas.

Texto número 4
A continuación escuchará una entrevista con Julia Otero, periodista.

▷ Tenemos hoy con nosotros a Julia Otero, la popular periodista que, desde que apareció presentando el programa concurso "3 x 4", se ha convertido en uno de los personajes más populares y queridos del país. Recientemente, ha estrenado un nuevo programa de entrevistas titulado "*La luna*". Julia, ¿a qué crees tú que se debe tu altísimo nivel de popularidad?

▶ No sé, durante este tiempo he ido viviendo en la calle cómo se ha producido el fenómeno de la popularidad. Al principio, la gente decía "una chica de la tele", luego "la chica del "3 x 4", después "Julia Otero" y ahora ya soy simplemente Julia.

▷ ¿Y no se produce ninguna situación de celos profesionales entre tu marido, también periodista, y tú?

▶ En absoluto. Él presume de mí. Yo sigo pensando que pertenece a una especie de hombre de los que no abundan mucho. Hay pocos maridos que acepten el éxito profesional de sus mujeres.

▷ ¿En qué cosas concretas ha cambiado tu vida desde que eres tan popular?

▶ La verdad es que vivo en la misma casa, voy en el mismo coche, me visto más o menos igual y tengo exactamente los mismos amigos que antes, me parece que ni uno más. Los fines de semana, mi marido y yo buscamos algún lugar tranquilo fuera de la ciudad y, si no salimos, nos "invitamos" a cenar en casa de algunos amigos. Lo que ha cambiado son las relaciones con el mundo exterior, algo que es muy difícil de explicar y que se podría definir como la forma en la que eres tratada por los demás.

▷ Creo que tu padre, músico de profesión, quería que siguieras su carrera, la música, y que tú querías hacer medicina. ¿Cómo acabaste en el periodismo?

▶ Mi padre más que ejercer su oficio, quería que yo aprendiera a tocar un instrumento. Y yo quería ser cirujana, porque me gustaba esa especialidad y porque casi no había mujeres en ella. En el bachillerato, sin embargo, me encontré con unas excelentes profesoras de literatura y lengua y empecé a pensar en el periodismo, aunque al final terminé estudiando Filología.

▷ Bueno, Julia, muchas gracias por tus amables respuestas, y espero que sigas teniendo el éxito del que has disfrutado hasta ahora.

▶ Muchas gracias a ti también.